TRODAIRÍ NA TREAS BRIOGÁIDE

Seán Ó Treasaigh.

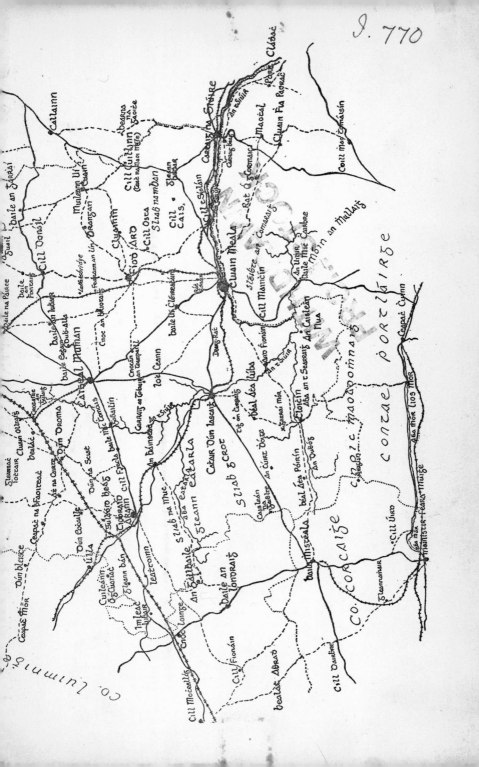

TRODAIRÍ NA TREAS BRIOGÁIDE

COLM Ó LABHRA

CLÓ UÍ MHEÁRA
AONACH URMHUMHAN

An Chéad Chló 1955

Do Liam agus Pádraicín Tóibín i gcomhartha cairdis agus ceana.

TRODAIRÍ NA TREAS BRIOGÁIDE

RÉAMHRÁ

IS é an leabhar so, dar liom, an chéad iarracht a rinneadh riamh fós ar scéal briogáide ar bith d'Arm na Poblachta a ríomh i nGaeilge. Ní raibh fúm agus mé ag gabháil i mbun an phinn cuntas iomlán a thabhairt ar chúrsaí na Treas Briogáide d'Óglaigh na hÉireann i gContae Thiobrad Árann. Níor mhaith liom go gceapfaí gur iarracht é seo ar Stair na nÓglach i dTiobraid Árann Theas a scríobh. Tá sé beagáinín róluath fós a leithéid a dhéanamh. Ní staraí mé ach croinicí. Bhí cúiseanna agam le gan dul chomh mion agus ba mhaith liom isteach sa scéal. Táimid róghairid fós do na blianta corraithe úd agus do na gníomhartha éagsúla úd a bhfuil trácht orthu sa leabhar so chun breithiúnas cruinn cóir a thabhairt orthu.

Rinneas mo dhícheall chun teacht ar an bhfírinne agus chun gan éinní a chur síos gan cúis mhaith a bheith leis. Bhaineas lánfheidhm as saothar na n-údar Béarla a chuaigh romham, agus ina theanntasan fuaireas tuairiscí béil agus tuairiscí scríofa ó dhaoine a ghlac páirt sa troid, agus gabhaim buíochas ó chroí leis an uile dhuine a chuidigh liom chun fírinne an scéil a nochtadh. Tá beirt go mórmhór a bhfuilim fé mhórchomaoin acu, mar atá Muiris Mac Conchradha agus Seán Mac Giolla Phádraig. Cara eile a thug an-chúnamh dom agus atá anois imithe ar shlí na fírinne ba ea Seán Ó Cuana ó Chluain Meala. Chuidigh na fir sin agus na fir a bhfuil a n-ainmneacha luaite agam i liosta na bhfoinsí (feic leathanach 343), chuidigh siad liom go fial flaithiúil agus táim fé mhórchomaoin acu. Gabhaim buíochas speisialta le fir Chluain Meala a sholáthraigh grianghrafaí agus scríbhinní agus tuairiscí dhom maraon le litreacha a bhain le hÓglaigh na linne sin a bhfuil cur síos orthu sa leabhar so. Ar na cairde a chabhraigh liom i gCluain Meala bhí Risteard Daltún, Seán Ó Searcaigh agus Críostóir Ó Ríordáin a chuidigh liom ó thús deireadh. Gheofar tuilleadh ainmneacha sa liosta a luas thuas romham.

Baineann an chaibidil deiridh leis an gCogadh Chathartha—Cogadh na gCarad. Ar an drochuair d'Éireannaigh tharla imreas agus easaontas eatorthu. Ba thrua a scaradh le chéile, ach cuid de stair na tíre an t-easaontas san anois agus tiocfaidh linn ceart agus aincheart an chogaidh sin d'fhágaint fé bhreithiúnas an staraí. Ach is fíor gur throid Óglaigh na Treas Briogáide chomh dian sa Chogadh Cathartha agus a throideadar roimhe sin in aghaidh na nGall agus, fairíor géar, is mó do maraíodh dá dtaoisigh chróga sa chogadh san ná sa chéad chogadh. Scéal an lucht troda atá sa leabhar so, agus ar an abhar san is beag trácht a déantar ann ar chúrsaí polaitíochta taobh amuigh den méid atá riachtanach chun an scéal a léiriú.

Colm Ó Labhra.

scáinte thall is abhus ar fuaid na dúthaí sin.

Ar na daoine a bhí i láthair nuair a bunaíodh na hÓglaigh don chéad uair i dTiobraid Árann bhí beirt ógánach a mbeidh trácht orthu go minic sa leabhar so, eadhon, Seán Mac Aillis Ó Treasaigh agus Domhnall Ó Braoin. I dtosach na bliana 1914 bunaíodh complacht i nDún Eochaile agus chuaigh an bheirt acu ina n-óglaigh ar an toirt. Ní raibh aithne ar cheachtar acu lasmuigh dá pharóiste féin an uair sin. Níorbh fhada, ámh, go raibh a n-ainm i mbéal an tslua agus cáil is clú orthu i gcéin is i gcomhgar ; agus ní bréag a rá go bhfui ainmneacha na beirte sin fite fuaite le stair na Treas Briogáide d'Arm Poblachta Éireann i dTiobraid Árann.

Nuair d'éirigh easaontas imeasc na nÓglach toisc aithisc an Réamonnaigh chloígh Seán agus Domhnall leis an seandream agus ní bheadh ladhar ná lámh acu feasta i ngnóthaí an dreama eile. Leanadar leo ag drileáil agus ag armchleachtadh le buíon bheag dhílis agus iad ag ullmhú don chomhrac cruaidh a bhí rompu. Bhíodar beirt i mBráithreachas na Poblachta agus bhí eagar maith ar an mBráithreachas i measc na bhfear a bhí ag cuidiú leo. Ar na fir sin bhí a lán a ghnóthaigh cáil agus clú dhóibh féin dá éis sin i dtreasa na Treas Briogáide—cuid acu a thug a n-anam ar son na hÉireann ar nós an Treasaigh féin ; cuid acu atá imithe ar shlí na fírinne ó shin—go ndéana Dia trócaire orthu uile—agus cuid eile acu atá inár measc i gcónaí, Dia á mbeannachadh. Ach ní miste a rá anso go raibh na céadta fear i dtreasa na nÓglach nach bhfuair cáil ná clú riamh, cé nach lú a bhfuil d'urraim agus d'onóir ag dul dóibhsean ná mar atá ag dul don dream eile.

Níl sé d'aidhm agam sa leabhar so stair na nÓglach i dTiobraid Árann a scríobh. An Treas Briogáid, sé sin le rá, Briogáid Thiobrad Árann Theas, agus cúrsaí na Briogáide sin ón uair a bunaíodh ar dtúis í go dtí an sos cogaidh i mbliain a 1921—is é sin an t-abhar ar a dtráchtaim sa leabhar so,* agus ós rud é nár bunaíodh an Treas Briogáid go dtí an bhliain 1918, ní bhaineann mo scéal ó cheart leis an tréimhse roimhe sin ar aon chor. Mar sin féin, d'fhonn eolas iomlán a thabhairt don léitheoir ar na tosca ba bhun leis an mBriogáid a thionscnamh, ní foláir dom tagairt a dhéanamh don tréimhse ghairid idir Éirí Amach Seachtain na Cásca, 1916, agus eagrú na Treas Briogáide i dTiobraid Árann. Ag gabháil i gceann na hoibre dhom, ligfead díom gan teacht thar éinní ach na nithe atá riachtanach chun snáithe an scéil a thabhairt don léitheoir.

Tháinig an tÉirí Amach fé dheoidh—an tÉiri Amach úd a rabhthas ag coinne leis ó cuireadh na hÓglaigh ar bun. Níor chorraigh fir Thiobrad Árann, ámh, agus d'imigh uair na faille gan buille a bhualadh. Ní tógtha ar Óglaigh Thiobrad Árann é. Meireach orduithe agus frithorduithe bheadh Óganaigh Thiobrad Árann ag seasamh an fhóid in aghaidh na nGall cois Siúire dála na nÓglach cois Life. Thiomsaíodar mar a hordaíodh dóibh, ach scaipeadar arís nuair a tháinig an frithordú ó Eoin Mac Néill.

Is é Piaras Mac Canna a bhí ina Cheannfort ar Óglaigh uile an Chontae an tráth san, agus nuair a chuala sé go raibh éirithe amach ag Óglaigh Átha Cliath d'ainneoin frithordú Mhic Néill ba mhian leis Óglaigh Thiobrad Árann a thiomsú agus cath a chur ar Ghaill. Bhí daoine eile ar aon aigne leis sa scéal san. Tháinig Éamon Ó Duibhir chuige á iarraidh air na hÓglaigh a threorú amach in aghaidh na nGall. Bhí

*Tá caibidil bhreise curtha agam leis an leabhar ina ndéantar cur síos althghearr ar chúrsaí Chogadh na gCarad i dTiobraid Árann Theas.

fonn ar an gCeannfort é a dhéanamh, ach bhí deacracht sa scéal. Thuig sé gur shaothar in aistear d'Óglaigh Thiobrad Árann dul sa bhfiontar gan Óglaigh Chorcaighe agus Luimnighe a bheith in éineacht leo.

Tar éis a mhachnamh a dhéanamh ar an scéal chuir an Ceannfort teachtairí uaidh go Corcaigh agus go Luimnigh agus an teachtaireacht so leanas acu :

" Cuirfidh Briogáid Thiobrad Árann cath ar an namhaid má thogrann Briogáidí Chorcaighe agus Luimnighe dul sa chath maraon leo.

Piaras Mac Canna

O/C Briogáid Thiobrad Árann "

Is iad Éamonn Ó Duibhir agus Seán Ó Treasaigh a chuaigh ar an teachtaireacht san, duine acu go Corcaigh agus an duine eile go Luimnigh. Ba shaothar in aistear dóibh é. Ní rachadh Briogáidí Chorcaighe ná Briogáidí Luimnighe sa chath agus, uime sin, d'ordaigh an Ceannfort Mac Canna d'fheara Thiobrad Árann gan éirí amach ar aon chor, agus cuireadh na fir a bhi tiomsaithe abhaile aris.★

Níor thúisce an tÉirí Amach fé chois ná taoisigh na nÓglach i gcuibhreacha ag Gaill. Níor thaise d'Óglaigh Thiobrad Árann é. Agus féach ; níorbh iad na hÓglaigh amháin a sáitheadh isteach i bpríosún an uair úd ach éinne a raibh de cháil air bheith ag dréim le céim suas do Ghael pé acu i gcúrsaí polaitíochta nó i gcúrsaí saighdiúireachta é. Rugadh ar scoth agus ar phlúr na nGael go ndearnadh a ndíbirt chun

---

*Bunaíodh an cuntas thuas romhainn ar alt a scríobh Éamon Ó Duibhir sa leabhrán. " Bláithfhlease ó Thiobraid Árann "—Conradh na Gaedhilge d'fhoilsigh.

campaí géibhinn thar lear. Bhí a n-urmhór sa bhaile arís, ámh, roimh Nollaig na bliana 1916 agus iad beartaithe ar bhuille eile a bhualadh ar son na saoirse chomh luath in Éirinn is a thiocfadh leo.

Ba ghairid an mhoill ar Óglaigh Thiobrad Árann dul i gceann a saothair arís. B'éigean dóibh oibriú os íseal feasta, mar bhí súil ghéar ag na póilíní orthu agus níor mhór dóibh bheith an-aireach ar eaglá go mbéarfaí orthu. Chuaigh an obair chun cinn go mall, agus ar feadh i bhfad ní raibh ach dream beag dílis ina ceann. De réir a chéile, ámh, chuaigh líon na nÓglach i méid agus níor chian go raibh an Treasach agus a chomrádaithe ar a ndícheall ag bunú complachta agus ag tréineáil na bhfear. Idir an dá linn bhí teagasc an Phoblachtais ag dul chun cinn imeasc na ndaoine agus nuair a hainmníodh an Ceannfort Éamon de Valéra chun seasamh ar son *Sinn Féin* i dtoghchán an Chláir bhí a fhios ag cách go mbeadh an toghchán san ina chomhrac báis agus beatha idir lucht na Poblachta agus lucht *Home Rule*. Tháinig De Valéra chun an Chláir gur labhair leis na daoine mar Phoblachtánach agus mar Óglach á iarraidh orthu a nguth a thabhairt ar son *Poblacht na hÉireann*. Bhí sé gléasta in éide ghlasuaithne na nÓglach agus ba iad na hÓglaigh a riaraigh na sluaite gach áit a raibh tionól aige le linn an toghcháin. Toghadh é de bhreis mhór ; 5,010 vótaí a tugadh ar a shon agus ní fhuair ionadaí Pháirtí na hÉireann ach 2,035 den 7,045 vótaí a tugadh sa toghchán. Ba léir go raibh rith an ráis le cúis na Poblachta feasta.

Thug Éamon de Valéra cuairt ar bhaile Thiobrad Árann Dé Domhnaigh, an 19ú lá de Lúnasa, 1917, agus labhair leis an slua ar pháirc na himeartha. Shiúladar na hÓglaigh go teann tóchastalach trí na sráideanna chun láthair na paráide ;

bhí éide na nÓglach ar a lán acu, agus bhí camán ar a ghualainn
ag gach fear amhail is dá mba raidhfil a bheadh ar iompar
aige. Bhí a chúis féin leis sin. Is amhlaidh a crosadh ar
ógánaigh na hÉireann camáin d'iompar tamall roimhe sin,
agus crosadh orthu mar an gcéanna bheith gléasta in éide airm.
Ba chuma leis na hÓglaigh na péindlithe sin, agus ní raibh
uathu lá na paráide ach dúshlán a chur fé Shasana agus a
fhógairt go hard i gclos don tsaol nach raibh Gaeil cloíte go
fóill. Ba é Seán Ó Treasaigh a bhí i gceannas an Gharda
Thionlacain le linn na máirseála an lá úd i dTiobraid Árann.
Dhá lá ina dhiaidh san gabhadh é gur gearradh sé míosa
príosúin air. Chuaigh sé ar stailc ocrais i bhfochair na bpríos-
únach eile agus é i gcarcair Mountjoy. Le linn na stailce sin
is ea d'éag Tomás uasal Ághas. Chorraigh a bhás san an
tír uile, agus ba dhóigh le duine a dhéanfadh machnamh ar
an gcuma ina bhfuair sé bás gurbh amhlaidh a bhí aird tabh-
artha ag Dia ar an achainí a chuir sé chuige ó dhoimhneacht
a chroí agus é i bpríosún Lewes i Sasana an bhliain roimhe sin
.i.

" Let me carry your Cross for Ireland, Lord !
       The hour of her trial draws near,
And the pangs and the pains of the sacrifice
       May be borne by comrades dear.
But, Lord, take me from the offering throng,
       There are many far less prepared,
Though anxious and all as they are to die
       That Ireland may be spared."

Ghaibh rabharta feirge muintir na hÉireann nuair a chual-
adar fén drochíde a tugadh d'Ághas bocht sa phríosún agus

fén anbhás a thug an lucht coimeádta air. Ba ea méid a ndíbheirge agus a ndobróin gur ghaibh meatacht agus mílaochas na húdaráis Ghallda. Ghéilleadar d'éileamh na bpríosúnach, ach bhí díolta go daor ag Tomás Ághas as an ngéilleadh sin. Ba chuma leis :

> " Let them do to my body what ever they will,
> My spirit I offer to you."

Níorbh fhearr leis a bheo ná a mharbh, ach ba é mian a chroí Éire a shaoradh agus a anam uasal féin a thabhairt suas chun Dé ar a son. Agus mar sin d'íbir sé é féin agus do ghlac Dia leis an íbirt.

Cuireadh tionól ar Ard-Fheis *Sinn Féin* i nDeireadh Fómhair na bliana 1917. Socraíodh go mbeadh de chuspóir ag *Sinn Féin* feasta *Poblacht neamhspleách Ghaelach a dhéanamh d'Éirinn.*

Toghadh Éamon de Valéra ina Uachtarán agus Art Ó Gríofa ina leas-Uachtarán. Tionóladh Comhdháil na nÓglach tamall dá éis sin i bPáirc an Chrócaigh. Comhdháil tábhachtach ba ea í agus b'éigean do na hÓglaigh í a thionól os íseal. Toghadh Éamon de Valéra ina Uachtarán ar Óglaigh na hÉireann agus ceapadh Cathal Brugha ina Cheann Foirne. Socraíodh ar an gcóras míleata d'atheagrú agus toghadh Ard-Chomhairle Airm agus Coiste Gnótha chun scéim na heagraíochta a chur i bhfeidhm. Roinneadh Contae Thiobrad Árann i dtrí ceantair bhriogáide de réir na scéime eagraíochta a ceapadh le linn na Comhdhála san, agus cuireadh an Treas Briogáid ar bun i dTiobraid Árann Theas.

Nuair a tháinig an Treasach abhaile i Mí na Samhna fuair sé buíon sách láidir roimhe, agus luigh sé isteach ar obair na heagraíochta ar an toirt. D'oibrigh sé go dícheallach d'fhonn an Bhriogáid a chur ar a bonna i gceart. Níor shos dó i ndeireadh na bliana 1917 agus i dtosach na bliana 1918 ach é ar theann a dhíchill ag riaradh na hoibre sin agus fuadar fé an obair a chur chun cinn go tapaidh ionas go mbeadh eagar maith ar an mBriogáid sar a mbéarfaí air arís—rud a raibh coinne aige leis uair ar bith feasta. Mhéadaigh ar dhúthracht na nÓglach i dTiobraid Árann tar éis Comhdhála na bliana 1917. Bhí an ghluaiseacht armtha fé lántseol arís agus fonn troda ar na taoisigh. Ba lán an talamh dá dtoichim agus ba mhinic iad ag drileáil de shiúl oíche, óir b'fhada leo go mbeidís inchomhlainn le Gaill nó go mbainfidis amach saoirse na hÉireann fé dheoidh.

In earrach na bliana 1918 gabhadh Seán Ó Treasaigh arís gur sáitheadh isteach i bpríosún é. I Mí an Mhárta thug Domhnall Ó Braoin agus Muiris Mac Conchradha cuairt ar an Treasach i bpríosún Dún Dealgan. D'fhanadar sa bhaile sin go ceann roinnt laethanta agus thugaidís cuairt ar Sheán gach lá lena linn sin. Eagrú na nÓglach i dTiobraid Árann Theas dob abhar cainte dhóibh le linn na gcuairteanna san. Bhí fonn mór ar an Treasach go ndéanfaí na cathláin d'eagrú go tapaidh agus an Bhriogáid a chur ar a bonna, agus ba mhian leis go ndéanfaí sin go luath toisc na Sasanaigh a bheith ag bagairt Acht na Preasála a chur i bhfeidhm ar mhuintir na hÉireann san am. Mhol sé don bheirt eile cuairt a thabhairt ar Mhícheál Ó Coileáin ag dul abhaile dhóibh. Ba é Mícheál Ard-Aidiúnach na nÓglach an uair sin. Nuair a rángadar Baile Átha Cliath chuadar d'fhéachaint an Choileánaigh agus ghríosaigh seisean iad chun an Bhriogáid a bhunú láithreach bonn.

Tugadh fén mBriogáid a bhunú go luath i Mí Aibreáin. Bhí a bheag nó a mhór d'eagar curtha ar thrí cathláin nuair

17

2

Domhnall Ó Braoin agus Muiris Mac Conchradha
(Samhradh, 1918)

a tháinig na ceannasaithe catha i gceann a chéile i mbaile
Thiobrad Árann an chéad Domhnach den Aibreán : Toghadh
Domhnall Ó Braoin ina Cheannasaí Briogáide, Donnchadh
de Lása ina Cheathrúnach, agus Muiris Mac Conchradha ina
Aidiúnach. Ní raibh sna hoifigigh sin ach oifigigh shealadacha
agus tuigeadh do chách nárbh fholáir toghchán eile a bheith
ann nuair a bheadh eagar curtha ar an mBriogáid. Idir dhá
linn, ámh, bhí géarghá le hoifigigh chun obair na heagraíochta
a stiúrú agus b'shin é an fáth gur ceapadh an triúr san. An
túisce a bhí an toghchán thart chuir Muiris Mac Conchradha
tuarascáil chun ceannáras na nÓglach i mBaile Átha Cliath.
Dheimhnigh lucht an cheannárais toradh an toghcháin úd
agus chuireadar in iúl san am céanna go gcaithfeadh toghchán
nua a bheith ann nuair a bheadh an Bhriogáid ar a bonna.

I Mí Aibreáin tháinig oifigeach eagraíochta ó Bhaile Átha
Cliath chun eagar a chur ar na briogáidí i dTiobraid Árann
agus i Luimnigh. Thug sé tamall i gceantar Thiobrad Árann
ar dtúis agus d'imigh leis ansan go Luimnigh. Seán Mac
Lochlainn ab ainm don oifigeach eagraíochta agus is é a bhí
i gceannas an dara toghcháin Bhriogáide i dTiobraid Árann
i Mí na Bealtaine, 1918. Bhí eagar cuíosach maith ar na
cathláin i dTiobraid Árann, i gCoill na Manach, agus i gCaiseal
Mumhan fén am so, agus bhí cathlán eile tar éis a bhunaithe
a dtugtaí " Cathlán na Teorann " air an uair sin. Complachta
Imleach Iubhair, Leathtoinne, Cuileann Ó gCuanach agus an
Ghallbhaile a bhí sa chathlán san agus ó bhí na ceantair sin
ar theora Luimnighe agus Tiobrad Árann tugadh an
Border Battalion ar an gcathlán a bunaíodh orthu. Óglaigh
Thiobrad Árann Theas a bhunaigh na complachta in Imleach
ach bhain Gallbhaile le Luimnigh ó thosach. Timpeall an
ama san, áfach, bhí na complachta san uile á stiúrú ag oifigigh

Thiobard Árann Theas. Ceapadh Liam Ó Mainchín ina cheannasaí sealadach ar an gcathlán san. Is é Seán Mac Lochlainn a chuaigh i gceannas an toghcháin Bhriogáide i Mí na Bealtaine, agus is iad na fir atá luaite againn cheana a toghadh arís an uair sin. Le linn an toghcháin sin is ea a toghadh Innealltóir Briogáide don chéad uair. Is é Matt Barlow a ceapadh don phost san. Tuigeadh arís, dar ndóigh, nach mbeadh sna hoifigigh seo ach oifigigh shealadacha ; cuireadh tuarascáil an toghcháin ag triall ar an gceannáras i mBaile Átha Cliath agus fuarthas deimhniú agus aitheantas ón bhfoireann cheannárais, bíodh gur cuireadh ar a súile do lucht na Briogáide go gcaithfeadh toghchán eile a bheith ann sar a ndéanfaí buan-oifigigh a cheapadh.

Bheartaigh Seán Mac Lochlainn ar bhriogáid a bhunú i Luimnigh Thoir agus chuige sin ba mhian leis *Cathlán na Teorann* (nó Cathlán na nGaibhlte) d'aistriú ó Bhriogáid Thiobrad Árann Theas go dtí an bhriogáid nua i Luimnigh Thoir. Ar an abhar san thionól sé na hoifigigh sa Ghallbhaile i ndeireadh Mí na Bealtaine agus chuir Cathlán na Teorann sa Bhriogáid nua. Is é Liam Ó Mainchín a ceapadh ina oifigeach ceannais ar Bhriogáid Luimnighe Thoir. Bhí Domhnall Ó Braoin agus Muiris MacConchradha i láthair an chomhthionóil sin sa Ghallbhaile agus chuadar ann d'aonghnó chun cur i gcoinne an tsocruithe a bhí ceaptha ag Seán Mac Lochlainn, is é sin na complachta teorann d'aistriú go Briogáid Luimnighe Thoir. B'éigean dóibh géilleadh don oifigeach eagraíochta, dar ndóigh, óir bhí seisean ag obair thar ceann Ard-Cheannais na nÓglach i mBaile Átha Cliath agus údarás aige ón bhfoireann cheannárais na hathruithe sin a dhéanamh.

Ar éigin a bhí Domhnall Ó Braoin i gceannas na Briogáide

20

nuair a chuidigh an Rialtas Gallda féin leis na hÓglaigh a neartú agus fás mór a chur fúthu. Bhí na Sasanaigh á dtiomáint ar gcúl ag na Gearmánaigh ar mhachairí an bhuailte agus bhí Calafoirt Mara nIocht i mbaol a ngabhála. Theastaigh tuilleadh saighdiúirí ó Shasana agus, d'fhonn na saighdiúirí sin a sholáthar d'Arm na Breataine, bheartaigh an Rialtas Gallda ar Acht na Preasála a chur i bhfeidhm ar na Gaeil. Tháinig athrú iomlán ar chúrsaí polaitíochta in Éirinn láithreach. An t-olc agus an fuath agus an ghráin a bhí ag na dreamanna éagsúla ar a chéile d'imigh sé le prap na súile mar d'imeodh gal soip. Tháinig gach dream náisiúnta le chéile gur mhol do na daoine cur in aghaidh an Éigin go himirt anama, agus tháinig na mílte daoine isteach i dtreasa na nÓglach dá bharr. Go deimhin, ba mhó ar fad a raibh de mhuinín ag na daoine as Óglaigh na hÉireann le linn na héigeandála ná as dream ar bith eile.

D'éirigh Ard-Rúnaí na hÉireann as oifig agus tháinig Ard-Rúnaí eile ina ionad. D'éirigh an Tiarna Tánaiste as oifig leis agus cuireadh Tiarna Tánaiste eile anall go hÉirinn. An fear nua a tháinig anall níorbh éinne é ach an Tiarna French, Marascal Machaire d'Arm na Breataine. Tugadh cumhachta ollmhóra don Tiarna Tánaiste nua d'fhonn *Sinn Féin* agus na hÓglaigh a chloí ar fad. Ba ghearr an mhoill air feidhm a bhaint as na cumhachta san. Cuireadh an tír fé dhlí airm agus fógraíodh go raibh "cogar ceilge" aimsithe ag an Rialtas—cogar ceilge idir na Poblachtánaigh sa bhaile agus an namhaid sa Ghearmáin. An "Cogar Ceilge Gearmánach" nó an "German Plot" a goireadh den "chomhcheilg" sin. Ar scáth an ríocht a chosaint ar lucht na comhcheilge gabhadh céad éigin de thaoisigh na bPoblachtánach agus díbríodh go Sasana iad. Ar na fir a gabhadh bhí Éamon de Valéra agus Art Ó Gríofa. Níor chuir an gníomh san stop leis na hÓglaigh, ámh. Chuadarsan i neartmhaire in aghaidh an lae agus meastar go raibh breis agus céad míle óglach ann ar fad an uair a cuireadh deireadh leis an gcéad chogadh mór i Mí na Samhna.

Le linn do Sheán Ó Treasaigh bheith i bpríosún ní raibh na hÓglaigh díomhaoin i dTiobraid Árann. Bhí ganntanas arm is armlóin ag cur orthu agus bheartaigh na taoisigh ar ruathair a dhéanamh ar thithe príobháideacha agus go mór mór ar thithe cónaithe na nAontaitheoirí agus "lucht na tairiseachta," amhail a ghlaoidís orthu féin, chun airm a sholáthar. Fuair na hÓglaigh cuid mhaith airm ar an gcuma san. Gunnaí fiaigh is mó a tháinig ina dtreo, ach fuaireadar roinnt mhaith roithleán freisin agus corr-raidhfil. Uaireanta d'éiríodh le duine de na hÓglaigh margadh a dhéanamh le saighdiúir Gallda agus raidhfil a cheannach uaidh ach bheadh air díol as an ngunna san go daor. Cuireadh deireadh leis an gcogadh go hobann i Mí na Samhna. Ní raibh saigh-diúirí ag teastáil ó Sheán Buí a thuilleadh agus níor cuireadh Acht na Preasála i bhfeidhm ar aon chor, dá bhrí sin. Bhí a rian san ar eagraíocht na nÓglach. Tháinig scaipeadh is scaoileadh orthu go dtí ná raibh fágtha ach dream beag díobh ; ach ba iad na fir sin na fir ab fhearr agus ba dhúthrachtaí.

Scaoileadh Seán Ó Treasaigh amach as príosún i Mí an Mheithimh (1918). Chuaigh sé i mbun na hoibre arís agus i gcionn cúpla mí bhí eagar cuíosach ceart ar an mórchuid den cheantar briogáide. Ní miste a rá anso gurbh ionann an ceantar briogáide agus Contae Thiobrad Árann Theas, nach mór, ach bhí cuid mhaith de Chontae Phortláirge Thuaidh ag gabháil leis. Ba iad na limistéir a bhain leis an mBriogáid i gCo. Thiobrad Árann ná *Coill na Manach, Corcra Áthrach*

(.i. An Trian Meánach), Múscraí Uí Chuirc (.i. Clanna Liam),
Ua Fathaigh (Thiar agus Thoir), agus Sliabh Ardachaidh. I
gContae Phortláirge, ámh, a bhí an dúthaigh uile idir Gleann
na hUidhre agus an tSiúir laistigh de theora na Treas Briog-
áide, maraon le ceantar na Carraige, Bearna Gaoithe, Rath Ó
gCormaic, Cluain Fhia Paorach agus Maothal.

Ceithre cathláin a bhí in ord agus in eagar in earrach na
bliana 1918, eadhon, Clanna Liam (nó Tiobrad Árann féin),
Coill na Manach (nó Dún Droma), Caiseal agus Cluain Meala.
I Mí Dheireadh Fómhair na bliana san bhí sé cathláin in eagar,
óir do heagraíodh Cathair Dhún Iascaigh agus Drangan (Sliabh
Ardachaidh) idir an dá linn. Níorbh fhada ina dhiaidh sin
gur heagraíodh an seachtú cathlán ar an taobh thoir theas
den cheantar briogáide, is é sin i gceantar Charraig na Siúire.
Níor bunaíodh an t-ochtú cathlán .i. Ros Gréine go dtí an
bhliain 1920 agus nuair a cuireadh ar bun é fé dheoidh goireadh
Cath a hAon nó An Chéad Chath dhe i dtreo gurbh éigean
na catha eile d'áireamh as an nua agus uimhir aitheantais
nua a chur ar gach cath fé leith. Ag so cathláin uile na briog-
áide de réir uimhreacha :

An Chéad Cathlán—Ros Gréine; an Dara Cathlán—Caiseal
Mumhan ; an Treas Cathlán—Coill na Manach (Dún Droma);
an Ceathrú Cathlán—Tiobrad Árann (Clanna Liam) ; an
Cúigiú Cathlán—Cluain Meala ; an Séú Cathlán—Cathair
Dhún Iascaigh ; an Seachtú Cathlán—Drangan ; an tOchtú
Cathlán—Carraig na Siúire*.

*Cuireadh Cathlán Ros Gréine agus Cathlán Charraig na Siúire ar
bun sa bhliain 1920. Tugadh Cathlán a hAon (An Chéad Chathlán)
ar Chathlán Ros Gréine ansan. Roimhe sin ba é Cathlán Chlanna Liam
an Chéad Chathlán, Coill na Manach an Dara Cathlán, Caiseal an
Tríú Cathlan, Cluain Meala an Ceathrú Cathlán, Cathair Dhún Iascaigh
an Cúigiú Cathlán agus Drangan an Séú Cathlán.

Ní miste beagán a rá anso fé eagar na Briogáide. Bhí an Bhriogáid roinnte ina catha agus ina complachta. Ní raibh na catha ná na complachta in ionannas ó thaobh méide ná nirt de. Bhí catha agus complachta ba mhó, agus ba líonmhaire fé Óglaigh, ná a chéile. Ba é an ceathrú cath an cath ba threise agus dob éifeachtúla de chatha uile na Briogáide agus is uaidh a tháinig na hoifigigh ba mhó cáil—Seán Ó Treasaigh, Domhnall Ó Braoin, Donnchadh de Lása, Conn Ó Maoldhomhnaigh, Seán Ó hÓgáin, Pádraig Dáltún (Pádraig Mór), Máirtín (" Sparky ") Ó Braoin, gan trácht ar a thuilleadh. De réir teoirice bheadh ó 600 go dtí 800 Óglach in aon chath amháin—ach ní mar síltear bítear ! Ba é meánlíon an ghnáthchatha ná isteach is amach le cúig céad fear. Ní bhíodh de ghnáth ach dream beag de na hÓglaigh sa chath a mbíodh ar a gcumas bheith ag troid i gcónaí nó fiú amháin bheith ullamh chun troda nuair a glaofaí orthu ; agus, dar ndóigh, bhí gunnaí ag teastáil go géar uathu. I dtosach an chogaidh ní raibh ach fíorbheagán airm ag Óglaigh na Treas Briogáide, ach de réir mar a chuaigh an cogadh chun cinn cuireadh le harmáil na Briogáide de bharr troda, agus dar ndóigh, de réir mar a cuireadh leis an armáil cuireadh le líon na nÓglach mar an gcéanna, i dtreo go raibh na hÓglaigh i bhfad ní ba líonmhaire agus an Bhriogáid i bhfad ní ba láidre i ndeireadh an chogaidh ná mar bhí ina thosach.

Nuair a bhí Óglaigh Thiobrad Árann á n-atheagrú sa bhliain 1918 bhí sé de nós ag Óglaigh na hÉireann a gcuid oifigeach féin a thoghadh. (Cuireadh deireadh leis an nós san le linn an chogaidh in aghaidh na nGall—níorbh iad na fir ab oiriúnaí ó thaobh cogaidh de a toghtaí i gcónaí). Thoghadh gach Complacht a Chaptaen féin. Bhí vóta ag an uile dhuine sa Chomplacht agus bhí gach fear intofa mar oifigeach.

Is iad oifigigh na gComplacht a thoghadh oifigigh na gcathlán agus oifigigh na gcathlán a thoghadh oifigigh na Briogáide. Nuair a bhí sé cathláin curtha ar bun agus eagar maith orthu tháinig na Ceannasaithe Catha i gCo. Thiobrad Árann Theas le chéile i nDeireadh Fómhair na bliana 1918 chun Ceannasaí nua a thoghadh chun dul i gceannas na Treas Briogáide agus chun na hOifigigh Bhriogáide eile a thoghadh maraon leis. Is é Risteard Ó Maolchatha a chuaigh i gceannas na comhdhála.

Do hainmníodh Seán Ó Treasaigh mar Cheannfort nó Ceannasaí Briogáide, ach dhiúltaigh seisean don phost agus mhol dá raibh i láthair Séamas Mac Roibín a thoghadh. Bhí cáil ar Mhac Roibín toisc a fheabhas a throid sé in aghaidh na nGall i mBaile Átha Cliath le linn éirí amach na Cásca. Ghlacadar na hoifigigh le moladh an Treasaigh gur thoghadar Séamas Mac Roibín ina Cheannasaí agus an Treasach féin ina Thánaiste Briogáide. Níor scar an Roibíneach leis an bpost san go dtí an bhliain 1922 nuair a fuair sé céim in airde go ndearnadh ceannfort Roinne dhe os ceann na Dara Roinne sa Deisceart. B'shin é an post a bhí aige nuair a thosnaigh an Cogadh Cathartha, ach ó Dheireadh Fómhair na bliana 1919 go dtí earrach na bliana 1922 bhí sé i gceannas na Treas Briogáide i dTiobraid Árann. Iomthúsa an Treasaigh ; bhí seisean ina Thánaiste Bhriogáide nó gur maraíodh le Gaill é i nDeireadh Fómhair na bliana 1920 nuair a ceapadh Conn Ó Maoldhomhnaigh chun an post san a líonadh. Toghadh Muiris Mac Conchradha ina Aidiúnach agus Domhnall Ó Braoin ina Mháistir Ceathrún. B'shin a raibh d'oifigigh ar an bhfoireann Bhriogáide ar dtúis. Le himeacht aimsire méadaíodh an fhoireann ; ceapadh Oifigeach Faisnéise, Ceannasaí Póilíní, Ceannasaí Iompair, agus Ceannasaí Idir-Bhealach sa bhliain 1920, agus ceapadh Stiúrthóir Armlóin

Séamuas Mac Roibín

agus Stiúrthóir Innealltóireachta sa bhliain 1921.

Bhí Comhairle Bhriogáide ann chomh maith le Foireann Bhriogáide. Is é rud a bhí sa Chomhairle Bhriogáide ná an Fhoireann Bhriogáide maraon leis na Cinn Chatha (na Ceann-foirt Chatha) agus aon fhear amháin eile ó gach foireann chatha. Thagadh an Chomhairle Bhriogáide le chéile go minic. Bhí Comhairle Chathláin ar bun i ngach ceantar cathláin mar an gcéanna. Is iad na daoine a bhí sa Chomhairle Chathláin ná an Fhoireann Chathláin féin, gach Ceannasaí Complachta dá raibh sa Chathlán agus aon fhear amháin, ar a laghad, d'fhoireann gach complachta. Níor róchiallmhar an rud é, b'fhéidir, an Chomhairle Bhriogáide a thabhairt i gceann a chéile in aon áit le linn an chogaidh d'eagla a ngabh-ála ag an namhaid. Go deimhin, ba dhóbair go mbéarfaí ar oifigigh uile na Briogáide aon uair amháin nuair a thug na Gaill ruathar gan coinne fúthu sa Chaisleán Dubh, gairid do Chaiseal Mumhan.

Ar éigin a bhí an Treas Briogáid ar bun nuair a stad an Cogadh Mór. Shocraigh Rialtas na Breataine go mbeadh olltoghchán in Éirinn agus i Sasana láithreach. Ba thuar tubaiste do cheannas Gall ar Éirinn toradh an toghcháin sin. Bhuadar na Poblachtánaigh glan ar gach dream eile. As an 104 teachta a toghadh in Éirinn níor toghadh ach seisear den Pháirtí Éireannach agus is de bharr réiteachta a rinneadh idir lucht *Sinn Féin* agus lucht an Pháirtí a toghadh ceathrar díobhsan, Ar an 98 teachta a bhí fágtha bhí 73 Sinn Féinithe agus 25 Aontaitheoirí. Sin mar a chuir muintir na hÉireann a dtoil in iúl don domhan. Sin mar a chuireadar ar a súile do na Sasanaigh gurbh é a theastaigh uathu ná saoirse iomlán— a dtír féin ag Clanna Gael gan cur isteach ó Ghaill. Bhí deireadh le ceist *Home Rule*. Bhí deireadh fós le ré na cainte is na camastaíle ar " Urlár an Tí," agus bhí Éire ar tí a hionad cóir a ghlacadh imeasc náisiún an domhain.   Bhí deireadh leis an gCogadh Mór ach bhí an Cogadh Beag le fearadh go fóill agus is ar an gcogadh beag san—an dreas ba dheireannaí de " Chogadh Gael re Gaill " a bheimid ag trácht sa chéad chaibidil eile.

CAIBIDIL II

Poblacht na hÉireann.   Cath Sulchóide.

THIONÓLADAR na teachtaí Poblachtánacha i mBaile Átha Cliath, an 21ú lá d'Eanáir, 1919, gur bhunaíodar *Dáil Éireann*. Ó bhí Éamon de Valéra i bpríosún chuaigh Cathal Brugha i gceannas na Dála mar Uachtarán Sealadach. D'fhógair an Dáil neamhspleáchas na hÉireann agus dheimhnigh an Phoblacht a chuir an Rialtas Sealadach ar bun sa bhliain 1916. D'fhógair fós gurbh í féin Rialtas dleathach na hÉireann, Rialtas na Poblachta, agus chuir i dtuiscint go soiléir do mhuintir na hÉireann agus don domhan uile go raibh síorchogadh ar siúl idir Éire agus Sasana, agus ná cuirfí deireadh leis an gcogadh san " go dtí go nglanfadh arm Shasana as talamh na hÉireann go brách na breithe."

An fhaid a bhí Dáil Éireann ag cur córais riaracháin ar fáil don Phoblacht bhí Óglaigh na hÉireann ag tabhairt dúshláin Shasana arís. Chuir Ard-Chomhairle na nÓglach i dtuiscint don lucht troda tar éis an togcháin go raibh údarás an náisiúin mar thaca acu feasta agus go raibh de dhualgas ar gach Óglach, dá bhíthin sin, greim a choinneáil ar a chuid arm. Cuireadh na hÓglaigh fé mhaoirseacht an Aire Chosanta nuair a bunaíodh Dáil Éireann, ach ní rabhadar fé lánsmacht na Dála an uair sin féin. Dream neamhspleách a bhí iontu i gcónaí go dtí Lúnasa na bliana 1919 nuair a reachtaigh Dáil Éireann go mbeadh ar gach Óglach móid dílse a ghlacadh don Phoblacht agus don Dáil. An lá a tháinig Dáil Éireann le chéile don chéad uair is ea a scaoileadh an chéad urchar sa

Sulchóid Bheag : An Leacht Cuimhne.

chogadh nua ar son na Poblachta nuair a maraíodh beirt phóilíní ag Sulchóid Bheag, gairid do bhaile Thiobrad Árann.

Is follas as litir a scríobh Seán Ó Treasaigh* thar ceann an Cheannasaí Briogáide (10 Eanáir, 1919) go raibh beartaithe cheana féin ag Óglaigh na Treas Briogáide dul i ngleic leis an namhaid chomh luath in Éirinn is a thiocfadh leo. Seoladh an litir sin chun Cinn Chatha uile na Briogáide agus cuireadh ar a súile dhóibh nárbh fholáir dóibh coimeád géar a dhéanamh ar gach dúnfort dá raibh sa limistéar le súil go bhféadfaí an namhaid a bhaint as a gcleachtadh agus na dúnfoirt a ghabháil maraon lena stóras arm is armlóin.

Mar adúradh cheana, bhí airm is armlón ag teastáil go géar ó na hÓglaigh agus bhíodar ag braith ar na hairm sin a sholáthar óna namhaid. Dob eol dóibh go rímhaith go raibh flúirse arm is armlóin le fáil i ndúnfoirt na bpóilíní. Bhí na dúnfoirt sin scaipthe go tiubh ar fuaid na dúthaí, agus uime sin, bhí beartaithe ag na hÓglaigh iad d'ionsaí dá bhfaighidís amas orthu. Ba ghnáth leis na póilíní dul amach ar patról agus raidhfleacha nó cairbíní ar iompar acu, agus tuigeadh do na hÓglaigh go dtiocfadh leo airm agus trealamh na bpóilíní a ghabháil ach ionsaí a dhéanamh ar phatról den chineál san. Ní ar na nithe sin, áfach, a bhí na hÓglaigh ag smaoineamh i dtosach Mí Eanáir, ach ar eolas a bhí aimsithe acu fé abhar pléasctha a bhí ar a shlí chun Tiobrad Árann. Bhí roinnt mhaith geiligníte le cur go Tiobraid Arann agus bhí a fhios ag na hÓglaigh go gcuirfí cuid di go dtí an coiréal i Sulchóid Bheag, cé nárbh eol dóibh an uair ná an tráth. Thuigeadar fairis sin go mbeadh gasra póilíní ag tionlacan na gcarraeirí, bíodh nárbh fhios dóibh líon an ghasra san.

*Tá an litir seo i gcló ag Deasún Ó Riain ina leabhar "Seán Treacy and the Third Tipperary Brigade."

Ba chuma san : chinneadar na taoisigh ar an ngasra d'ionsaí pé beag mór é " mar," arsa Domhnall Ó Braoin, " ní raibh éinní chomh cruaidh ina ghá orainn an uair sin le gunnaí agus abhar pléasctha."

Tionóladh na hÓglaigh an 15ú lá d'Eanáir. Aon fhear déag díobh a bhí ann ar fad agus iad uile arna dtoghadh ón gCeathrú agus ón Treas Cathlán, eadhon, Séamas Mac Roibín (an Ceannasaí Briogáide), Seán Ó Treasaigh (an Tánaiste Briogáide), Muiris Mac Conchradha, Domhnall Ó Braoin, Pádraig Mac Cormaic, Pádraig Ó Duibhir, Tadhg Mac Conchradha, Mícheál Ó Riain, Seán Ó hÓgáin, Matt Barlow agus Conn de Paor. Níor tháinig an namhaid an lá san, ámh, ná go ceann seachtaine ina dhiaidh san. Nuair a thángadar na póilíní fé dheoidh ní raibh ach ochtar den aon fhear déag úd fágtha mar cuireadh Muiris Mac Conchradha, Con de Paor agus Matt Barlow ar ais chun an cheannárais.

Tháinig na póilíní an 21ú lá den mhí. Maidin an lae sin chuaigh Pádraig Ó Duibhir go dtí an baile mór chun faire ar dhúnfort na saighdiúirí. Níorb fhada sa bhfaire dhó go bhfaca sé chuige beirt fhear de lucht oibre Comhairle Chontae Thiobrad Árann Theas. Bhí capall agus carr acu. Chuadar geata an dúnfoirt isteach agus nuair a thángadar amach arís leis an ngeilignít bhí beirt phóilíní á dtionlacan. An túisce a chonaic an fear faire na carraeirí is na póilíní ag gabháil an geata amach léim sé ar a rothar agus as go brách leis do thabhairt an eolais don lucht ionsaithe. Rinne sé moill ar feadh tamaillín ag crosaire Thobar an Rí féachaint cé acu bóthar a ghabhadh na póilíní agus nuair a rinne sé deimhin den bhóthar ba ghearr an mhoill air an ceann scríbe a bhaint amach.

Nuair a thuig na hÓglaigh go raibh an namhaid chucu d'ullmhaíodar iad féin. D'aithin an Ceannasaí Briogáide dhíobh gan dul amach ar an mbóthar agus gan aon urchar a chaitheamh leis na póilíní gan ordú d'fháil uaidh. Cé ná raibh fúthu na póilíní a mharú thuigeadar go mbeadh orthu troid leo dá gcuirfidís ina gcoinne mar go gcaithfidís an gheilignít agus na gunnaí d'fháil ar ais nó ar éigin, Bhíodar ag cur is ag cúiteamh i dtaobh na mórdhála a bhí le tionól i mBaile Átha Cliath an lá san .i. Dáil Éireann do theacht le chéile don chéad uair, nuair a cuireadh isteach orthu go hobann. Siúd ina gcoinne de scríb reatha an foraire agus solas catha ina shúile : " Táthar chugainn, táthar chugainn ! " Bhí fios a dhualgais féin ag gach fear dá raibh i láthair. Chuaigh an uile Óglach ina ionad de léim. " Bhí aimsir ár dtástála chugainn," arsa Domhnall Ó Braoin* " Bhí an namhaid os ár gcoinne amach agus cath báis nó beatha le cur againn . . . agus bhí tosach curtha againn ar ghreas úrnua den chomhrac cianfhada ar son saoirse na hÉireann." Agus b'fhíor dó. Na hurchair a scaoileadh an lá san chualathas iad ní hamháin i Sulchóid, ní hamháin i dTiobraid Árann, ach ar fuaid na hÉireann. Níorbh iad na póilíní amháin a torchradh go talamh an lá úd i Sulchóid ach cumhacht is ceannas Gall maraon leo.

Maidin fhuar fhliuch a bhí ann. Chonaiceadar na hÓglaigh na póilíní ag déanamh orthu tríd an mionfhearthainn. Bhí an capall ar adhastar ag duine de na carraeirí agus bhí an carraeire eile ag siúl idir an bheirt phóilíní. Nuair a rángadar na póilíní ionad an eadarnaí mar a raibh na hÓglaigh in oirchill ar a gceann do baineadh stad astu go hobann.

" Lámha in airde ! " a scairt na hÓglaigh uile d'aongháir. " Lámha in airde ! " Glaodh na focail arís go bagarthach. Baineadh preab as na póilíní, go deimhin. B'fhéidir gur

*" My fight for Irish Freedom," l. 37.

shíleadar ar dtúis go rabhthas ag baint iarrachta astu ; ach nuair a chualadar na gártha arís ó chúl an chlaí ba rófhollas dóibh gur lom dáiríre a bhítheas. Níor chladhairí meata na póilíní sin. Gaeil ba ea iad, agus ar a shon go rabhadar i bhfeadhmannas ag Gaill bhí dúchas an Ghaeil go láidir iontu beirt. Ba dhual dóibh troid agus níor dhual dóibh géilleadh. D'ardaíodar a raidhfleacha gur chuireadar i gcóir chun lámhaithe iad. Ach bhíodar ródhéanach. Bhí Seán Ó Treasaigh ina sheasamh ar chúl geata agus a mhéar ar thriogar a raidhfle aige. Scaoil sé dhá urchar lántapaidh gur síneadh an bheirt phóilíní mín marbh ar an láthair sin dá dheasca. " B'fhearr linn go ngéillfidís gan dortadh fola," arsa Domhnall Ó Braoin ina dhiaidh san,: " ach ba stóinsithe stailceach na fir iad, agus ní raibh de rogha againn ansan ach iadsan a chur dá gcois nó ár n-anam féin a chailliúint . . . . . Dob' fhánach dúinn bheith ag glaoch orthu feasta—agus sinn féin a bheadh thíos leis, b'fhéidir."

Ní raibh cor as éinne go ceann tamaillín. Ansan léim Domhnall Ó Braoin amach ar an mbóthar agus mar do léim do thit a chealltar dá aghaidh. Tháinig tuilleadh de na hÓglaigh amach ina dhiaidh. Bhain an Roibíneach agus an Duibhreach an carr de na carraeirí. Bhain an Treasach na gunnaí de na fir a maraíodh agus thug do dhuine de na hÓglaigh iad lena gcur i dtaisce. Chuaigh an Braonach, an tÓgánach agus an Treasach suas ar an gcarr ansan. Is é Seán Ó hÓgáin a bhí ag tiomáint agus bhí an bheirt eile ar chúl na trucaile agus iad ina suí ar a sáimhín só in airde ar an ngeilignít ! Bhí ionad coinne socraithe ag an Treasach le hÓglach áirithe dá chomplacht féin mar a bhféadfaidís an gheilignít a thabhairt dó lena cur i bhfolach. Thiomáin an tÓgánach chun na háite sin ach tásc ná tuairisc **an Óglaigh** úd ní raibh le fáil nuair a rángadar an t-ionad coinne. Níor fhónaigh moill. B'éigean dóibh an gheilignít d'fhágaint sa díg le hais an bhóthair ag an Lisín agus clúdach de dhuilleoga agus de bhrosna a shocrú go haireach os a cionn. D'fhágadar an capall agus an carr ar thaobh an bhóthair, gairid do dhroichead Aillín, agus scaipeadar cúpla slaitín den gheilignít ar an mbóthar agus sna páirceanna ba chomhgaraí chun dallamullóg a chur ar an namháid.

Fágadh an gheilignít ina luí sa díg ar feadh trí lá nó gur thóg Tomás Carrún chun siúil í—fé shúile an namhad, nach mór. Is amhlaidh d'ardaigh sé na trí boscaí ar thrucail feirme a raibh ualach adhmaid uirthi cheana féin. Chuir sé na boscaí ina luí ar shuíochán an tiománaí agus bhain a chòta mór de gur chlúdaigh na boscaí leis go cúramach. Ling sé in airde ar an suíochán ansan agus chomáin leis abhaile. Bhí na saighdiúirí agus na póilíní ar teann a ndíchill ag cuardach na geiligníte ón uair a fuaireadar an scéal i dtaobh ar tharla ag Sulchóid Bheag. Níorbh fhada sa tslí do Thomás nuair a ghaibh dream saighdiúirí thairis ina lorraithe agus iad ar a lorg ! D'imíodar thar bráid, áfach, gan ceist a chur ar an gcarraeire. Más ea, ní raibh deireadh le heachtraí na hoíche sin go fóill. Casadh gasra póilíní ar Thomás agus é ag cur an bhóthair de abhaile. Stadadar an trucail agus cheistíodar an tiománaí go géar. D'iniúchadar an t-ualach adhmaid go grinn glaineolach sar a scaoileadar an Carrúnach chun siúil, ach ar ámharaí an domhain níor thug éinne acu fé ndeara go raibh an tiománaí ina shuí ar na boscaí úd a raibh arm Shasana agus póilíní na hÉireann ar a dtóir ! Lá arna mhárach cuireadh na boscaí go doimhin fén bhfód, agus cé gur thug na Gaill cuairt ar an áit agus go ndearnadar feirm an Charrúnaigh a chuardach ó thaobh taobh ní fhuaireadar faic na fríde ann.

" Go ceann ráithe ina dhiaidh san," arsa Domhnall Ó Braoin,
" shiúlaidís na póilíní agus na saighdiúirí os ceann an ionaid
fholaigh féin gach lá gan éinní a thabhairt fé ndeara.
Chuireadar a gcuid aimsire amú, mar sin, ag tochailt poll
is clas ar fuaid na dúthaí gan éinní acu de bharr a saothair."

Cad d'imigh ar na raidhfleacha a gabhadh ó na póilíní an
lá úd ag Sulchóid Bheag? Cuireadh i dtaisce ar dtúis iad
gairid don áit ar tugadh fé na póilíní. Tamall beag dá éis
sin tháinig an tAidiúnach Briogáide (Muiris Mac Conchradha)
agus Tadhg Mac Conchradha chun na háite sin gur ardaíodar
na raidhfleacha leo. Bhí cónaí sa Ghleann Bán ar Mhuiris
Mac Conchradha an uair sin, agus thug sé na raidhfleacha
abhaile leis agus d'fhág fé chúram a dhearthár, Éamon, iad.
I bhfad ina dhiaidh san d'innis Éamon scéal na raidhfleacha
san. De réir cuntais Éamoin Mhic Chonchradha tháinig a
dhearthháir Muiris chuige timpeall uair an mheán oíche Dé
Sathairn, gur thug sé dhó an dá raidhfil, maraon leis an dá
chrios a baineadh de na póilíní an lá úd i Sulchóid Bheag.
Bhí dhá phocóid ar gach ceann de na creasa san .i. pocóid
lóin lámhaigh agus pocóid le haghaidh glas lámh. Bhí slí
d'fhiche piléar sa phocóid lóin lámhaigh ach ní raibh níos mó
na cúig piléar déag in aon cheann acu nuair a fuair Éamon
Mac Conchradha iad. Ní raibh na raidhfleacha san lódálta
ná ní raibh na piléarlanna líonta an uair sin. Ghréisceadar
an bheirt fhear na raidhfleacha, d'fhilleadar i málaí canbháis
iad agus rinne a n-adhlacadh san iothlann. An mhaidin dár
gceann d'fholmhaigh Éamon Mac Conchradha cart d'aoileach
eallaigh ar an áit ina raibh na raidhfleacha i bhfolach. Dódh
na creasa póilíní. Maidin Dé Luain tháinig na Gaill líon a
slua agus chuardaíodar an teach ó bhun go barr ; stracadar
anuas na síleála féin ach, ní nach ionadh, ba shaothar in aistear

acu é. Cúpla lá ina dhiaidh san d'aistrigh Éamon Mac Conchradha na raidhfleacha go dtí áit ní ba shábhálta agus, an fhaid a bhíodar féna chúram, rinne sé féin agus a dheirfiúr Mallaí iad a scrúdú, a ghlanadh is a ghréisceadh go féiltiúil. Le linn dá dheartháir Muiris a bheith i bpríosún i gCorcaigh in Aibreán na bliana san chuir sé ordú speisialta chun Éamoin á rá leis na gunnaí sin a thabhairt do Phádraig Meiric a bhí an uair sin ina Cheannasaí ar Chomplacht Leathtoinne agus a raibh ordú faighte aige féin iad a thabhairt do Dhonnchadh de Lása.

Iomthúsa na nÓglach eile a ghaibh páirt san eadarnaí : scaipeadarsan má luaithe agus d'fhill gach duine acu ar a dhúthaigh féin. Níorbh eol do na Gaill go cinnte cé bhí i mbun an ghnótha, ach os rud é go raibh togha na haithne acu ar thaoisigh na nÓglach sa cheantar san agus ó bhí ceathrar go háirithe ainmnithe as a ndúthracht i dtreasa na nÓglach roimhe sin, agus as a ndílse do chúis na Poblachta, thuigeadar na Gaill ar an toirt go raibh baint ag an gceathrar san leis an eadarnaí. Fógraíodh iad láithreach agus tairgeadh £1,000 mar luach saothair don té a thabharfadh eolas don Rialtas a chuirfeadh ar chumas na nGall iad a ghabháil. Do hardaíodh an luach saothair sin go £10,000 tamall ina dhiaidh san, ach níor tháinig éinne á éileamh riamh. Is iad na fir a hainmníodh sa bhforógra san ná Seán Ó Treasaigh, Domhnall Ó Braoin, Séamas Mac Roibín agus Seán Ó hÓgáin.

Bhí ionadh is alltacht ar mhuintir Thiobrad Árann, agus ar mhuintir na hÉireann i gcoitinne, nuair a chualadar i dtaobh an eadarnaí agus conas mar do maraíodh na póilíní ag Sulchóid Bheag. Níor chlos dóibh, ámh, ach taobh amháin den scéal. Thóg na Gaill gáir ar fuaid na tíre gur dream dúnmharfóirí Óglaigh Thiobrad Árann—agus chreid a lán daoine an bhréag san. Cuireadh i leith na nÓglach gur thugadar fobha fealltach fé phóilíní neamhurchóideacha agus gur thugadar a n-ár gan trua gan trócaire. Cháin a lán daoine na hÓglaigh toisc nár thugadar caoi troda don bheirt phóilíní ach gurbh amhlaidh a mharaíodar as fuil fhuar iad. Is cinnte go raibh a lán nithe ina n-ainbhios ar na daoine a chreid an scéal san, agus gur thugadar breith ar an scéal sar a raibh an t-eolas iomlán acu.

Is follas gur thug na hÓglaigh caoi géillte do na póilíní. Ba shaoth leo a mbás, ach ní raibh neart acu air. Níor scaoileadar fé na póilíní go dtí gur chuireadarsan a raidhfleacha i gcóir chun lámhaithe. Ba é trua an scéil go raibh na póilíní úd, arbh Éireannaigh agus Gaeil mhisniúla iad, ag troid ar son Sasana agus ag cuidiú leis an Arm Gallda chun smacht a chur ar Éirinn, a dtír dhúchais féin. Agus ina dhiaidh san is uile ní cóir dúinn dearmad a dhéanamh den méid seo : gurbh ionann an uair sin tabhairt fé na póilíní agus tabhairt fé Impireacht féin, óir bhí neart agus cumhacht na hImpireachta ag déanamh taca do na póilíní sin agus ba chróga go deimhin an fear a chuirfeadh ina gcoinne.

Ba mhór an suathadh agus an corraí intinne a bhí ar Ghaill de bharr an eadarnaí úd i Sulchóid. D'fhógraíodar ceantar Thiobrad Árann Theas ina Shain-Limistéar Míleata agus chuireadar cosc ar aontaí, margaí agus cruinnithe poiblí den uile shórt. Cuireadh dlí airm i bhfeidhm go dian agus thosnaigh réim imeagla agus uafáis. Scaoileadh slua saighdiúirí fén gceantar agus níor fágadh poll ná póirse sa dúthaigh sin gan cuardach. Ach bíodh go raibh fuadar díoltais fúthu agus go ndearnadar an dúthaigh uile a chíoradh ar thóir na " méirleach " sháraigh orthu iad a ghabháil. Chuardaigh na Ghaill dóigh agus andóigh, ar lorg na bhfear a fógraíodh, agus nuair nár éirigh leo sa chuardach d'agradar a ndíoltas ar na daoine i gcoitinne—daoine ná raibh baint ná páirt acu leis an ngnó. Bhí dún agus daingean déanta acu den dúthaigh ; ach ba mhó de dhochar ná de shochar a rinneadar dá gcúis féin, óir b'fhada ó mhuintir Thiobrad Árann bheith cleachtaithe leis an dlí airm ná leis an daorsmacht a ghaibh leis, agus ba dhaoine iad nach raibh dá ndeoin féin fé smacht riamh.

Ba " foghlaithe feadha " dáiríre an ceathrar comrádaí ansan. Ar a dteitheadh dhóibh i measc sléibhte is gleannta Thiobrad Árann is Luimnighe fuaireadar bheith istigh ó na daoine agus is minic a tugadh rabhadh cairdiúil dóibh nuair a bhí sluaite an Rí go dian ar a dtóir. Ní bhaineann sé lem scéal cuntas a thabhairt ar a n-eachtraí is a n-imeachta agus iad ar a dteitheadh. Is leor liom a rá anso nár chuir fógraí ná bagartha an Rialtais Ghallda lá imní orthu, ach gur leanadar go dúthrachtach dícheallach dá saothar ar son na hÉireann agus iad i gcónaí ag ceapadh seifteanna d'fhonn an cogadh a chur chun cinn agus an tír uile a mhúscailt is a spreagadh chun ghíomhartha gaile agus gaisce. Dá chomhartha san féin tionóladh na hOifigigh Bhriogáide an 23ú lá d'Fheabhra agus chuadar i gcomhairle le chéile fé chúrsaí an chogaidh. Tar éis cardáil maith a dhéanamh ar an scéal ceapadh forógra d'fhógair, i bpéin a mbáis is a mbuanéaga, do shluaite uile an Rí, idir shaighdiúirí agus póilíní, glanadh leo as ceantar Thiobrad Árann Theas roimh dháta áirithe. Bhí ainm an Cheannasaí Bhriogáide leis an bhforógra san agus cuireadh in airde ar fuaid an cheantair é d'ainneoin gur chuir Foireann Cheanncheathrún na nÓglach go dian ina choinne.

Ba mhian le hÓglaigh Thiobrad Árann Theas Freagra a thabhairt ar fhorógra an namhad. Theastaigh uathu fairis sin a chur i dtuiscint go cinnte go raibh cogadh á fhearadh acu ar Ghaill agus go rabhadar dáiríre sa chogadh san, agus go raibh na teachtaí Dála dáiríre an uair d'fhógair Dáil Éireann don domhan go raibh muintir na hÉireann láncheaptha ar neamhspleáchas iomlán a bhaint amach agus a chosaint dóibh féin, agus gur chuir na teachtaí iad féin go sollamanta fé gheasa an deimhniú san a chur i bhfeidhm ar gach slí dá raibh ar a gcumas, á rá gur éilíodar ar Ghaill imeacht ar fad as a dtír : gur chuireadar fós a gcinniúint fé choimirce Dé an uilechumhachta, agus gur achainíodar Air a bheannacht a bhronnadh orthu i gcóir an treasa deiridh den chomhrac san a rabhadar fé gheasa leanúint de go dtí go mbainfidís an tsaoirse amach.

Ba dheacair le hÓglaigh na Treas Bríogáide meon na dtaoiseach i mBaile Átha Cliath a thuiscint. An amhlaidh nár chreid na taoisigh sin ina mbeartas féin ? An raibh aon mhuinín acu as a neart ná as a ngustal féin, nó an amhlaidh nach raibh iontu ach lucht " leadram lúireach " agus " buaileam sciath ?" Mura rabhadar dáiríre cad chuige dhóibh a leith-éid d'fhorógra d'fhoilsiú don domhan ? Cad chuige dhóibh trácht ar an síorchogadh idir Éire agus Sasana nach gcuirfí deireadh leis go nglanfadh lucht airm Shasana as talamh na hÉireann go brách na breithe ? Má bhíodar dáiríre, áfach, cad chuige dhóibh diúltadh d'fhorógra na Treas Briogáide nach raibh ann, tar éis an tsaoil, ach athdheimhniú ar an bhforógra d'fhoilsigh Dáil Éireann cheana féin ? Leis an bhfírinne d'insint ní raibh Óglaigh Thiobrad Árann Theas ach á chur i dtuiscint go follasach go raibh ina chogadh idir Éire agus Sasana, agus go mbeadh ina chogadh go mbaileodh na Sasanaigh leo as an tír. Labhair Dáil Éireann ; rinne Óglaigh na Treas Briogáide beart dá réir.

CAIBIDIL III

EACHTRA CHNOC LOINGE

MAIDIN Dé Luain, an 12ú lá de Bhealtaine, rugadh ar Sheán Ó hÓgáin. Seo mar a tharla : Bhí rince ar siúl i dteach Éamoin Uí Dhuibhir sa Bhealach oíche Dé Domhnaigh agus thug an ceathrar comrádaí tamall ann. Bhí sé ag tarraingt ar dheireadh na hoíche nuair a scaip an lucht rince. D'fhan an tÓgánach sa teach go dtí go raibh deireadh leis an rince, ach d'imigh an triúr eile roimhe sin cé go raibh sé i bhfad amach san oíche sar ar fhágadar an teach. Nuair a bhí an rince thart thug an tÓgánach a aghaidh ar Ghort Anna mar ar chaith sé a chéadphroinn i dteach mhuintir Uí Mheachair. Bhí an codladh á thraochadh mar bhí sé tuirseach tnáite tar éis a raibh de challshaoth agus de chruatan faighte aige le tamall roimhe sin, agus ba mhó san oíche a bhí caite aige gan ach greas beag codlata a dhéanamh. Bhí sé ag míogarnaigh cheana féin agus é ag caitheamh a choda, agus nuair d'éirigh sé ón mbord chaith sé a chrios is a ghunnán i leataoibh gur luigh síos ar an dtolg, agus níor chian dó mar sin an uair a thit a thoirchim suain agus sámhchodlata air.

Bhí muintir an tí ag obair sa mhacha nuair a chonnacadar patról den R.I.C. ag cur an bhóthair díobh agus iad ag déanamh ar an dteach. Seisear a bhí sa phatról, cairbín ar iompar ag gach fear acu, agus an Sáirsint de Bhailis i gceannas orthu. Siúd duine de na cailíní isteach sa tseomra de ruaig reatha á rá leis an Ógánach go raibh na póilíní chuige. D'éirigh seisean de léim, rug ar a chrios is dhaingnigh fána choim é, agus as go brách leis sna feilimintí reatha. D'imigh an tÓgánach de sciuird trasna na páirce a bhí idir an tigh agus an bóthar mór agus do ling tríd an bhfál amach. Cé bheadh ansúd roimhe ach na póilíní agus iad ag feitheamh leis ! Is amhlaidh a bhíodar tar éis é thabhairt fé ndeara agus b'fhurasta a aithint air ná raibh eolas na dútheí sin aige agus go raibh mearbhall slí air. Ní raibh aon dul uathu aige. Bhí a ghunnán ina chrios aige, ach má bhí féin bhí greim ag na póilíní air sar a raibh sé d'uain aige é tharraingt. Dá fheabhas é mar throdaire ní fhéadfadh sé an seisear a shárú in éineacht.

Rug na póilíní ar an Ógánach agus thugadar leo go beairic Ros Chaoin é. Níorbh aithnid dóibh é. Más ea, thuig cairde an Ógánaigh go mbeadh a fhios ag na póilíní luath nó mall cérbh é féin, agus nach mbeadh i ndán dó ansan ach an chroch. Do hinseadh do Phádraig Ó Cuinneáin gur gabadh an tÓgánach, agus rith an Cuinneánach in athghiorra gacha conaire go teach mhuintir Chaoimh i nGleannach mar a bhfuair an triúr eile ina sámhchodladh roimhe. Phreabadar na fir ina ndúiseacht nuair a chualadar scéal an Chuinneánaigh. Ba dhícheall dóibh a chur ina luí orthu féin go raibh a gcara óg i líon na nGall. Ar an láthair sin ghlacadar rún daingean dorrdha go rachaidís in iomaidh leis an mbás féin sar a ligfidís an tÓgánach chun na croiche, agus go ndéanfaidís iarracht sár-éachtach ar a gcara a sciobadh ón mbás a bhí ar tí a leagtha, dá dtitidís féin dá dheasca.

Níorbh eol don Treasach ná dá chompánaigh an uair sin cár ghabhadar na póilíní leis an bpríosúnach. Níorbh bhfada, ámh, go raibh a fhios acu. Do haistríodh an príosúnach go dúnfort Durlais mar ar haithníodh é. An túisce a chuala na hÓglaigh go raibh an tÓgánach i nDurlas Éile thuigeadar go

Seán Ó hÓgáin.

ndéanfaí é d'aistriú gan aon rómhoill go Corcaigh de réir nós na nGall san am. Thuigeadar fós gur sa traen a dhéanfadh sé an t-aistear agus garda armtha á thionlacan mar ba ghnáth. Bheartaíodar, dá bhrí sin, ar dhul ar bord na traenach, an namhaid a bhaint as a gcleachtadh agus an tÓgánach a theasargain le treise nirt. Shocraigh cinnirí na Treas Briogáide ar an iarracht a dhéanamh ag stáisiún Imleach Iubhair, áit atá ar theorann na dtrí gcontae, Tiobraid Árann, Luimneach agus Corcaigh. Ní raibh aon gharastún ag an Arm Gallda gairid don áit sin, agus bhí an bheairic phóilíní ba chomhgaraí breis agus míle slí ón stáisiún. Ar an neomat deiridh, ámh, rinneadh athrú ar an bplean san. Socraíodh ar an namhaid d'ionsaí ag stáisiún Chnoc Loinge in ionad stáisiún Imleach Iubhair. Dúthaigh uaigneach iargúlta an dúthaigh timpeall Chnoc Loinge, agus ní raibh aon dúnfort póilíní ní ba chomhgaraí ná trí mhíle slí do stad na traenach.

D'fhág an Ceannasaí, an Tánaiste agus an Ceathrúnach Durlas Éile ar a haon déag a chlog maidin an 12ú lá de Bhealtaine agus thugadar aghaidh ar Imleach Iubhair. B'éigean dóibh an timpeall a ghabháil agus na príomhbhóithre a sheachaint ar eagla a ngabhála ag Gaill. Ghabhadar trí Dhún Eochaille agus Ubhla agus Baile an Fhaoitigh—agus ba mhór an timpeall é gan aon agó. Ní bheadh ach tuairim le triocha míle slí le cur díobh acu dá ngabhfaidís an bóthar mór, ach toisc go raibh orthu an timpeall a ghabháil bhí suas le leathchéad míle le taisteal acu ar bhóithre aimhréidhe éagothroma. Ní rabhthas ag coinne leo nuair a bhaineadar amach Leac Ailbhe fé dheireadh thiar thall, idir a trí agus a ceathair a chlog maidin lá arna mhárach. B'éigean dóibh muintir Mhaoldhomhnaigh a mhúscailt as a gcodladh i dtráth marbh na hoíche ; ach, nuair a thuigeadarsan cé bhí ag lorg bheith istigh, agus créad é an toisc agus an turas fá dtángadar, d'fhear-adar fáilte fíorchaoin rompu agus do thál orthu gach féile ; "nua gacha bídh agus sean gacha dí."

Chuireadar na taoisigh teachtaireacht ag triall ar Éamon Ó Briain sa Ghallbhaile* á rá leis go mbeidís "ag oibriú" ag Cnoc Loinge ar a seacht a chlog um thráthnóna, agus á chur ar a shúile dhó go mbeadh cabhair ag teastáil uathu. Bhain an Brianach an bhrí cheart as an teachtaireacht. Bhailigh sé roinnt fear de "Chath na nGaibhlte"— Séamas Ó Scanláin, Éamon Ó Foghludha, Seán Ó Loingsigh agus a dheartháir féin, Seán Sheosamh Ó Briain. Chuaigh an bhuíon bheag go Leac Ailbhe gan mhoill bíodh nach raibh d'airm acu ach dhá ghunnán—ceann acu ag Éamon Ó Briain agus an ceann eile ag a dheartháir. Ar shroichint Leac Ailbhe dhóibh chuadar i ndáil chomhairle leis an dtriúr eile. Soc-raíodh go bhfanfadh Éamon Ó Briain i bhfochair an trír thaoiseach agus go rachadh an ceathrar eile go hImleach Iubhair mar a ngabhaifidís ar bord na traenach féachaint an raibh an tÓgánach ann, agus go ndéanfaidís comhartha don lucht ionsaithe ar shroichint Cnoc Loinge don traen. Bhí socraithe roimh ré go rachadh Óglach ó Dhurlas Éile san aon traen leis an Ógánach agus ciarsúir bán a bhagairt ar an lucht ionsaithe ón bhfuinneog.

D'fhág na hÓglaigh Leac Ailbhe in am is i dtráth agus ní haithristear a n-imeachta go rángadar stáisiún Chnoc Loinge

*De réir cuntas Dhomhnaill Uí Bhraoin (*My Fight for Irish Freedom*) chuaigh na hÓglaigh go stáisiún Imleach Iubhair ar dtúis agus nuair a fuaireadar nach raibh an tÓgánach ar thraen a haon a chlog d'fhill-eadar ar leac Ailbhe gur chinneadar ansan ar an ionsaí a dhéanamh ag stáisiún Chnoc Loinge. Deireann Deasún Ó Riain, ámh, (*Seán Treacy and the 3rd Tipperary Brigade*) gur cinneadh ar Chnoc Loinge go luath ar maidin agus níl aon trácht aige ar iad a dhul go dtí an stáisiún in Imleach Iubhair.

timpeall ceathrú chun a hocht um thráthnóna. Bhí an traen le bheith ann timpeall a hocht a chlog, i dtreo go raibh am go leor acu. Níor chian dóibh sa stáisiún nuair a tháinig an traen ó Chorcaigh agus í ar a haistear go Baile Átha Cliath. Bhí buíon de shaighdiúirí Gallda ar an dtraen san agus iad fé threalamh catha. Thuirling gasra póilíní den traen gur shiúladar i dtreo an gheata. Póilíní ón nGallbhaile ab ea iad agus d'fhág na hÓglaigh seilbh na slí acu. Dá n-aithneofaí an uair sin iad bhíodar sa bhfaopach. Ar ámharaí an domhain níor thug na póilíní fé ndeara iad ach d'imigh leo go tapaidh as an stáisiún.

Thuig na hÓglaigh nárbh fhada uathu aimsir a dtástála agus bhí a fhios acu go dianmhaith dá rachadh sé chun catha nach rachadh as ach an dream ba threise dhíobh. Ba shia leo gach neomat ná uair a chloig go dtí gur chualadar traen Dhurlas Éile chucu fé dheoidh. Ní raibh an traen ina stad nuair a léim Seán Sheosaimh Ó Briain anuas di agus gur tháinig de sciuird reatha d'ionsaí na nÓglach á rá leo go raibh an tÓgánach ar an dtraen. "Téanam oraibh, más ea," arsa an Treasach. Do lingeadar ar an dtraen agus an Treasach ina gceannas. Siúd ar aghaidh leo síos an easrais ag déanamh ar an earrann ina raibh na póilíní. Mar adeir an dán :

> D'éirigh an Treasach de léim,
> D'éirigh dá éis an laochra mear,
> Do ling ar an dtraen go beo
> Is do chuaigh go cróga sa treas.

Ceathrar póilíní a bhí mar bhuíon gharda ar an Ógánach, agus ba é an Sáirsint de Bhailis a bhí i gceannas. Bhí cairbín agus gunnán agus díol a sháithe d'armlón ag an uile dhuine acu. Cuireadh an tÓgánach ina shuí idir an Sáirsint agus an Constábla Mac Ionrachtaigh agus glas láimhe air. Ina suí ar a aghaidh amach bhí an bheirt phóilíní eile .i. Mac Uí Rinn agus Mac Uí Raghallaigh. Tá sé ráite gur bhuail an sáirsint an príosúnach cúpla neomat roimhe sin agus go ndúirt sé le binib: " Cá bhfuil an Braonach agus an Treasach anois ? " Tugadh freagra air nach raibh coinne aige leis. Cuireadh an doras isteach air go hobann agus cé léimfeadh chuige ach an Treasach féin—faghairt sna súile aige, gunna ina láimh agus briathra borba bagartha ar a bheola : " Lámha in airde ! " Shíleadar na hÓglaigh ar dtúis go raibh fonn géillte ar na póilíní. Bhí a lámha leathbhealaigh in airde acu agus iad idir bheith ina suí agus ina seasamh nuair a rop Mac Ionrachtaigh béal a ghunna go daingean i gcoinne muineál an Ógánaigh amhail is dá mbeadh sé ar tí a mharfa. I mbrothadh na súl, sar a raibh sé d'uain aige a mhéar a bhrú ar an dtriogar, thit an póilín siar agus piléar trína chroí.

Ansan is ea a thosnaigh an gleo agus an gleithearán. D'éirigh an príosúnach de léim, á theilgean féin i gcoinne an Chonstábla Ó Rinn gur bhuail a dhá lámh gona nglas cruaí le feidhm uile a nirt ar a aghaidh is ar a éadan, agus mar d'éirigh, baineadh tuairt as corp an Chonstábla Mac Ionrachtaigh anuas den tsuíochán gur teilgeadh ar lár agus ar lántalamh é. Chrom an Sáirsint de Bhailis agus Seán Ó Treasaigh ar a chéile gur fhearadar comhrac fíochmhar fearúil gan beann ag ceachtar acu ar bhás ná ar bheatha. D'éirigh le duine de na hÓglaigh an cairbín a bhaint den Raghallach agus buille a bhualadh le feidhm foirtil ar bhaitheas a chinn gur síneadh ar an urlár é gan aithne gan urlabhra. Seoladh an tÓgánach as an gcarráiste idir an dá linn. I dtaca le Mac Uí Rinn, is amhlaidh a theilg sé é féin tríd an bhfuinneog

47

amach agus d'imigh ina ghealt tríd an dúthaigh.

Bhí tathac troda sa tSáirsint agus is ar éigin a bhí ar Chonstáblacht Ríoga na hÉireann fear ba chróga curata ná é. Ba mhíleata móraigeanta i ngail agus i ngaisce é, ach bhí fear a dhiongbhála aige sa Treasach, curadh calma nár ghaibh meatacht ná mílaochas riamh é. Ba chodrom i gcath is i gcomhlann iad, agus ba dheacair a rá agus iad ag treascairt a chéile sa charráiste úd go raibh barr gaisce ag neach díobh ar a chéile. Bhí gunnán an Treasaigh caillte aige sa ghleo agus bhí sé ar a dhícheall ag iarraidh gunnán an fhir eile a stracadh as a lámh. Da mbeadh seilbh aige ar an ngunnán san bheadh leis ! Lena linn sin bhí Éamon Ó Briain ag faire na faille ar an Sáirsint agus, fé dheireadh, thug sé fobha fé ó chúl go ndearna tréaniarracht ar é leagadh ar lár. Strac an Sáirsint é féin uaidh le fóirneart agus dhírigh a ghunna le mórdhua ar an Treasach. Scaoil sé urchar agus níor fhéad an Treasach é féin a chaomhnadh ná a chosaint air. Is amhlaidh a scríob an piléar a scornach ar chuma go ndúirt an dochtúir ina dhiaidh san go raibh a phort seinnte gan aon agó dá gclaonfadh an piléar úd ón raon a ghaibh sé, fiú amháin an méidín ba lú. Is ansan a rinne an Treasach iarracht sáréachtach gur strac an gunnán as láimh an tSáirsint mar mhothaigh sé a chéile comhraic á thraochadh aige. Scaoil sé urchar fé dhó agus thit an Sáirsint cróga ina chnap ar urlár an charráiste agus créacht marfach ann.

Bhí an Treasach go tréithlag de dheasca a chréachta agus bhraith sé a lúth is a láthar á thréigint. Lena linn sin is ea a scaoileadh dhá urchar lasmuigh gur goineadh an Brianach agus an Scanlánach dá dheasca. An Constábla Ó Raghallaigh a bhí amuigh ar an bport agus é ag caitheamh leis na hÓglaigh. Is amhlaidh d'aimsigh sé cairbín Mhic Uí Rinn gur éalaigh

48

as an gcarráiste amach i gan fhios don triúr eile a bhí chomh tógtha san le dúire is le déine an chatha nár thugadar dá n-úidh ná dá n-aire é. Nior leor leis scaoileadh fé na hÓglaigh, ámh, ach lean air ag rúscadh piléar as an gcairbín i ngach treo baill gan beann gan aird aige ar éinne. Is beag nár chuir sé Máistir an Stáisiúin dá chois, agus b'éigean dá raibh ar an bport scaipeadh má luaithe agus teitheadh lena n-anam.

Lena linn sin uile bhí Domhnall Ó Braoin agus Séamas Mac Roibín ag déanamh garda lasmuigh den stáisiún. Shíleadar ná raibh an tÓgánach ar an traen ar aon chor gur chualadar glór na ngunnaí ar an bport. Isteach leo de scríb reatha ansan go bhfacadar an Raghallach ar a shéirse agus é ag caitheamh leis na hÓglaigh tríd an bhfuinneog ! Thug an Roibíneach fé ndeara nach raibh éinne ag forchoimeád ar thiománaí an innill, agus chuaigh sé chuige láithreach bonn gur dhírigh a ghunna air d'eagla an traen d'imeacht sar a mbeadh deireadh leis an gcomhrac agus an tÓgánach ar lámh shábhála. Dála an Bhraonaigh, scinn sé trasna an phoirt agus a ghunna ina ghlaic aige agus thug fobha santach fén Raghallach. Chúlaigh an póilín roimhe ach dhírigh sé a chairbín air agus chuir piléar trína scamhóg agus piléar eile trína chuisle dheas. Thit an gunnán as lámh an Bhraonaigh, ach i mbrothadh na súl bhí sé sa lámh eile agus é ag cromadh ar an gConstábla arís. Másea, bhí díol a sháithe den troid ag an bhfear eile fén am san ; d'iompaigh sé ar a shála agus as go brách leis.

Bhí an tÓgánach slán sábhálta agus bhí buaite ag na hÓglaigh arís. Ach bhí díolta go daor acu as obair an lae sin. Do goineadh Éamon Ó Briain agus Séamas Ó Scanláin agus is beag nár maraíodh an Treasach féin. Bhí Domhnall Ó Braoin in anchaoi. Is ar éigin a bhí ann siúl, óir bhí sé á thraochadh de dheasca a chréacht agus de dhíth fola. Bhí sé i riocht titime agus an fhuil ag rith ina caisí as a chréachta, ionas gurbh abhar uamhain agus eagla é don lucht taistil a bhí bailithe le chéile ar an bport agus crith cos is lámh orthu le barr sceimhle. Ba dhóbair go dtitfeadh sé ina chnap ach gur tháinig saighdiúir de chuid na Breataine i gcabhair air gur chuir a lámh féna ascaill agus go ndearna a thionlacan as an stáisiún ar an gcuma san.*

Níor thráth sos ná suaimhneas a dhéanamh do na hÓglaigh an tráth san. B'éigean dóibh imeacht as an dúthaigh sin chomh tiubh géar in Éirinn is a thiocfadh leo. Bhí an stáisiún ina chosair chró—corp an Chonstábla Mac Ionrachtaigh sínte ar an bport agus an Sáirsint de Bhailis ina luí i gcróilinn fola agus airíonna báis agus bithéaga ag teacht ar an bhfear bocht cheana féin. Níor fhónaigh moill do na hÓglaigh. Bhriseadar an glas láimhe a bhí ar an Ógánach le buille de scian bhúistéara. Thugadar a mbóthar orthu ansan gur rángadar teach Mhichíl Uí Sheanacháin gairid do Chnoc Loinge mar ar fhreastail an Dochtúir Ó hAonghusa ó Bhaile an Londraigh ar an mBraonach agus ar an Treasach. Chonacthas don dochtúir go raibh an Braonach i riocht báis agus cuireadh fios ar an sagart láithreach. Ba dhearbh leis an sagart agus leis an dochtúir nach gcuirfeadh an fear gonta a thinneas thairis. Ach bhí breall orthu sa mhéid sin. Bheadh lá eile ag an mBraonach. Cuireadh gasra Óglach ag faire timpeall an tí an fhaid a bhí an bheirt fhear ann agus níorbh fhada gur haistríodh iad go háit ní ba shia ó Chnoc Loinge agus go hionad ní ba shábhálta dhóibh féin, eadhon, go teach Dhaithí Mhic Fhlannchadha i gceantar Chill Fhionáin, mar ar tháinig dochtúir eile do fhreastal orthu.

*Gearradh trí bliana príosúin ar an saighdiúir dá bharr.

Bhí sé ag druidim le huair an mheán oíche nuair d'fhágadar slán ag Mac Uí Fhlannchadha. Bhí dhá ghluaisteán fostaithe ag an gCeannfort Seán Ó Finn agus chuaigh an tÓgánach sa dara ceann in éineacht le Domhnall Ó Braoin a bhí go tláth traochta agus iarracht de speabhraídí air. Chuaigh Seán Ó Treasaigh sa chéad ghluaisteán agus siúd ar aghaidh leis an dá ghluaisteán ansan trí Chill Mocheallóg agus thar dúnfort daingean na bpóilíní ina raibh coirp na beirte a maraíodh ag Cnoc Loinge ag fuireach leis an gcoiste crónaera. Bhaineadar amach a gceann scríbe idir an Caisleán Nua agus Drom Collachair in Iarthar Luimnighe lá arna mhárach. Ba mhór an faoiseamh a fuaireadar san áit iargúlta san mar a mbeidís slán sábhálta go gcuirfidís tinneas a gcréacht díobh.

D'fhill Seán Sheosaimh Ó Briain agus Seán Ó Loingsigh agus Éamon Ó Foghludha ar an nGallbhaile, ach b'éigean d'Éamon Ó Briain agus do Shéamas Ó Scanláin dul ar a dteitheadh. I ndeireadh na dála thugadar Stáit Aontaithe Mheirice orthu féin mar a bhfuaireadar áit dídin i bhfómhar na bliana san. Rugadh ar Éamon Ó Foghludha agus ar Óglach eile darbh ainm Pádraig Ó Meachair i Meán Fómhair agus cuireadh cúirt orthu i mBéal Feirste ar dtúis agus ansan in Ard Macha ar chúis dúnmharfa. I ndeireadh thiar thall tugadh ar ais go Baile Átha Cliath iad mar ar cuireadh cúirt airm orthu gur daoradh chun a gcrochta iad. Ní raibh aon bhaint ag Mac Uí Meachair leis an dteasargain ag Cnoc Loinge. Bhí Éamon Ó Foghludha ann ach ní raibh sé ag iompar arm.

Crochadh an bheirt Óglach i bpríosún Mountjoy i mBaile Átha Cliath an 7ú lá de Mheitheamh, 1921, tar éis bliain agus trí ráithe a chaitheamh sa charcair. Ceithre lá triochad d'éis a mbásaithe fógraíodh sos cogaidh idir Éire agus Sasana. Chuir an dís dea-laoch san a dteachtaireacht deireannach ag triall ar throdairí Thiobrad Árann agus ar Óglaigh na hÉireann —teachtaireacht ná cuirfidh a gcomrádaithe as a gcuimhne lena mbeo : " Rachaidh ár n-anmanna chun Dé ar a seacht a chlog ar maidin agus, ar mbeith saor d'Éirinn, rachaidh ár gcoirp chun an Ghallbhaile."

Tá coirp na laoch ina luí in uaigh uaigneach i gclós na carcrach go dtí an lá inniu. Ach is fíor iad go dearfa na briathra deireannacha adúradar : " Ní in aistear atá ár gcuid fola á dortadh ar son na hÉireann."

CAIBIDIL IV

IARRACHT FÉN TIARNA TÁNAISTE

CHUIR cath Sulchóide fearg ar Ghaill ; chuir cath Chnoc Loinge sceon iontu. Chuir an eachtra san ar a súile dhóibh go raibh fuadar a millte is a mbasctha fé na hÓglaigh ; agus thug sé le tuiscint dóibh go raibh fúthu an fód a sheasamh go himirt anama dá mba ghá é, in aghaidh údaráis an Rialtais Ghallda. Mar sin féin, ní raibh na hÓglaigh uile, ná fiú na mórchoda, ag leanúint lorg na bhfhear i dTiobraid Árann. Rinneadh corr-ionsaí ar phóilín nó ar phatról d'fhonn airm is armlón d'fháil ; agus d'ionsaigh Óglaigh Chorcaighe Thuaidh dúnfort na bpóilíní in Araglain gur ghabhadar an bheairic agus a raibh d'airm is d'armlón inti. Ach tríd is tríd, ní dhearna na hÓglaigh ach lagiarracht ar chogadh a chur ar an namhaid sa bhliain 1919.

Tháinig athrú ar an scéal i bhfómhar na bliana san nuair a ghlac Dáil Éireann cúram na nÓglach uirthi féin go hoifigiúil. Dream neamhspleách ba ea na hÓglaigh roimhe sin, agus fiú amháin tar éis bunú na Dála bhí a bheag nó a mhór de neamhspleáchas acu i gcónaí, cé go raibh an tAire Cosanta mar cheangal eatorthu féin agus an Dáil, agus ba é a nUachtarán féin (Éamon de Valéra) a bhí ina Uachtarán ar Dháil Éireann agus ar an bPoblacht chomh maith. Ina theannta san bhí a lán de na Teachtaí Dála féin i dtreasa na nÓglach ; agus bhí an duine ba mhó éifeacht agus éirim den Fhoireann Cheannárais .i. Mícheál Ó Coileáin ina bhall den Aireacht

53

(Aire Airgeadais) agus lámh aige i ngnóthaí uile na Poblachta, idir ghnóthaí airm agus gnóthaí stáit. Shíleadar na taoisigh airm i dTiobraid Árann gur mhithid do na hÓglaigh cogadh d'fhearadh go lomdáiríre ar na Sasanaigh feasta. Tar éis ráithe a chaitheamh le fán is le fuacht is le fuaidreamh an tsaoil agus an namhaid go dian ar a dtóir, is í comhairle a chinneadar fé dheoidh ná aghaidh a thabhairt go dána dásachtach ar Bhaile Átha Cliath féin, cé gurbh ionann san agus dúshlán a chur fén mbás—agus an scéal go léir a phlé le foireann an Cheannárais Ghinearálta. Do thiomnadar ceiliúradh dá gcairde sa Deisceart, dá bhrí sin, agus ní dhearnadar cónaí gur bhaineadar a gceathrar an phríomhchathair amach. Cuireadh fáilte rompu ansan agus fiafraíodh a n-eachtraí agus a n-imeachta dhíobh ó lá Chnoc Loinge anuas.

Ní raibh aon cheal oibre orthu i mBaile Átha Cliath. Bhí "cogadh fé thalamh" ar siúl san am idir Roinn Faisnéise Arm na Poblachta agus Roinn Faisnéise na nGall, agus an dá dhream ar a ndícheall ag iarraidh barr a bhreith ar a chéile. Bhí beartaithe ag Micheál Ó Coileáin Roinn Faisnéise an namhad a bhascadh ar fad agus córas spíodóireachta an Chaisléáin a bhriseadh. Féadaimid a rá le fírinne gurbh é an Coileánach a chuir an Roinn Faisnéise d'Arm na Poblachta ar a bonna i gceart, agus is dósan atá an chreidiúint ag dul gur éirigh leis an Roinn cumhacht an Airm Ghallda a bhriseadh sa deireadh. I Mí Iúil na bliana 1919 bunaíodh complachta i mBaile Átha Cliath d'fhonn beartas na Roinne Faisnéise a chur i bhfeidhm i leith bleachtairí agus lucht bratha. An "Scuad" a tugadh ar an gcomplacht san agus bhí baill an Scuaid i bhfeadhmannas an Cheannárais féin. Dháréag a bhí ann fé cheannas Mhíchíl Mhic Dhomhnaill agus bhí sé de dhualgas orthu breith an bháis a chur i bhfeidhm ar lucht fill, ar spíodóirí, agus ar ghníomhaithe rúnseirbhíse Shasana, de réir mar a hordaíodh dóibh. Bhí na hoifigigh ó Thiobraid Árann Theas ag obair i gcomhar leis an Scuad an fhaid a bhíodar i mBaile Átha Cliath.

Ghaibh eagla lucht ceannais na nGall nuair a thuigeadar go raibh muintir na hÉireann ag neartú le Sinn Féin agus go raibh Rialtas na Poblachta ag gabháil lastuas dá rialtas féin. I Mí Iúil d'fhógair an Fear Ionaid go raibh Sinn Féin ina chumann aindleathach agus, uime sin, chuir sé fé chois é. Níor chian ina dhiaidh san gur fógraíodh Conradh na Gaedhilge ina chumann "contúrthach." Tamall dá éis sin arís cuireadh Cumann na mBan agus Óglaigh na hÉireann fé chois. Bhí ag dul d'údarás na nGall in aghaidh an lae. Chuir Dáil Éireann an chéad Iasacht Náisiúnta ar an margadh i Meán Fómhair agus ní túisce a chuir ná mar d'fhógair an Fear Ionaid go raibh an Dáil féin aindleathach agus chuir sé fé chois í dá bhíthin sin. D'éirigh leis an Iasacht go hiontach mar sin féin. Rinne Rialtas Shasana a lomdhícheall ar theacht ar an airgead agus thug fórsaí armtha na Coróine ruathar fé na bainc. Ba shaothar in aistear dóibh é : pingin rua ní fhuaireadar riamh. Ón uair a cuireadh Dáil Éireann fé chois b'éigean do na teachtaí tionól os íseal. Gabhadh a lán acu agus b'éigean dá lán eile dul ar a dteitheadh. Bhí cuid acu ag troid in Arm na Poblachta agus ní haibhéil a rá gurbh é an tArm agus nárbh í an Dáil a bhí i gceannas as san amach go dtí deireadh an chogaidh. Óir de réir mar a bhí Dáil Éireann ag dul in ísle brí agus na teachtaí á scaipeadh nó á gcur i bpríosún, bhí Óglaigh na hÉireann ag éirí chun nirt ; agus bhí an cogadh ag dul i ndéine as san amach nó go raibh ar Rialtas Shasana, ná géillfeadh ar dtúis don cheart, géilleadh don neart fé dheoidh.

Le linn do thaoisigh na Treas Briogáide bheith ag obair is ag troid i gcomhar leis an Scuad agus le Briogáid atha Cliath ní raibh dearmad á dhéanamh acu de throdairí Thiobrad Árann féin. Rinneadar a raibh ar a gcumas chun Airm is armlón a sholáthar do na fir a bhí ag troid san dúthaigh chois na Siúire. Gheibhdís roinnt mhaith arm ón gCoileánach de ghnáth, mar ba bhreá leis an " bhFear Mór " riamh agus i gcónaí bheith ag cuidiú le daoine de leithéid an Treasaigh, agus níor mhór leis armacha do dhaoine a bhainfeadh feidhm astu. Bhíodh scéalta ag gabháil idir oifigigh na Treas Briogáide i mBaile Átha Cliath agus na hoifigigh i dTiobraid Árann. Dá mhéid obair a bhíodh le déanamh acu sa chathair níor ligeadar i ndearmad ná i ndíchuimhne riamh gur leis an dTreas Briogáid iad féin agus go raibh dualgas ag an dTreas Briogáid orthu dá réir. Chinneadar ar Chomhdháil Bhriogáide a thionól i gcomharsanacht Chaisil Mumhan i nDeireadh Fómhair. D'ainneoin go raibh an tóir go dian orthu i gcónaí chuadar a gceathrar síos go Tiobraid Árann chun bheith i láthair na Comhdhála.

Tionóladh an Chomhdháil Bhriogáide an 9ú lá de Mhí na Samhna agus toghadh an Ceannasaí Briogáide agus an Tánaiste Briogáide chun bheith ina dteachtaí ón Treas Briogáid chun na Mórdhála a bhí le tionól i mBaile Átha Cliath ní ba dhéanaí sa mhí.★ Nuair a scaip an Chomhdháil Bhriogáide d'fhill na taoisigh ar an bpríomhchathair. Níorbh fhada dhóibh i mBaile Árha Cliath arís nuair a tugadh ordú dhóibh bheith ullamh chun ionsaí a thabhairt fén bhFear Ionaid .i. an Tiarna French. Is amhlaidh a bhí beartaithe ag an bhFoireann Cheannárais an Tiarna Tánaiste d'ionsaí agus a mharú. Tuigeadh do lucht an Cheannárais gur mhó de shochar a thiocfadh don Phoblacht de bharr marú an Tiarna Tánaiste i bpríomhchathair na hÉireann, áit a raibh ceannáras na nGall agus na mílte de shaighdiúirí Gallda, ná mar a thiocfadh de bharr marú roinnt bheag póilíní ná raibh aithne orthu lasmuigh dá ndúthaigh féin. Ní raibh sna póilíní úd, tar éis an tsaoil, ach uirlisí.* Ba é an Tiarna French Fear Ionaid Rí Shasana in Éirinn agus ceann an Rialtais Ghallda sa tír, agus dob ionann ionsaí a dhéanamh ar an bhFear Ionaid agus dúshlán Shasana a thabhairt os comhair an domhain.

Is mó san iarracht a tugadh fén bhFear Ionaid dá éis sin. Luann Domhnall Ó Braion dhá iarracht déag. Níor éirigh le haon cheann acu mar go raibh nithe beaga ag titim amach i gcónaí a chuireadh stop le gach iarracht. Fé dheireadh thiar thall tugadh fén bhFear Ionaid gairid dá áras féin, in *Ashtown* ar imeall na cathrach. Níor chian d'aimsir roimh an ionsaí an uair a cuireadh tionól ar an Scuad agus ar na hAonaid Fianais de chatha uile Briogáide Átha Cliath go dtabharfaí comhairleacha agus orduithe dhóibh fén sórt cogaidh a bhí le fearadh feasta acu. Bhí oifigigh na Treas Briogáide i láthair agus is é an Ceann Foirne féin .i. Risteard Ó Maolchatha a chuaigh i gceannas an chomhthionóil. Dúirt an Ceann Foirne leis an hÓglaigh nárbh fholáir dóibh teacht slán as gach cath gan fuiliú gan fordheargadh ar neach acu, agus gan aon duine dhíobh do thitim i lámha an namhad. Níor mhian le Rialtas na Poblachta a fhios a bheith ag an

* . . . . We felt it (the shooting of policemen and soldiers) was not enough in itself. They, we argued, were but the tools of higher men. Their loss did not trouble England very much, for she could always get more dupes. Why, we asked ourselves, should we not strike at the very heads of the British Government in Ireland ? . . . . ” Dan Breen : My Fight For Irish Freedom pp. 118-119 (1st Edition).

namhaid go raibh baint ag an Rialtas ná ag an Dáil le gníomh-
artha cogaidh na nÓglach agus thug an Ceann Foirne rabhadh
do na hAonaid Fianais go mb'fhéidir go séanfadh an Rialtas
rún ar a ngníomhartha dá n-éireodh le Gaill na hÓglaigh a
chiontú i ngníomh cogaidh ar bith !

Aon fhear déag a bhí sa bhuíon a chuaigh i ndeabhaidh
leis an namhaid an lá úd i Mí na Nollag, 1919. Mícheál
Mac Domhnaill a bhí ina gceannas agus Pádraig Ó Dálaigh
a bhí ina leas-Cheannasaí. I dteannta an cheathrair ó Thiob-
raid Árann bhí cúigear d'Óglaigh Átha Cliath ann, eadhon,
Tomás Mac Eochaidh, Máirtín Sabhaois, Uinseann Ó Broin,
Tómás Mac Giollachaoin agus Seosamh Lionard. Dob eol do
na hÓglaigh go raibh an Fear Ionaid le filleadh ó Roscomáin
an 19ú lá den mhí agus go dtiocfadh sé ar an dtraen chomh
fada le stáisiún *Ashtown* mar a mbeadh díorma den Arm
Gallda ag fuireach leis. Dhéanfadh na saighdiúirí é a thion-
lacan go hÁras an Fhir Ionaid i bPáirc an Fhionnuisce a bhí
i gcomhgar an stáisiúin. Ceapadh riar catha na nÓglach de
réir an eolais sin.

Tá *Ashtown* suite tuairim is ceithre míle slí ó lár na cath-
rach. Gabhann fobhóthar trasna an bhóthair mhóir san
áit sin, á ghearradh go dronuilleannach, nach mór. Timpeall
dhá chéad slat ón gcrosaire ar thaobh do láimhe deise (agus
tú id sheasamh ag an gcrosaire agus do chúl leis an gcathair
agat) atá an stáisiún. Timpeall céad slat ón gcrosaire ar
thaobh do láimhe clé atá geata na Páirce. Ag an gcrosaire
féin bhí tábhairne suite ar a nglaotaí Tábhairne Uí Cheallaigh
nó an " Teach Leath-Bhealaigh " agus ní bréag a rá go gcuirtí
" Fáilte Ui Cheallaigh " roimh lucht óil agus spoirt, gan
trácht ar lucht taistil, sa tábhairne sin.

Bhí beartaithe ag Ceannasaí na nÓglach dul in eadarnaí

ar an bhFear Ionaid tamall síos an fobhóthar, idir an crosaire agus geata na Páirce. Bhí socair aige fairis sin go sáithfeadh triúr den bhuíon trucail feirme rompu trasna an bhóthair ar an neomat deiridh ionas go mbainfí siar as gluaisteáin na nGall agus go mba usaide do na hÓglaigh an namhaid d'aimsiú an trucail sin a bheith sa bhealach air. Is iad Domhnall Ó Braoin, Tomás Mac Eochaidh agus Máirtín Sabhaois a bhí ceaptha ag an gCeannasaí chuige sin.

Bhí an traen le bheith ann ar 11.40 a.m. Bhog na hÓglaigh chun bóthair tuairim is leathuair a chloig roimhe sin. Ghluaiseadar ina mbeirt is ina mbeirt agus achar beag aimsire idir gach dhá bheirt acu. De réir mar ráinig gach beirt an tábhairne d'fhágadar a rothair ina leathsheasamh i gcoinne an fhalla mar is taitheach le lucht taistil agus iad ag tabhairt cuairte ar thigh an tábhairne. Bhuaileadar an doras isteach amhail is dá mba ghnáthchustaiméirí iad ar lorg abhar múchta a dtarta. Níor chuadar uile isteach sa tábhairne, ámh. D'fhan cuid acu amuigh ar an mbóthar do dhéanamh faire agus forchoimeádta ar an stáisiún, agus bhí duine acusan i bhfad suas an fobhóthar gairid don iarnród i dtreo go dtiocfadh leis rabhadh a thabhairt dá chompánaigh nuair a bhéadh na Gaill ar tí gluaiseachta.

Bunaíodh riar catha na nÓglach ar an eolas a bhí acu ar ghnás an Fhir Ionaid. Ba ghnáth leis-sean trí gluaisteáin a bheith aige ; bhíodh cuid dá gharda tionlacan sa chéad ghluaisteán, an Fear Ionaid féin sa dara gluaisteán, agus bleachtaire nó A.D.C. ina fhochair, agus bhíodh an chuid eile den gharda sa tríú gluaisteán. Ghabhadh saighdiúir armtha roimh chách eile amach ar mhótar-rothar. Cuireadh de gheasa ar na hÓglaigh gan baint leis an gcéad ghluaisteán ach é a scaoileadh thar bráid gan cosc gan cúl a chur air. Do

Máirtín Sabhaois

hordaíodh dóibh, áfach, líon a slua a scaoileadh fén dara gluaisteán agus é d'ionsaí le fuadar fuinnimh agus le feidhm foirtil, le gunnáin agus le lámhghranáidí, agus gan scor den chomhrac nó go gcuirfí an Fear Ionaid dá threoir.

Tháinig an traen tamaillín roimh an am a bhí ceaptha dhi i dtreo gur baineadh na hÓglaigh as a gcleachtadh beagán, agus gurbh éigean dóibh dul go dithneasach ina n-ionaid chatha feadh an chlaí. Bhíodar á socrú féin nuair a tháinig constábla de Phóilíní na Cathrach i dtreo an chrosaire chun an bealach a réiteach don Fhear Ionaid agus dá chuallacht choimhdeachta. Lena linn sin go díreach siúd amach ar an mbóthar an triúr fear agus iad ag brú trucaile feirme rompu ! Thug an póilín dá aire iad agus chuir forrán orthu. Níor ligeadarsan orthu gur chualadar é ach ní raibh feidhm acu an chluas bhodhar a thabhairt dó. Ba gheasa don phóilín éinne a ligint síos an bóthar san agus dar go deimhin d'fhéachfadh sé chuige go gcomhlíonfadh sé go beacht an dualgas a cuireadh air. Labhair sé leo go húdarásach : " Ní cead daoibh dul síos an bóthar san . . . . Beidh a Oirearchas ag teacht an treo seo i gcionn cúpla neomat." Ní dúradar dada. Labhair sé arís go teann tionsclach gur chuir ar a súile dhóibh go gcaithfidís an tslí d'fhágaint don Fhear Ionaid.

Bhris ar an bhfoighne ag an dtriúr. Dúradar leis an bpóilín greadadh leis as an slí agus aire thabhairt dá ghnó féin. Ní heol dúinn cad é an freagra a thabharfadh an póilín ar an gcaint sin mar, lena linn sin go díreach, chaith duine den dream a bhí ina n-ionaid chatha chois chlaí lámhghránáid leis an bpóilín bocht. Torchradh go talamh é maraon leis an dtriúr óglach a bhí i mbun na trucaile. Leonadh an constábla ach níor gortaíodh éinne de na hÓglaigh cé go raibh fear acusan ina sheasamh ar fhód a mharfa an uair sin

féin.   Is ansan go díreach a ghaibh an réamhchoimeádaí thar
bráid ar a mhótar-rothar leathchéad slat roimh an ngluaisteán
tosaigh.   Bhí sé ródhéanach ag na hÓglaigh ansan an trucail
d'úsáid mar bhí beartaithe acu ar dtúis.

Le prap na súl bhí an chéad ghluaisteán chucu.   Theilg
an Roibíneach gránáid leis agus é ag scinneadh thairis agus
chaith an bleachtaire a bhí i bhfochair an Fhir Ionaid gránáid
eile leis na hÓglaigh ag freagairt an amais sin, is dócha. Meall-
adh na hÓglaigh.   Sa chéad ghluaisteán a bhí an Fear Ionaid !
Tháinig sé slán mar sin cé nárbh eol don lucht ionsaithe gurbh
amhlaidh a bhí go dtí gur léadar nuachtáin an tráthnóna.
Nárbh aisteach an scéal é tar éis an tsaoil !   Na daoine a bhí
sáite i gcroílár an chomhraic níor thuigeadar i gceart cad a
bhí ar siúl go bhfacadar an cuntas ar na páipéirí nuaíochta
ina dhiaidh san !   Sea, d'imigh an Fear Ionaid go sleamhain
slán, agus dar go deimhin ach gur mhaith an mhaise dhó gur
sa chéad charr a bhí sé in ionad bheith sa dara ceann.   Óir
tugadh fobha fiata fíochmhar fén dara gluaisteán.   Ba ea
treise na tréaniarrachta san, ba ea déine is dúire an deabhaidh
sin, ba ea méid na tuargana agus an tréanbhuailte a tugadh
don ghluaisteán le frasa fíornimhneacha piléar agus le glaca
gáifeacha gránáidí, gur chuaigh sé ó smacht an tiománaí ar fad
ionas gur teilgeadh go tréan le feidhm fíoréachtach i gcoinne
an chlaí é go ndearna dímheall díscaoilte dhe dá dheasca.

B'shin deireadh a dtoisce dar leis na hÓglaigh.   Bhí an
Fear Ionaid marbh acu, mar shíleadar.   Bhí an obair a cuireadh
orthu déanta acu.   Ach má bhí féin ní raibh deireadh leis
an ndeabhadh go fóill.   An triúr úd a bhí i mbun na trucaile
bhíodar ina seasamh i lár an bhóthair nuair a tháinig an tríú
gluaisteán sa mhullach orthu.   Ní raibh á ndíonadh ar urchair
an namhad ach an trucail a bhí tarraingthe leathshlí trasna an

62

bhóthair acu, agus b'éigean dóibh scaipeadh. Meaisín-ghunnadóir agus triúr raidhfleoirí a bhí sa ghluaisteán i bhfoch-air an tiománaí agus mura rabhadar a gceathrar ar a ndícheall báis ag rúscadh piléar leis na hÓglaigh ní lá fós é. Bhí scoith urchair ag duine den cheathrar san a bhí ina choilgsheasamh sa ghluaisteán agus is é a bhí ag cur na bpiléar abhaile ar na hÓglaigh.* Ar an drochuair dó féin tharla Máirtín Sabhaois i lár an bhealaigh ionas ná raibh cosnamh ná coimirce aige ar an ruathar piléar. D'aimsigh urchar sa scornach é gur thug a bhás ar an láthair sin. D'aimsigh urchar eile Domhnall Ó Braoin sa chos, gurbh éigean dó dul fé dhéin an tábhairne agus sreabha fola ag sní as a chréacht. Idir an dá linn d'imigh an gluaisteán deiridh agus fágadh an áit fé na hÓglaigh. Bhí an dara gluaisteán briste basctha ar thaobh an bhóthair. Tháinig an tiománaí amach, a lámha ardaithe aige agus é ar baillchrith. Bhí eagla a mharfa ar an bhfear bocht. Baineadh a chuid arm de agus scaoileadh chun siúil é.

Níor fhónaigh moill do na hÓglaigh. Ba róbhaol go dtiocfadh breis saighdiúirí agus póilíní ón bPáirc uair ar bith ar lorg an lucht ionsaithe. Bhí an áit fúthu féin um an dtaca san agus rugadar corp a gcomrádaí dhílis leo go tuirseach do-bhrónach chun an tábhairne. Bhí lucht an tábhairne bailithe i gceann a chéile ansúd agus iad i ngreim an uamhain. D'fhág na hÓglaigh corp an tSabhaoisigh sa tábhairne agus d'imíodar leo gan mhoill, gach duine acu ag déanamh ar a bhaile nó ar a áit dídin féin. Bhí Domhnall Ó Braoin go rílag de dheasca a chréachta a raibh an fhuil ag brúchtadh amach as i gcónaí. Bhí a chos chlé gan lúth gan láthar agus b'éigean dá chomrádaithe dul i gcabhair air agus é chur in

*An cuntas a scríobh Séamus Robinson ina dhiaidh san alt a foilsíodh san " Evening Press and Telegraph."

airde ar a rothar. Chuaigh Pádraig Ó Dálaigh ar a rothar
féin agus rinne an Braonach a thionlacan ar an slí, ag déanamh
teannta dhó le leathlámh. D'éirigh leis an dís dea-laoch
san áit dídin a bhaint amach i dteach Bhean Uí Thuama i
mBaile Phib. Ba mhaith a scar an Braonach leis nár gabhadh
ag Gaill é óir dob usaide dhóibhsean a lorg d'fháil na braonacha
fola a bhí ag sileadh ón gcréacht a bheith le feiscint go soiléir
feadh na slí. Chuala sé ina dhiaidh san gur éirigh leo a lorg
d'fháil agus a leanúint go dtí imeall na cathrach ach nárbh
fhéidir leo é bhraith níos sia toisc rian na fola a bheith in
easnamh is dócha.

Ba iad Seán Ó Treasaigh agus Séamas Mac Roibín an
dís deireannach d'fhág ionad an eadarnaí. Ar éigin a bhí
Mac Roibín sa diallait nuair a bhris troitheán den rothar
gur cuireadh ó chion é dá dheasca. Ní raibh le déanamh
aige ach a rothar féin a chaitheamh thar chlaí—áit nach bhfeicfí
é—agus dul ar chúlaibh an Treasaigh ar a rotharsan. Níor
chian dóibh sa tslí, áfach, go bhfacadar chucu fear agus
rothar nua niamhghlan aige. Chuireadar d'fhiachaibh ar an
bhfear san a rothar nua a thabhairt do Mhac Roibín agus
ghealladar dó go bhfágfaí a rothar gairid do Theach Ósta
Gresham ar uair áirithe an tráthnóna san—geall a comhlíonadh
go dílis. Le cabhair an rothair sin d'éirigh leo beirt na cosa
a bhreith leo agus áit dídin a bhaint amach imeasc a gcairde
sa chathair.

Tógadh callán mór i Sasana agus in Éirinn nuair a cualathas
fén iarracht ar an Tiarna Tánaiste. Chuaigh an gháir
in airde i bhfaid agus i leithead na hImpireachta. Rinneadh
a lán cainte i dtaobh an " Murder Gang " a thug fobha fén
Tiarna Tánaiste. Mar sin féin, chuir an *Catholic Herald,*
nuachtán Gallda, ar a súile dá lucht léite nach ndearnadar

na Gaeil ach an rud a dhéanfadh na Sasanaigh féin dá mbeidís sa chás céanna. " Cuirtear i gcás " arsan nuachtán san, " gurbh é an Marascal Von der Goltz a bhí i gceist in ionad an Tiarna French agus go raibh sé ina Fhear Ionaid ag an nGearmáin i Sasana agus a shamhail d'obair á dhéanamh aige

Seán Ó Searcaigh agus Pádraig Ó Riain
(Cathlán V)

anso agus atá á dhéanamh ag na Sasanaigh in Éirinn ; nach mbeadh na mílte de Shasanaigh thírghrácha ullamh chun é lámhach, agus nach mbeadh na milliúin acu ann chun an gníomh san a mholadh ? Tugadh Sasanach macánta ar bith freagra ar an gceist sin ! "

Ba é an t-eadarnaí a rinneadh ar an bhFear Ionaid an eachtra mhór dheireannach a raibh páirt ag Óglaigh Thiobrad Árann inti sa bhliain 1919. Sa bhliain 1920 is ea a thosnaigh an cogadh dáiríre idir Poblacht na hÉireann agus Impireacht na Breataine ; ní raibh ach ruathradh sa troid a rinneadh sa bhliain 1919. Mar sin féin b'fhollas don Rialtas Gallda gur ag dul i ndonacht a bhí an scéal fiú amháin sa bhliain 1919. Maraíodh 16 póilíní i rith na bliana san. Gabhadh a lán póilíní eile ach scaoileadh saor arís iad d'éis a gcuid arm is armlóin a bhaint díobh. Ní raibh na póilíní féin díomhaoin ach oiread. Ransaíodh nó cuardaíodh 14,000 de thithe cónaithe. Scaipeadh 476 cruinnithe síochánta le foréigean. Goineadh 260 d'fhir, de mhná agus de mhiondaoine, agus do rinneadh dúnmharú gránna ar ochtar fear. Ar na 959 daoine a gabhadh an bhliain sin bhí 20 de threoraithe Sinn Féin. Chuireadar na Sasanaigh 25 nuachtáin fé chois freisin.

CAIBIDIL V

Géarú ar an gCogadh

Beartas nua ag Óglaigh na Treas Briogáide.

LUIGH an dá arm isteach ar an troid dáiríre sa bhliain 1920. I gcúrsaí toghcháin d'éirigh leis na Poblachtóirí go rímhaith ó thosach na bliana i dtreo gur bheartaigh na Gaill ar Bheartas Imeagla a chur i bhfeidhm ar na daoine le súil go dtabharfadh an sceon is an sceimhle orthu géilleadh d'údarás na nGall. I dtosach na bliana tharla toghchán do bhardaisí agus comhairleacha bailte na hÉireann. Bhuaigh na Sinn Féinithe in urmhór mór na mbailte (172 as 206) agus chuir na bailte sin suas dá ndílse do Rialtas Shasana gur ghlacadar le húdarás Rialtas Poblachta Éireann ina ionad. As dhá bhuirg déag in Éirinn bhí an bua ag na hAontaitheoirí in aon cheann amháin, mar atá, Béal Féirste. Agus fiú amháin sa chathair sin—daingean agus dúnfort na nOráisteach—laghdaigh go mór ar líon na vótaí a tugadh ar son na hAondachta. I gCúige Uladh ar fad d'éirigh le Sinn Féin an bua a bhreith i dtrí bailte ar fhichid. D'éirigh leis na hAontaitheoirí i dhá bhaile ar fhichid. D'fhág san go raibh ceannas ag na Poblachtóirí ar an mórchuid de na bailte feasta agus chuidigh an ní sin go mór le cúis na Poblachta le linn na troda a bhí ag teacht. I dTriobraid Árann Theas fuair na Poblachtóirí ceannas ar gach uile bhaile agus chuir na bailte sin suas d'údarás an Rialtais Ghallda gur aithníodar údarás Rialtas na Poblachta feasta.

B'fhollas do chách go raibh réim imeagla beartaithe ag Gaill nuair a maraíodh Tomás Mac Curtáin, Ard-Mhaor Chorcaighe, go fealltach agus go gránna ina theach féin i láthair a bhainchéile agus a pháistí beaga ar an 20ú lá de Mhárta, 1920. Rinne Príomh-Aire Shasana iarracht ar an gcoir uafásach san a chur i leith muintir na cathrach féin, á rá gurbh iad comrádaithe an Churtánaigh a rinne an gníomh gránna toisc nach raibh an tArd-Mhaor dian go leor in aghaidh na nGall. Bréag mhínáireach ba ea é sin ; ach níor éirigh leis an bPríomh-Aire muintir na hÉireann a mhealladh. Thug fir Chorcaighe freagra air go tapaidh—an freagra ba dhual dóibh. Tá an freagra san le léamh sa bhreith a thug an coiste corónaera an lá d'ar gceann, mar atá :

"Is í breith an choiste seo, go bhfuair Tómas Mac Curtáin, duine de lucht Comhairle na Cathrach agus Ard-Mhaor Chorcaighe bás agus buan-oidhe de dheasca créacht ó philéir ; gur dúnmharaíodh d'aon toisc é gan trua gan taise ; agus gurab iad Constáblacht Ríoga na hÉireann a cheap agus a chuir an dúnmharú i gcrích, ar fhorálamh oifigiúil ó Rialtas Shasana ; agus dá bhíthin sin, tugaimid breith dúnmharfa i gcoinne David Lloyd George, Príomh-Aire Shasana ; i gcoinne an Tiarna French, .i. Fear Ionaid an Rí in Éirinn ; i gcoinne Ian Mac an Phearsúin, a bhí tráth ina Ard-Rúnaí i gcóir na hÉireann ; i gcoinne Mhic Gabhann .i. Ard-Chigire gníomhach Constáblachta Ríoga na hÉireann ; i gcoinne de Cléatún, Roinn-Chigire Constáblachta Ríoga na hÉireann ; i gcoinne an Chigire Cheantair Swanzy maille le baill eile anaithnid de Chonstáblacht Ríoga na hÉireann."

Go grod ina dhiaidh san cuireadh ordú amach ó Chaisleán Átha Cliath a chuir deireadh le coistí corónaera ar fuaid na hÉireann. Ba bheag an mhoill ar Roinn Taisceolaíochta an Airm Ghaelaigh eolas a sholáthar i dtaobh na ndaoine a mharaigh Tomás Mac Curtáin agus tá sé ráite gur maraíodh, duine i ndiaidh duine, gach uile phóilín a raibh lámh aige sa dúnmharú san.

I dtrátha na haimsire sin is ea a ceapadh General Sir Neville Macready ina Ard-Cheannaire ar shluaite uile an Rí in Éirinn. D'éirigh a lán d'ardoifigigh Chonstáblachta Ríoga na hÉireann as a bposta agus briseadh roinnt eile dhíobh as an seirbhís. Cuireadh ina n-ionad daoine nár scrupall leo dúnmharú a dhéanamh agus glacadh dream mór daoine isteach sa bhFórsa chun ionad na bhfear a bhí ag éirí as in aghaidh an lae a líonadh. Sasanaigh ba ea na fir nua san—athshaighdiúirí a throid sa chéad Chogadh Mór, agus coirpigh as na priosúin, is mó a bhí iontu—dríodar Shasana go deimhin is go dearfa. Ní raibh aon ainm ar leith ar an ndream so, agus cuid den ghnáthchonstáblacht ba ea iad ó thaobh an dlí dhe. Ach ba ghearr an mhoill ar muintir na hÉireann ainm a bhaisteadh orthu agus is é ainm a bhaisteadar orthu ná *Black and Tans*. Ar a shon gur bhaineadar leis an gConstáblacht ní raibh éide póilíní a ndóthain ag ceannairí na Constáblachta dhóibh i dtreo is go mbíodh cuid d'éide bhuí an tsaighdiúra agus cuid d'éide dhubh an phóilín á chaitheamh acu.

Má bhí staid na tíre go holc roimh theacht na nDubhchrónach níl léamh ná insint scéil ar an donas agus ar an díobháil a rinneadarsan. Bhí an tír go léir ina cíorthuathail acu. Bhí ár is éirleach á dhéanamh ar fuaid na hÉireann ; tithe á ndó nó á séideadh san aer ; uachtarlanna á loscadh nó á milleadh ; bailte agus cathracha á gcreachadh is á gcur fé dhlúimh deataigh agus deargthine ; daoine ionraice á marú

69

gan trua gan taise, foghail á dhéanamh ar a maoin is ar a gcuid, agus an tír uile á bánú ag lucht airgne is bradaíochta. Ina dhiaidh san is uile níor stríoc na daoine. Ní hé amháin go raibh na hÓglaigh ag troid go cróga ach go raibh muintir na tíre ag seasamh leo go daingean diongbhálta, agus ba ea méid a ndílse is a ndíograise gurbh fhearr leo bás d'fháil ná géilleadh don namhaid.

Ba é céadchuspóir na nÓglach Constáblacht Ríoga na hÉireann a thiomáint as na dúnfoirt a bhí acu ar fuaid na tíre. " Súile agus cluasa an Airm Ghallda " a thug an tUachtarán orthu agus é ag labhairt le Dáil Éireann, agus bhí an ceart ar fad aige sa mhéid sin. Bhí togha na haithne ag na póilíní sin ar thaoisigh na nÓglach agus ar lucht Sinn Féin ar fuaid na tíre, agus ba bheag rud a tharlaíodh nach mbíodh eolas acu air. Ar an R.I.C. a bhí ceannairí an Airm Ghallda ag braith leis an eolas nárbh fholáir a bheith acu chun a gcuspóirí a chur chur cinn, agus ní thiocfadh leo dada a dhéanamh meireach an chabhair agus an treorú a gheibhdís ó na póilíní. Dá chomhartha san, nuair a briseadh cumhacht an R.I.C. deineadh dochar thar leigheas do chúis na nGall. Chífimid anois conas a chuir Óglaigh Thiobrad Árann Theas beartas nua i bhfeidhm i samhradh na bliana 1920, beartas a raibh d'aidhm agus de chuspóir aige cumhacht an R.I.C. a bhriseadh sna ceantair thuaithe agus iad a thiomáint as a gcuid dúnfort gan súil le filleadh acu go brách arís. Is é an beartas a bhí ceaptha acu chuige sin ná na dúnfoirt sin d'ionsaí agus iad a ghabháil is a mhilleadh.

Baineadh feidhm as an ngeilignít a gabhadh ag Sulchóid Bheag nuair a hionsaíodh Halla Dhrom Bán, an 18ú lá d'Eanáir, 1920. Ní raibh Drom Bán i gceantar na Treas Briogáide ach bhí roinnt Óglach den Treas Briogáid páirteach san ionsaí sin, eadhon, Séamas Ó Gormáin, Pádraig Ó Duibhir, S. Mac Giolla Phádraig agus P. Ó Riain ón Tríú Cathlán. Bhí Constáblacht Ríoga na hÉireann tar éis seilbh a ghabháil ar Halla Dhrom Bán gairid do Dhurlas Éile. Chinneadar ceannasaithe na Dara Briogáide ar an ngarastún d'ionsaí agus na póilíní a ruagairt. Tiomsaíodh na hÓglaigh, gearradh na línte telegrafa agus telefóin, trinsíodh na bóithre agus tugadh fén Halla timpeall 8.40 p.m. Bhí ionaid chatha na nÓglach ar tosach agus ar cúl an Halla agus ba iad na raidhfleoirí a chuir tús leis an ionsaí. Níorbh fhada gur baineadh feidhm as " geilignít Sulchóide " agus ba ea fuinneamh na pléisce gur séideadh cuid de dhíon an tí san aer agus gur réabadh an phinnúir. Throid na póilíní go calma curata, ámh, agus b'éigean do na hÓglaigh éirí as an ionsaí i ndeireadh na dála uair éigin tar éis an mheán oíche. Bíodh nár tháinig leo na póilíní a ruagairt an uair sin, rinneadh an oiread san damáiste don Halla nárbh fhéidir é chur i dtreo cosanta arís agus ar an abhar san d'aslonnaíodar na póilíní an post.

Nuair ab fhollas don Rialtas Gallda go raibh fuadar catha dáiríre fé na hÓglaigh chinneadar ar na dúnfoirt bheaga d'fholamhú ar fad agus na póilíní a chruinniú sna dúnfoirt ba dhaingne agus sna dúnfoirt a bhí gairid go leor do na bailte móra chun iad féin a chur i dtreo cosanta agus fód a sheasamh in aghaidh na nÓglach nó go dtiocfadh breis cabhrach chucu ó na bailte sin. I Mí Aibreáin phléasc na hÓglaigh 80 de na dúnfoirt bheaga tuaithe a bhí tréigthe ag na póilíní Laghdaigh sin go mór ar chumhacht an namhad. Bhunaigh na Sasanaigh fórsa nua chun taca a dhéanamh don R.I.C. agus do na Dubhchrónaigh. An Fórsa Cúnta (Auxiliary Force) a thugadar air. Dá olcas iad na Dubhchrónaigh ba mheasa ná iad na Cúntóirí. Athoifigigh d'arm na Breataine a bhí iontu agus bhí an uile fhear acu sáreolach ar chúrsaí cogaidh de bharr seirbhíse sa Chogadh Mór. Ba dheacair a rá go cruinn cé mhéid póilíní a bhí an uair sin i dTiobraid Árann Theas. Bhí idir seachtó agus céad fear sa Chonstáblacht i gCluain Meala amháin, agus má cuirtear leis sin líon na bpóilíní i dTiobraid Árann, i gCarraig na Siúire, i gCaiseal Mumhan, i bFhíodh Ard agus sna dúnfoirt eile beag agus mór a bhí scaipthe go fairsing tríd an ndúthaigh, ní bheidh dul amú mór orainn má mheasaimid go raibh idir trí céad agus ceithre céad póilíní i dTiobraid Árann Theas sa bhliain 1920. Bhí cosúlacht airm bhig ar na póilíní sin. Bhí raidhfleacha nó cairbíní agus baigneití agus gunnáin agus gránáidí acu amhail is dá mba saigdiúirí iad agus, go deimhin, is iad a bhí oilte go maith i gcúrsaí saighdiúireachta. Ar nós na saighdiúirí féin bhí mótarthrucailí agus carraí iarnaithe acu agus bhí cuidiú an Airm Ghallda le fáil acu pé uair a theastódh sé uathu. Níorbh aon dóichín é an slua san mar sin.

Níl aon fhigiúirí ar fáil a thabharfadh eolas iomlán dúinn ar líon slua na Sasanach i dTiobraid Árann Theas. Meastar go raibh tuairim is trí mile fear i mBaile Thiobrad Árann mar a raibh dúnfort abhalmhór agus campa míleata chomh maith. Bhí dúnfoirt ag an Arm Gallda i gCluain Meala agus i gCathair Dhún Iascaigh, agus i bhFíodh Ard agus i gCloichín an Mhargaidh freisin. Is dócha go mbeadh idir seacht gcéad agus ocht gcéad saighdiúirí i gCluain Meala agus an méid céanna sa Chathair. Aonaid ó gharastún na Cathrach a bhí i gCloichín an Mhargaidh agus i bhFíodh Ard. Le linn cogadh a bheith ar siúl idir Gaeil agus Gaill cuireadh garastún saighdiúirí sna bailte seo leanas chomh maith : Caiseal, Carraig na Siúire, Cill Donáil, Muileann Uí Chuain, Dún Droma agus Baile na Cúirte. Ó na garastúin i dTiobraid Árann agus sa Teampall Mór a tugadh na saighdiúirí sin. Ar na saighdiúirí Gallda i dTiobraid Árann Theas bhí coisithe agus marcra agus lucht na mórghunnaí agus, dar ndóigh, bhí gach cóir chogaidh ar fheabhas acu. D'fhéadfaí a rá go raibh tuairim is ceithre míle go leith saighdiúirí ag an Arm Gallda i dTiobraid Árann Theas amháin ; agus má cuirtear líon na bPóilíní leis sin, bheadh isteach is amach le cúig míle fear fé arm is éide ag na Gaill sa dúthaigh sin.

Ar an taobh eile bhí na hÓglaigh. Seacht gcatha a bhí sa Bhriogáid go dtí samhradh na bliana 1920 nuair a cuireadh Cath Ros Gréine ar bun. Ocht gCatha líon na Briogáide as san amach. Mar adúradh cheana (sa chéad chaibidil) bhí an-éagsúlacht ag baint leis na Catha san ó thaobh méide, nirt agus líon slua dhe. Bhí gach cath roinnte ina chomplachta agus bhí gach complacht roinnte ina díormaí agus ina gasraí. Ocht gComplachta caogad a bhí ann ar fad an uair ba mhó a bhí an Bhriogáid, agus bhí 3,146 fear ar Rolla na Briogáide nuair a fógraíodh an Sos Cogaidh (Iúl 1921). Má shíleann an léitheoir go raibh slua líonmhar ag troid i dtreasa na nÓglach i dTiobraid Árann Theas tá breall air. Bíodh go raibh líon mór Óglach ar Rolla na Briogáide ní raibh ach tuairim is 350 dhíobhsan ar ghnáth-sheirbhís leis na Colúin Reatha nó leis na hAonaid Fianais, agus bhí 250 eile dhíobh fé ghlas ag Gaill. Is cinnte go mbeadh i bhfad níos mo Óglach ag troid sna Colúin agus sna hAonaid Fianais dá mbeadh airm go leor ag an mBriogáid, ach leis an bhfírinne a rá bhí ganntanas airm ag cur orthu ó thús go deireadh an chogaidh. Meastar nach raibh ach timpeall 312 raidhfil ar fad sa Bhriogáid uile nuair a tháinig an Sos Cogaidh agus ba mheasa go mór ná san a bhí an scéal i dtosach an chogaidh, óir is de bharr troda a fuair na hÓglaigh an mhórchuid de na raidhfleacha a bhí acu. Ba é líon na dtrodairí ar an dá thaobh, dá bhrí sin, ná timpeall 350 Óglach ar fianas in Arm na Poblachta, agus timpeall cúig míle de shluaite an Rí, idir shaighdiúirí agus póilíní, ar an taobh eile. Ba chosúil é go deimhin leis an gcomhrac idir Dáibhid agus Goliath.

CAIBIDIL VI.

Dúnfoirt Póilíní á nIonsaí.

Cluain Mhurchaidh.

D'FHILLEADAR taoisigh na Treas Briogáide ar Thiobraid Árann Theas in earrach na bliana 1920. Bhí obair ag fuireach leo sa bhaile agus chuireadar tosach leis an obair sin nuair a rinneadar ionsaí fraochda fiata ar dhúnfort daingean na bPóilíní i gCluain Mhurchaidh mar ar chuireadar na Gaill fé ruaig tar éis treas calma comhchruaidh d'fhearadh gur thugadar an dún daingean san fé dhlúimh deataigh agus deargthine. Nuair d'fhilleadar na taoisigh ar a bhfearann dúchais thugadar leo ó Bhaile Átha Cliath Oifigeach Foirne ón gCeannáras—fear óg darbh ainm Earnán Ó Máille. Bhí an Máilleach le bheith ag troid i bhfochair trodairí na Treas Briogáide ón uair sin go dtí an tráth a bunaíodh an Dara Roinn Deisceartach d'Arm na Poblachta in Aibreán na bliana 1921 nuair a ceapadh ina Thaoiseach ar an Roinn sin é.

Cúpla seachtain roimh filleadh na dtaoiseach chuir fir Luimnighe Thoir, fé cheannas a dTaoisigh chróga Tomás Ó Maoileoin (" Seán Forde "), raon madhma agus míchoscair ar shluaite dubha na Constáblachta nuair d'ionsaíodar dúnfort Bhaile an Londraigh, gairid do theora Thiobrad Árann, agus ghabhadar an dúnfort agus a raibh ann d'airm is d'armlón. Gabhadh seacht gcairbíní, cúig gunnáin Webley agus na céadta urchar d'armlón. Goineadh triúr den gharastún sa troid. Ligeadh an garastún chun siúil tar éis a gcuid airm is a dtrealamh catha a bhaint díobh agus tugadh tine don dúnfort. B'shin é an chéad bhuille éifeachtach a buaileadh ar an R.I.C. i gCo. Luimnighe, agus thug sé sin agus na hionsaithe a lean é go luath lántapaidh i Luimnigh agus i dTiobraid Árann agus i gContae an Chláir, thug sé le tuiscint do Chonstáblacht Ríoga na hÉireann go raibh beartaithe ag Óglaigh na hÉireann dianscrios agus díbirt a chur orthu as an dúthaigh sin ar fad.

Agus bhí an ceart acu dar ndóigh. Bhí Óglaigh Luimnighe agus Óglaigh Thiobrad Árann agus Óglaigh an Chláir ag obair as lámha a chéile an uair sin. Nuair a threascair Óglaigh Luimnighe Thoir an namhaid i gCill Mocheallóg roinnt seachtainí ina dhiaidh san arís, bhí fir Thiobrad Árann, fé cheannas Dhonnchadh de Lása, ag cuidiú leo, agus nuair d'ionsaigh Óglaigh Thiobrad Árann Theas dúnfort Chluain Mhurchaidh i Mí Bealtaine, timpeall coicís roimh an troid i gCill Mocheallóg, bhí fir Luimnighe Thoir ag troid lena dtaobh. I ndeireadh Mí Bealtaine agus i dtosach Mí an Mheithimh bhí fir Thiobrad Árann ag cuidiú le Briogáid Oirthir an Chláir, agus bhí fir ó Bhriogáid Thiobrad Árann Theas, ó Bhriogáid Thiobrad Árann Láir agus ó Bhriogáid Luimnighe Thoir ag seasamh guala ar ghuala le linn an chatha churata a rinne na hÓglaigh in aghaidh na bPóilíní agus dúnfort Réidh Ardnóige á ionsaí acu.

Tá Cluain Mhurchaidh suite i limistéar sléibhtiúil—limistéar scéirdiúil é chomh maith—ar an taobh thiar thuaidh den cheantar Briogáide, timpeall ceithre míle déag siar ódheas ó Dhurlas Éile agus dhá mhíle dhéag siar óthuaidh ó Chaiseal Mumhan. Ba é baile Thiobrad Árann féin—tuairim agus

" Dubhchrónaigh "

"Trodairí na Treas Briogáide"
Colún an Chillínigh

trí míle déag ódheas ó Chluain Mhurchaidh—an baile garastúin ba ghaire dhó. Gheobhaimid a rá, dá bhrí sin, gurbh áit uaigneach iargúlta go leor é, agus ba mhór an buntáiste don lucht ionsaithe agus b'usaide dhóibh a dtoisc a chur i gcrích an ní sin. Dúnfort daingean dothoghla an bheairic féin, de réir dealraimh. Áras mór fairsing é, dhá urlár ar airde, agus ba mhór an chabhair don lucht cosanta suíomh an árais sin. Suíomh thar barr a bhí aige ó thaobh cogaidh de. Bhí cúig bóithre ag teacht le chéile ina aice agus ceannas aige orthu go léir, agus bhí amharc ag na póilíní faid a seanradhairc uathu i ngach treo baill as na poill dearctha a bhí sa phóirse ar tosach an tí. Bhí ciall agus cúis mhaith le suíomh an dúnfoirt sin gan aon agó, agus is cinnte go bhfaighdís na póilíní slad na slua a thabhairt ar na daoine sa tsaol corraithe a bhí ann le linn cogadh na talún—dá mbeadh sé de dhánaíocht in aon dream daoine fobha a thabhairt fén mbeairic sin an uair úd.

Bheadh sé díomhaoin ag na hÓglaigh bheith ag iarraidh an dúnfort daingean dea-shuite sin a ghabháil i lár an lae ghil. Ní bheadh de chlúdach ná de chosaint ar an lucht ionsaithe ach falla íseal cloch feadh an bhóthair ar aghaidh an tí amach. Níor mhór freisin an garastún a bhaint as a gcleachtadh dá mb'fhéidir é, agus ní bheadh aon fháil acu ar a leithéid a dhéanamh ach amháin de shiúl oíche fé scáth an dorchadais agus na doiléire. Bheartaíodar, dá bhrí sin, ar ionsaí oíche a dhéanamh, ar na hidirbhealaí go léir a bhriseadh agus an garastún a ghearradh amach ón dúthaigh mórthimpeall agus ó gach cabhair, agus ar an dúnfort a chur fé bharr lasrach os a gcionn i dtreo go gcaithfidís é thréigint i ndeireadh báire. Murar éirigh ar fad leis an mbeartas san ní tógtha ar na hÓglaigh é. Bhí aon ní amháin a chabhraigh leis na póilíní agus a chuir ar a gcumas éalú as an dúnfort nuair a

79

chuaigh sé trí thine, agus an fód a sheasamh in aghaidh na nÓglach go dtí go raibh ina lá gona lántsoilse. Bhí foirgneamh fada curtha as pinniúir chúil an tí agus d'éirigh leis na póilíní feidhm a bhaint as an bhfoirgneamh san mar chaoi éaluithe agus mar ionad sábhálta. Meireach san is cinnte go mbeadh ar na póilíní géilleadh do na hionsaitheoirí nuair a chuaigh an teach trí thine ina dhiaidh san, agus a gcuid airm is armlóin agus a dtrealamh cogaidh ar fad a thabhairt suas do na hÓglaigh. Fé mar a tharla, ámh, toghladh an teach go ndearnadh ceallúir dóite loiscthe dhe, ach níor éirigh leis na hÓglaigh airm ná armlón a ghabháil de bharr na troda san.

Bhí beartaithe ag na hÓglaigh an t-ionsaí a dhéanamh oíche Dé Sathairn an 10ú lá de Bhealtaine. Níorbh fholáir na hidirbhealaí uile a bhriseadh ar dtúis d'eagla go n-éireodh leis na garastúin eile sa limistéar san teacht i gcabhair ar an ngarastún imdhruidte agus na hÓglaigh a chur ar droimrith. Agus bhí líonmhaire garastún ag Gaill sa dúthaigh, ar ndóigh. I bhfogas naoi míle do Chluain Mhurchaidh bhí ceithre dúnfoirt agus bhí seacht gcinn eile i ngiorracht ceithre míle déag di. Gan trácht ar an ngarastún láidir den Arm Gallda a bhí i mbaile Thiobrad Árann féin bhí ionad beag airm i nDún Droma, cúig míle go leith ó Chluain Mhurchaidh agus i dTulach Sheasta—sé míle déag ó bhaile mar imíonn an t-éan, ach seacht míle fichead de bhóthar. Do hordaíodh do na hÓglaigh na bealaí agus na bóithre a chur ó chion le crainn a leagadh trasna orthu nó fallaí cloch a thógáil nó trinsí agus claiseanna a ghearradh iontu ionas go mbainfí siar as na Gaill amhlaidh agus go gcuirfí bac orthu dá dtogróidís teacht i gcabhair ar an ngarastún i gCluain Mhurchaidh. Ba iad Óglaigh Chomplacht Chluain Mhurchaidh féin a bhí ceaptha don obair sin. Thosnaigh na hurtacaithe ar na crainn a leagadh agus ar na bealaí a chur ó chion ar an mbuille déag oíche Dé Sathairn. Ghearradar na línte telegrafa aguu telefóin ar uair an mheán oíche.

Ba é Séamas Mac Roibín, an Taoiseach Briogáide, a bhí i gceannas. É féin agus an Captaen Máilleach a chuir tús leis an ionsaí. Bhí Seán Ó Treasaigh i gceannas gasra Óglach den Treas Briogáid a bhí ag feitheamh ar chúl an fhalla os comhair an dúnfoirt amach chun tul-amas a dhéanamh an túisce a gheobhaidís an t-ordú. Dáréag a bhí ann, seacht raidhfleoirí agus cúigear eile a raibh gunnaí fiaigh acu. Ní raibh san Treas Cath ar fad ach ocht raidhfil. Trí raidhfil déag a bhí ag an lucht ionsaithe an oíche sin i gCluain Mhurchaidh, cúig gunnaí fiaigh, ceithre lámhghránáidí agus roinnt mhaith abhair pléasctha. Bhí Óglaigh i láthair as ceithre catha den Treas Briogáid agus gasra Óglach de Bhriogáid Luimnighe Thoir. Ní raibh aon fháil ag na hÓglaigh ar fhallaí tiubha teanna an dúnfoirt a réabadh gan mianach, rud nach raibh acu an uair sin. Ar an abhar san mhol an Liefteanant Séamas Ó Gormáin—duine de Chomplacht Chluain Mhurchaidh, fear a throid in Arm na hAstráile sa Chéad Oll-Chogadh—mhol sé do na cinnirí ionsaí a dhéanamh ar an ngarastún ó dhíon an tí agus an teach a chur fé bharr lasrach. D'aontaíodar na taoisigh leis an gcomhairle sin. Shíleadar nach mbeadh ag an namhaid ansan ach rogha an dá dhí .i. an teach a thréigint nó iad a bheith loiscthe ina mbeatha.

Bhí sé i bhfad tar éis an mheán oíche nuair a thosnaigh an troid. Chaith na hÓglaigh cuid mhaith den lá agus den oíche ag ullmhú. Rinneadar a lán lámhghránáidí dá gcuid féin : chuireadar slat geiligníte i gcanna stáin agus dhingeadar an canna le seaniarann. Bailíodh casúir agus dréimirí—dréimirí chun drapadh in airde ar an díon agus casúir chunslinn te an dín a bhriseadh. Bhí an phinniúir dathad troigh ar airde agus b'éigean dóibh dhá dhréimire a chur in alt a chéile chun ceann a dhéanamh a bhainfeadh an díon amach. Rinneadh dhá dhréimire fhada ar an gcuma san. Níorbh fholáir na dréimirí sin a chur ina seasamh i gcoinne na pinniúra agus iad a choinneáil ina seasamh ansan go mbainfeadh an lucht ionsaithe díon an tí amach. Ceapadh Óglaigh don obair sin. Níor mhór do na fir sin eolas cruinn beacht a bheith acu ar a ngnó agus gan botún dá laghad a dhéanamh nó bheadh an scéal go léir ina phraiseach. Thabharfadh an fhuaim ba lú eolas don fhear faire istigh go raibh rud éigin ar siúl amuigh, agus cuirfí na hÓglaigh i mbealach a mbasctha. Uime sin chaith an Máilleach tamall maith leis na fir, á múineadh agus á dtréineáil i ndeireadh an tráthnóna agus tar éis titim na hoíche, go dtí go raibh eolas thar barr ag gach mac máthar acu ar a raibh le déanamh aige, agus go bhféadfadh sé dul de léim ina ionad féin an túisce a tabharfaí an t-ordú dhó. Líonadh cannaí agus caláin d'artola agus líonadh buicéidí d'ola pairifín ; cruinníodh fóid mhóna go ndearnadh a dtumadh san ola, agus ansan, nuair a bhí gach rud ullamh agus a mbróga bainte dhíobh ag na fir a bhí i mbun na ndréimirí, tugadh an t-ordú agus siúd ar aghaidh leo go ciúin tostach i dtreo an dúnfoirt.

Cuireadh na dréimirí ina n-ionad. Bhí ceann acu ina luí i gcoinne an tsimléara agus an ceann eile i gcoinne na pinniúra. Triúr fear a bhí i mbun gach dréimire agus nuair a bhí an Roibíneach agus an Máilleach ag cur na ndréimirí suas díobh leag na fir boinn a gcos go teann ar ronga na ndréimirí á mbrú le feidhm uile a nirt chun iad a choinneáil go daingean dobhogtha. Bhí trom-ualach ar iompar ag an mbeirt oifigeach agus iad ag drapadh suas. Bhí dhá ghunnán ina chrios ag gach duine den bheirt agus bhí gránáidí, maidh- mitheoirí agus casúir acu freisin. Bhí canna stáin lán d'artola ceangailte dá dhroim ag gach fear acu agus fóid mhóna a tumadh i bpairifín ar crochadh de chordaí timpeall a mhuinéil aige. Níor thosnaíodar ar na dréimirí a chur suas díobh go raibh Seán Ó Treasaigh agus a chuid fear socraithe ina n-ionaid chatha ar chúl an fhalla ísil ar aghaidh an tí amach. Cuireadh na cannaí artola agus na buicéidí pairifín ag bun na ndérimirí mar a bhféadfaí iad a bhreith in airde chun an dín de réir mar a bheadh gnó ag na fir thuas díobh. Ag drapadh suas don Mháilleach bhagair sé ar na fir a bhí ag bun na ndréimirí dul ar ais go hionad sábálta, mar ní bheadh clúdach ar bith acu dá dtosnódh na póilíní ag caitheamh leo agus iad ansan os a gcomhair amach ; ach cor ná car ní chuirfidís na fir chróga san díobh go raibh an dís dea-laoch ar mhullach an dúnfoirt agus tús curtha acu ar an gcath.

Briseadh ciúnas caomh na hoíche go hobann le tuargain tréan na gcasúr ar shlinnte an dín. Le haithghearr aonuaire bhí bearnaí móra leathana déanta ag an mbeirt sa díon agus dhortadar a raibh d'artola sna cannaí acu isteach sna poill. Ansan lasadar na fóid mhóna a bhí ar iompar acu agus theilgeadar síos sna bearnaí iad i ndiaidh na hartola. Léim na lasracha móra dearga in airde ar an toirt agus b'shiúd an bheirt thuas ag lámhachán feadh an dín ag briseadh is ag réabadh na slinnte rompu. Tháinig Séamas Ó Gormáin aníos an dréimire ansan agus leanadar a dtriúr den obair mhillteach, agus an Roibíneach síos agus aníos an dréimire gach re neomat agus buicéidí pairifín agus artola á n-iompar aige. Shíneadar tharstu ar an díon nuair a chaitheadar na pléascáin síos sna poill a bhí déanta acu. Ba mhillteach búirthil na mbladhmanna agus iad ag éirí in airde chun néalta nimhe as gach poll agus póirse, go raibh an díon uile fé bharr lasrach. Bhí na lasracha á séideadh ag an ngaoth in aghaidh na bhfear go rabhadar dubh ag an deatach agus dóite ag an tine.

Risteard Daltún agus Seán Ó Muireasa
(Cathlán V)

Baineadh an garastún as a gcleachtadh gan aon agó. Mar sin féin nuair a chuaigh ina luí orthu go raibh an lucht ionsaithe ar mhullach an tí dhíríodar a ngunnaí ar an síleáil agus chromadar ar chaitheamh leis an dream thuas tríd an díon.

Chuaigh an Máilleach síos ag lorg raidhfle agus ar theacht thar n-ais dó scaoil sé cith piléar tríd an díon síos leis na póilíní. Idir an dá linn bhí an Treasach agus a chuid fear ar séirse ag caitheamh leis na fuinneoga agus leis na poill dearctha gan stad gan staonadh óna n-ionaid chatha ar chul an fhalla. Chuaigh an teach uile trí thine agus b'éigean do na póilíní é a thréigint i ndeireadh báire agus áit dídin a bhaint amach dóibh féin sa bhfoirgneamh fada a bhí curtha as an bpinniúir.

Tháinig an lá gona lántsoilse. Dob eagal leis an Taoiseach Briogáide go mbeadh cabhair ar bóthar chun garastún Chluain Mhurchaidh gan aon rómhoill, mar bhí na póilíní tar éis roicéidí agus soilse Véirí .i. urchair saighneáin, a scaoileadh sa spéir mar chomharthaí gábhaidh agus gátair, agus mheas sé nár leorchumhachtach na hurtacaithe leis an namhaid a thoirmeasc ó bhí an lá ann. B'fhearr leis an gcuid eile lean-úint den troid go mbeadh an áit dídin scriosta acu freisin, ach b'éigean dóibh géilleadh dá gceannasaí agus an t-ordú scoir a thabhairt do na hÓglaigh. Cé nár éirigh leo airm na bpóilíní ná na póilíní féin a ghabháil, bhí dúnfort Chluain Mhurchaidh fé aon bharr amháin lasrach agus deireadh go deo leis mar dhaingean do Ghaill na hÉireann. Bhog na hÓglaigh chun siúil a haithle coscair agus comhmhaidhme agus ba mheanmnach meidhreach an dream iad, ar ndóigh, ag fágaint Cluain Mhurchaidh dhóibh. Bhí a n-aighthe dubh agus a gcuid éadaigh ruadhóite, ach bhí dúnfort Chluain Mhurchaidh in aon chaorthann amháin agus bhí torann tréan na gcairbíní le clos i gcónaí ó áit dídin an gharastúin mar a raibh an dáréag póilíní ar a séirse ag caitheamh le namh-aid a bhí imithe cheana féin as an dúthaigh sin.

Sé lá déag tar éis lá treascairt na bpóilíní i gCluain Mhur-
chaidh bhí Óglaigh Thiobrad Árann Theas ag cabhrú le
Briogáid Luimnighe Thoir i gCill Mocheallóg. Ba é Tomás
Ó Maoileoin (" Seán Forde ") a bhí i gceannas. Ba é Tomás
Fo-Thaoiseach na Briogáide sin agus bhí cáil agus clú bainte
amach aige cheana féin de bharr na troda i mBaile an Lond-
raigh. D'iarr sé ar fhir an Chláir agus ar fhir Thiobrad Árann
cuidiú le fir Luimnighe san ionsaí a bhí beartaithe aige a
dhéanamh ar dhaingean na nGall i gCill Mocheallóg agus
ghluais gasra gaiscíoch ó Thiobrad Árann thar teora siar fé
cheannas Dhonnchadh de Lása gur rángadar go haon áit
agus go haon ionad le hÓglaigh Luimnighe. Bhí garastún
láidir ag Constáblacht Ríoga na hÉireann i gCill Mocheallóg.
Ocht nduine ar fhichid a bhí sa dúnfort nuair a thug na hÓg-
laigh fé agus gach cóir lámhaithe ar fheabhas acu—cairbíní,
pléascáin, gránáidí (idir ghránáidí láimhe agus gránáidí raidhfle)
agus díol a sáithe d'armlón. Bhí an dúnfort féin do-ghabhála,
dar le Gaill, agus na póilíní dochloíte dá réir. Thugadar
na Fíníní fobha fén dúnfort san lena linn féin, ach ar a shon
gur throideadar go cróga calma theip orthu, agus ba mhaíomh
agus ba mhustar do Chonstáblacht Chill Mocheallóg go raibh
urlámh acu riamh ar an dúthaigh mórthimpeall ó 1867 go
1920, smacht acu ar mhéirligh agus ar lucht na mídhílseachta,
agus gan beann ar bith acu ar Óglaigh na hÉireann ná ar lucht
uile na muirthéachta. Bhí cúis mhaíte acu, b'fhéidir. Bhí
fallaí tiubha tacúla eatorthu féin agus an namhaid. Bhí
na fuinneoga á gcumhdach le comhlaí cruaí agus bhí barachas
de mhálaí gainmhe tógtha ag na póilíní ina dtimpeall. De
réir gach dealraimh ní raibh ach lom-lár na fírinne ag na

póilíní nuair a mhaíodar nárbh inghafa an dúnfort san ag aon dream dá threise ná dá fheabhas iad gan ordanás a bheith acu. Ach ní mar síltear bítear.

Ghlac na hÓglaigh gach forchúram dá raibh ar a gcumas in aghaidh ganasaíochta, agus chun deimhin a dhéanamh de ná tiocfadh leis an namhaid fórsaí athneartacha a thabhairt i láthair, bhriseadar na hidirbhealaí uile agus chuireadar urphosta armtha ar na bealaí tarrachtana agus iad fé ordú cath a thabhairt don namhaid dá dtiocfadh sé an treo. Cuireadh gardaí armtha ar na bóithre iarainn freisin agus cuireadh de chúram ar dhíorma den Treas Briogáid fé cheannas an Aidiúnaigh, Muiris Mac Conchradha, na rálacha a réabadh agus na hidirbhealaí a ghearradh ag droichead Bhaile Uí Uallacháin, rud a rinneadar go héifeachtach.

Go grod i ndiaidh uair an mheán oíche thosaigh an troid, Bhí isteach is amach le triocha fear san lucht ionsaithe féin, agus bhí dachad fear mar urtacaithe ar na sráideanna agus ar na bóithre timpeall an bhaile. Thógadarsan barachais agus ballaí, leagadar crainn trasna na mbóithre agus ghearradar claiseanna iontu chun cosc a chur le Gaill dá dtogróidís teacht i gcabhair ar an ngarastún. Bhí an dúnfort suite i gceartlár an bhaile agus dob olc an suíomh é ó thaobh cogaidh de mar bhí mórán tithe eile ina chomhgar, tithe a raibh cuid acu ní b'airde ná an dúnfort féin agus a chabhródh leis na hÓglaigh chun dianscrios agus díbirt a chur ar na póilíní dá bhfaighidís dul ina seilbh. Ní túisce beartaithe ná déanta acu é. Chuadar na hÓglaigh i seilbh mórán de na tithe sin, go háirithe teach ósta a raibh ceannas aige ar an ndúnfort ó chúla. Nuair a bhí gach rud i gcóir sna fuinneoga á gcosaint féin ar lámhach an namhad, tugadh an comhartha le bladhm solais ó dhíon an tí ósta agus bhain an ruathar piléar a lean an comhartha san macalla as na tithe ar gach taobh.

Caitheadh buidéil líonta d'artola anuas ar dhíon an dún-foirt ó mhullach an tí ósta agus caitheadh pléascáin agus gránáidí anuas ina ndiaidh. Mhúscail torann na bpléascán is na bpiléar a raibh sa bhaile agus bhíog na póilíní as a gcod-ladh.

An túisce a thuig an garastún go rabhadar fé ionsaí chuireadar iad féin in inneall catha agus ba ghairid an mhoill orthu díriú ar na hÓglaigh lena ngránáidí raidhfle agus lena gcairbíní. Níor dhream gan chalmacht i ngníomhatrha gaile agus gaisce na póilíní úd i gCill Mocheallóg. D'fhuil agus d'fheoil na nÓglach féin iad agus throideadar go fiata forránta in aghaidh a lucht ionsaithe. Ar feadh dhá uair a chloig dhírigh an dá dhream ar a chéile gan trua gan taise go raibh díon an dúnfoirt fé bharr lasrach. B'éigean do na hÓglaigh caidéal pairifín a sholáthar agus ola a thaoscadh ar an díon ar feadh i bhfad sar ar éirigh leo é chur trí thine. Bhí an cath ag dul ar na póilíní ach ní ghéillfidís. Ar a dó a chlog ar maidin ghlaoigh na hÓglaigh orthu á iarraidh orthu géilleadh dhóibh agus éirí as an gcath, ach thug na póilíní an chluas bhodhar dóibh. Leanadar leo ag loscadh leis na hÓglaigh go santach sár-nimhneach mar fhir a mbeadh fonn a dtreascartha orthu. Chuaigh an cath i ndúire agus i ndéine iarsin go dtí a cúig a chlog ar maidin, nuair a hordaíodh do na hÓglaigh scor den lámhach arís gur iarr an Ceannasaí ar an ngarastún a n-armacha a thabhairt suas agus an dúnfort a thréigint. Dhiúltaigh na póilíní dá achainí agus chrom an dá dhream ar a chéile arís. Ní raibh aon uireasa armacha ar na póilíní fé mar bhí ar na hÓglaigh, ach bhíodar i ndianbhaol a loiscthe sa tóiteán fén am so, óir bhí an dúnfort ar fad in aon chaorthann amháin, agus ba cheangal ghaid um ghainimh do na póilíní é choinneáil

88

ní ba shia. B'éigean dóibh an t-áras a thréigint an fhaid a bhí bealach éaluithe fágtha fós acu. Níor fhónaigh neomat moille ; dá bhfanfaidís ann fiú an aga ba lú eile is ar éigin a thiocfaidís amach as go deo na ndeor.

Bhrúcht na póilíní go hobann as an dúnfort, mar sin, ceathrú chun a sé, gur bhaineadar amach áit tearmainn agus dídin dóibh féin i bhfoirgneamh beag daingean a bhí ina sheasamh leis féin i gclós an dúnfoirt. Ní gan fuiliú ná fordheargadh a thángadar as an ngleo gáifeach san, ámh. D'fhágadar triúr dá gcomrádaithe marbh ina ndiaidh agus loisceadh a gcorpáin sa tine. Goineadh seisear den gharastún. D'éiríodar na hÓglaigh as an troid ar a seacht a chlog. Bhí sé ina lá geal um an dtaca san agus grian an tsamhraidh ag taitneamh anuas ar láthair an chatha. Ní raibh feidhm acu leanúint den troid feasta. Níorbh fhios dóibh cá huair a thiocfadh sluaite na nGall d'ionsaí an bhaile d'iarraidh fóirthint a dhéanamh ar na póilíní. B'fhearr dóibh bheith ag imeacht mar sin, sar a dtiocfadh na Sasanaigh líon slua. Ag cúlú dhóibh scaoileadar rúscadh piléar leis an namhaid ; fuaireadar comaoin an chomhurchair sin agus thit an Captaen Liam Ó Scollaigh mín marbh ar an láthair sin. Níor chailleadar na hÓglaigh ach an t-aonfhe ar amháin, agus cé gur chaoineadar a gcomrádaí go goirt, dob eol dóibh gur thit sé agus é ag cosaint saoirse Gael agus flaithiúnais Éireann, agus thuigeadar gurbh abhar áthais agus áigh leis féin dul d'éaga amhlaidh. D'imíodar na hÓglaigh leo go caithréimeach le bua coscair, agus ba lúcháireach lánmheanmnach a bhíodar agus iad ag gluaiseacht ó mhachaire an bhuailte ina ndronga agus ina ndíormaí. Ar a shon nár éirigh leo airm na bpóilíní a ghabháil níor bheag leo a raibh déanta acu. Bhí dúnfort daingean dothoghla na nGall i gCill Mocheallóg dóite ina smól acu, agus bhí deireadh go deo le réim an Rialtais Ghallda sa bhaile sin. Rinneadh Cigire Ceantair ina dhiaidh san den tSáirsint a bhí i gceannas ar na póilíní toisc an cath cróga calma d'fhear sé in aghaidh na nÓglach, ach níorbh fhada a mhair sé a nuaíocht. Thit sé le piléar Gaeil cúpla mí ina dhiaidh san i Lios Tuathail i gContae Chiarraighe.

DRANGAN

Ní raibh sos ná suaimhneas le fáil ag Gaill. Ocht lá tar éis cath Chill Mocheallóg buaileadh buille tubaisteach eile ar na Sasanaigh nuair a hionsaíodh dúnfort na bpóilíní i nDrangan i gCo. Thiobrad Árann gur gabhadh an garastún go léir agus a raibh d'armacha agus d'armlón sa bheairic, gur fágadh an dúnfort féin ina phlaosc fholamh smólchaite.

Tá Drangan suite ar an taobh thoir den cheantar Briogáide gairid do theora Chill Choinnigh, timpeall sé míle soir ódheas ó Chill Donáil agus ceithre míle siar ó Mhuileann Uí Chuain. Bhí dúnfort saighdiúirí i bFhíodh Ard tuairim agus seacht míle siar ódheas. Dob ionann an riar catha a bhí ceaptha ag na ceannasaithe i gcóir na hoibre i nDrangan agus an plean a bhí curtha i bhfeidhm acu cheana i gCluain Mhurchaidh agus i gCill Mocheallóg agus a bhí le cur i bhfeidhm ag Réidh Ardnóige ina dhiaidh san arís. Cuireadh tionól agus tiomsú ar Óglaigh an 7ú Cath ar dtúis, agus ar Óglaigh Complachta A (Complacht Drangain) go háirithe, agus cuireadh de dhualgas orthu na bóithre uile a chur ó chion ach an t-aon bhóthar amháin—an cúlbhóthar go Caiseal Mumhan—a fágadh ar oscailt chun áise agus comhgair do mhuintir na tuaithe. Chuaigh triocha nó dachad Óglach i mbun na hoibre sin ; leagadar crainn, thógadar fallaí, ghearradar claiseanna, mar ba bhéas leis na hÓglaigh san am, agus rinneadar a lomdhícheall ar chosc agus toirmeasc a chur le Gaill dá ndéanfaidís iarracht ar theacht i gcabhair ar an ngarastún imdhruidte. Bhí garastún saighdiúirí i bhFíodh Ard chomh maith le garastún póilíní, agus bhí garastún láidir saighdiúirí agus garastún mór den Chonstáblacht agus de na Dubhchrónaigh i gCluain Meala. Cé go raibh a lán garastún póilíní scaipthe tríd an dúthaigh sin ba gharastúin bheaga a n-urmhór, agus níor bhaol go gcuirfidís isteach ar obair na nÓglach óir ba dhícheall dóibh iad féin a chosaint gan trácht ar theacht amach as a ndúnfoirt chun fóirthint ar gharastún eile. Ní raibh cóir iompair acu ach oiread mura dtiocfaidís de shiúl a gcos, mar ní bhíodh lorraithe ná eile ag na miongharastúin úd amuigh fén tuaith ach iad ag braith i gcónaí ar na dúnfoirt mhóra daingeana a bhí suite sna bailte móra—Cluain Meala, Tiobraid Árann, Carraig na Siúire, agus a leithéidí.

Ba é Seán Ó Treasaigh a bhí gceannas an ionsaithe agus bhí Tomás Ó Donnabháin, Ceannfort an tSeachtú Cathlán ag cuidiú leis. Bhí an Taoiseach Briogáide i gCo. an Chláir agus é ag cuidiú le Mícheál Ó Braonáin, Taoiseach Briogáide an Chláir Thoir, agus ní rabhthas ag coinne leis nuair a tháinig sé isteach sa teach a raibh Seán Ó Treasaigh ag déanamh pléascán ann san ardtráthnóna. Bhí an Máilleach ina fhochair. Bhí Seán Ó hÓgáin i láthair freisin. Pléascáin nó gránáidí láibe a bhí á múnladh ag an Treasach. Is é rud a bhí iontu san ná dóib bhuí a múnladh timpeall ar shlat gheiligníte, agus leaghtáin agus maidhmitheoirí ag gabháil leo. Bhí de bhuntáiste ag na " pléascáin láibe " ar na gnáthphléascáin go ngreamaídís d'fhalla nó de dhíon tí d'éis a gcaite. Ghreamaídís fiú amháin de na plátaí cruaí a bhíodh mar chumhdach ag na póilíní ar fhuinneoga na ndúnfort agus ba mhór é a dtairbhe dá bhrí sin agus ba mhinic iad á n-úsáid ag na hÓglaigh as san amach. Ní nárbh ionadh bhí an-mhóráil ar an Treasach mar gheall ar na pléascáin sin a dhéanamh. Bhí gach ní i gcóir ag na hÓglaigh leathuair tar éis a haondéag. Chuir an tAidiúnach, Nioclás Ó Morruanaidh, na fir ina n-ionaid chatha timpeall na beairice. Gearradh na línte telegrafa agus

Ruathar Gall i gCluain Meala

telefóin. Bhí beartaithe ag an Treasach seilbh a ghábháil ar theach folamh a bhí suite in aice an dúnfoirt agus slí a bhriseadh amach tríd an díon, drapadh in airde ar dhíon an dúnfoirt ansan agus artola a spré ar an mbeairic le cabhair caidéil a rugadar na hÓglaigh leo ó Chaiseal Mumhan. Do hordaíodh do na fir gan fuaim ná fothram dá laghad a dhéanamh ionas go mbainfí an garastún as a gcleachtadh agus go dtiocfaí anuas sa mhullach orthu an uair ba lú a bheadh coinne leo.

Theip ar na hÓglaigh an garastún a bhaint as a gcleachtadh, ámh, Ní fios dúinn i gceart cad a tharla. De réir aon chuntais amháin ba iad madraí Drangain a thug rabhadh do na póilíní go raibh na hÓglaigh chucu. Madraí póilíní a bhí i nDrangan, de réir dealraimh, nó mádraí ná raibh aon ró-chion acu ar na hÓglaigh ! Ní túisce a chuaigh na hÓglaigh chun a n-ionad catha ná mar a thosnaíodar madraí uile an bhaile ag tógáil a nglóir go rabhadar ar aon chomhuallfairt amháin gur chlos i néalla nimhe agus i bhfrithing fiormaiminte an aeir an uallfairt uaigneach éagaointeach san. Tá sé ráite gur mhúscail geoin agus glamaíl na ngadhar na póilíní agus gur thuigeadarsan go raibh rud éigin cearr. Cuireadh patról amach ón mbeairic, dís chonstábla agus sáirsint. Cróndubh dar shloinne King duine de na constáblaí, Mag Lionnáin ba shloinne don duine eile. Ba é an Sáirsint Mac Roibín a bhí i gceannas. Bhí raidhfleacha agus gunnáin ar iompar acu. Tharla gráscar idir an patról agus dream beag Óglach. Rinneadh iarracht ar an bpatról a ghabháil. Gabhadh an Sáirsint ach d'éirigh leis an mbeirt eile na cosa a bhreith leo ar ais chun na beairice agus scéala olca aibhéile acu dá raibh istigh. Caitheadh urchair ar an dá thaobh le linn an ghráscair agus goineadh an Cróndubh agus duine de na hÓglaigh. De réir cuntais eile is amhlaidh a tugadh cuid de na hÓglaigh fé ndeara agus iad ag tolladh falla os comhair an dúnfoirt amach agus caitheadh leo. Pé scéal é, bhí a fhios ag na póilíní um an dtaca san go raibh beartaithe ag na hÓglaigh tabhairt fén mbeairic agus luigh an dá thaobh isteach ar an lámhach.

Thugadar na hÓglaigh fobha santach sárnimhneach fé dhoras an tí ba ghaire don dúnfort gur chuireadar isteach rompu é. Siúd ar aghaidh leo suas an staighre agus i mbroth-

93

adh na súl bhí bearna mhór á dhéanamh acu sa díon. Amach leo ar an díon gur tharraingeadar dréimire aníos ina ndiaidh. Bhí uathghunnaí ina lámha acu agus iad ag caitheamh leis na poill dearctha i bhfallaí na beairice an fhaid a bhíodar ag tarraingt an dréimire aníos. Nuair a bhí an dréimire in airde acu chuireadar ina ionad i gcoinne an dúnfoirt é, i dtreo go bhféadfaidís drapadh suas ar dhíon an dúnfoirt. Chuaigh an Treasach agus an Donnabhánach agus an Máilleach suas agus chromadar ar an díon a bhriseadh is a réabadh le ceapoird. Tugadh bairille ola aníos agus caitheadh an ola isteach sna bearnaí a bhí déanta sa díon. Caitheadh cannaí lán de gheilignít ar an díon freisin agus teilgeadh pléascáin láibe isteach sna poill i ndiaidh na hola. Níor chian gur chuaigh an díon trí thine agus gur éiríodar na lasracha in airde go raibh a ndeirge ag cloí doircheacht na hoíche. Is é sin an uair agus an aimsir a scaoil an garastún na hurchair shaighneáin (na soilse Véirí) in airde sa spéir mar chomhartha gábhaidh do na garastúin eile sa limistéar san. Bhí súil acu le cabhair, b'fhéidir, ach níor tháinig aon chabhair chucu, agus dá dtiocfadh féin ní dócha go mbeadh sí chucu in am, oir bhí na hÓglaigh ag rúscadh piléar leis na póilíní ó gach taobh. Bhí muintir na sráide á mbodhradh le torann tréan na troda—raidhfleacha, gunnaí fiaigh, gunnáin, uathghunnaí, cairbíní, pléascáin agus gránáidí, agus bhí an oíche ina lá ag solas an tóiteáin, óir shílfeadh duine ag féachaint ar an mbeairic dó go raibh an foirgneamh uile fé mhúr tine. B'fhada na póilíní ó bheith cleachtaithe lena leithéid d'ionsaí fíochmhar, agus nuair a chonaiceadar dásacht agus tréanfhuadar na nÓglach agus gur mhothaíodar an tine ag loscadh roimpi tríd an dúnfort ionas go raibh cuid den armlón ag pléascadh cheana féin, thuigeadar nach raibh i ndán dóibh ach bás agus buanoidhe dá leanfaidís den troid agus, uime sin, chinneadar fé dheoidh ar comhtha géillte d'iarraidh ar na hÓglaigh. Bhí eagla a marfa orthu dá dtitfidís isteach i lámha na nÓglach. Chrochadar brat bán (léine le duine de na póilíní a bhí ann) de raidhfil agus sháitheadar amach trí fhuinneog é. Dúradar leis na hÓglaigh nuair a stad an lámhach go rabhadar sásta géilleadh dhóibh ach anacal a dhéanamh orthu. Dúradh leo nár bhaol dóibh agus go dtabharfaí anacal a n-anama dhóibh ach go gcaithfidís imeacht as an mbeairic láithreach bonn baill agus a gcuid raidhfleacha a thabhairt uathu ar dtúis. D'aontaíodar leis sin. Chaitheadar na raidhfleacha amach tríd an bhfuinneog agus thángadar féin amach ansan agus a lámha in airde acu. Ba é An Sáirsint Ó Súilleabháin a bhí i gceannas orthu. Scríobhadh síos ainm agus sloinne gach duine acu agus tugadh rabhadh dhóibh gan troid arís in aghaidh na nGael nó go rachadh sé dian orthu dá ngabhfaí arís iad. Ochtar a bhí sa gharastún ar fad. Ghluaiseadar ar aghaidh as an mbaile beag amach agus ní haithristear a n-imeachta dá éis sin.

Rith na hÓglaigh isteach sa dúnfort gur rugadar amach leo a raibh d'armacha agus d'armlón ar an mbunurlár sar a bhfaigheadh an tine greim air. Phléasc mórán boscaí móra lán d'armlón sar ar éirigh leis na hÓglaigh iad a thabhairt leo, ach thugadar leo mar sin féin lear mór armlóin, maraon le raidhfleacha, cairbíní, gunnaí fiaigh, gunnáin agus gunnaí shoilse Véirí. Seacht n-uair a chloig a lean an troid sin. Abhar áthais agus mórála do mhuintir na tuaithe an bua a rug Gaeil ar an sean-namhaid. Thángadar chun doras a dtithe agus na hÓglaigh ag gabháil thar bráid agus iad ag tabhairt bainne dhóibh agus ag tathant tae orthu freisin. Ba mhór acu na fir chróga a bhí ag troid ar son saoirse na hÉireann agus thugadar gach cúnamh doibh a bhí ar a gcumas le linn na mblianta buartha san.

Níorbh é dúnfort Drangain an t-aon dúnfort amháin a hionsaíodh an lá san i gCo. Thiobrad Árann. Tugadh fobha fé dhúnfort Cheapach na bhFaoiteach freisin. Cé go bhfuil an baile beag san i gCo. Thiobrad Árann, bhí sé suite an uair sin i gceantar Bhriogáide Luimnighe Thoir, agus ghaibh díormaí den dá bhriogáid páirt sa troid. Ar na hÓglaigh a bhí i láthair le linn na troda bhí buíonta den Tríú agus den Cheathrú Cathlán i mBriogáid Thiobrad Árann Theas, agus Cmeastar go raibh breis agus dathad fear den tríú athlán ann. Más ea, ní féidir a rá gur éirigh leo aon mhóréacht a dhéanamh. Cé gur líonmhaire go mór iad ná na póilíní agus gur bhaineadar an namhaid as a chleachtadh (óir chuireadar an cath orthu gan choinne i dtrátha beaga na maidne) níor éirigh leo an dúnfort a ghabháil. Cuireadh díon teach na cúirte ar lasadh, gan dabht, ach tháinig fórsaí athneartacha as baile Thiobrad Árann amach i bhfreagairt ar urchair shaighneáin na gConstáblaí, agus b'éigean do na hÓglaigh cúlú roimh an arm Gallda. Troid reatha a bhí ann feasta ó thaobh na nÓglach de, ach d'éirigh leo uile a gcosa a bhreith leo go slán sábhálta.

RÉIDH ARDNÓIGE.

An 10ú lá d'Iúil, 1920 cuireadh tionól agus tiomsú ar ghasraí Óglach ó Thiobraid Árann agus ó Luimnigh chun ionsaí a dhéanamh ar dhúnfort na bpóilíní i Réidh Ardnóige i gCo. Thiobrad Árann. Tá Réidh Ardnóige suite i gceantar lom scéirdiúil imeasc sléibhte Thiobrad Árann Thuaidh. Ar an taobh theas tá Sliabh Eibhlinne agus tá Sliabh Comailt ar an taobh thuaidh. Deich míle siar ó Réidh Ardnóige tá

Tulach Sheasta mar a raibh miongharastún saighdiúirí sa bhliain 1920. Ghluaiseadar na hÓglaigh ina ndíormaí chun an ionaid chatha tráthnóna Dé Sathairn agus cuireadh na bóithre ó chion dé réir mar a bhí socraithe. B'éigean do na hÓglaigh an t-ionsaí a chur ar athló, áfach. Ní raibh gach ní i gcóir acu in am is i dtráth, agus tháinig frithordú ó Cheann-aire na Briogáide á chros orthu an t-ionsaí a dhéanamh ar an namhaid. Bhí Réidh Ardnóige i gceantar Bhriogáid Thiob-rad Árann Thuaidh, agus ní raibh aon bhaint ag Óglaigh na Treas Briogáide leis an gceantar san, ach bhí dualgas ag muin-tir Thiobrad Árann Theas ar Óglaigh a mBriogáide féin agus bhí ceart ag muintir Thiobrad Árann Theas go ndéanfadh Óglaigh na Treas Briogáide a gcosaint agus a gcaomhnadh ar fhorneart agus ar ansmacht na nGall ; agus ar a shon go raibh dúnfort Réidh Ardnóige i gceantar Briogáide eile is minic a thugaidís póilíní an gharastúin sin áladh isteach ar limistéar na Treas Briogáide, agus ba thairne i mbeo ag Óglaigh na Briogáide an dúnfort san go na gharastún. Nuair a tuigeadh do na hÓglaigh go gcaithfí an troid a chur ar athló chromadar láithreach ar na bóithre a réiteach agus a dheisiú arís, ar na fallaí a bhí tógtha acu a leagadh agus ar na claiseanna a líonadh isteach. Chuidigh muintir na háite leo go fonnmhar, óir dob eagal leo go mbainfeadh na póilíní drochthátal as staid na mbóithre agus go gcuirfí ar a gcoimead iad dá dheasca. Ina theannta san níorbh fholáir do mhuintir na tuaithe na bóithre a thaisteal maidin lá arna mhárach ar an slí chun an Aifrinn dóibh.

Tháinig an Máilleach aniar andeas ó Chill Síle i gCo. Luimnighe, mar a raibh sé ag breithniú na nÓglach agus ag tréineáil na nOifigeach nuair a chuala sé go rabhthas chun ionsaí a dhéanamh ar dhúnfort Réidh Ardnóige. Ar theacht

97

7

chun na Réidhe dhó do hinseadh dó go raibh an Ceannfort Briogáide tar éis an t-ordú a chur ar ceal. Shocraigh an Máilleach ar fhreagarthacht a ghlacadh san ionsaí agus gan beann ná aird a thabhairt ar fhrithordú an Taoisigh Bhriogáide. Chuaigh sé i gcomhairle leis na cinnirí eile agus chinneadar ar thosach a chur leis an ionsaí oíche an lae dár gcion (an 11ú lá d'Iúil) agus an nead nathrach úd i Réidh Ardnóige a scrios agus a mhilleadh. Thionóladar na hÓglaigh ar mhullach cnoic fé scáth an dorchadais, agus thángadar anuas le fána go cúramach cairéiseach agus greim docht daingean acu ar théadracha chun iad féin a threorú sa doircheacht, óir bhí an oíche chomh dubh le pic. Bhí buicéidí ola agus cannaí artola agus dréimirí ar iompar acu maraon le gach uile sás ionsaithe ach amháin abhar pléasctha. Ní raibh aon abhar pléasctha ag na hÓglaigh i gcath na Réidhe agus ba dheacrade an coimheascar agus ba mhóide an baol a bhí ag gabháil leis, an t-easnamh san.

Cuireadh na bóithre ó chion tamall roimh an gcath agus gearradh na línte. Thíos ar bhóthar Thulach Sheasta bhí buíon d'Óglaigh na Treas Briogáide ina n-ionaid chatha cheana féin fé cheannas Sheáin Uí Threasaigh agus Dhomhnaill Uí Bhraoin, agus iad ag fuireach leis na saighdiúirí ó Thulach Sheasta dá dtogróidís teacht i gcabhair ar an ngarastún. Bhí fir faire ag na hÓglaigh ar mhullaí na gcnoc mórthimpeall agus córas comharthaíochta acu chun rabhadh a thabhairt don lucht ionsaithe dá bhfeicfidís an namhaid chucu agus chun eolas a thabhairt dóibh ar líon slua na nGall, a n-eagar agus an treo a thriallfaidís. Bhí fóid mhóna acu a tumadh i bpairifín agus a bhféadfaí feidhm a bhaint astu nuair a lasfaí iad chun an córas comharthaíochta d'oibriú. Bhí bratacha comharthaíochta acu freisin agus bainfí feidhm astusan dá mba

98

ghá é ar theacht an lae léirghlain arna mhárach. Oíche fhliuch ghaofar ab ea í. Bhí na scamaill anuas ar na sléibhte agus bhí sé ag stealladh báistí ó mhaidin an lae sin. Timpeall leath-chéad Óglach a bhí i láthair ó Bhriogáid Thiobrad Árann Theas, ó Bhriogáid Thiobrad Árann Thuaidh agus ó Bhriogáid Luimnighe Thoir.

D'éirigh leis na hÓglaigh díon an dúnfoirt a bhaint amach le cabhair na ndréimirí. Ba iad An Treasach, an Máilleach agus Mac Uí Ghormáin a bhí i mbun na hoibre ar bharr an tí. D'éirigh leo an díon a chur trí thine cé gur cuireadh an caidéal as feidhm i lár an ghleo. Baineadh an garastún as a gcleachtadh ceart go leor, ach ní túisce a thuigeadar conas a bhí an scéal ná mar a dhíríodar a ngunnaí ar an díon. Goin-eadh Séamas Ó Gormáin le piléar as raidhfil. Tháinig sáirsint amach ar phóirse an dúnfoirt gur aimsigh a raidhfil ar an triúr a bhí in airde ar an díon. Thit sé i gceann a chos agus dhá philéar ann. Ling an garastún amach as an mbeairic aon uair amháin agus a raidhfleacha ina lámha acu gur thug-adar fobha santach sárnimhneach fé línte na nÓglach, ach sheas na hÓglaigh fós go dána dolba gur chloíodar iad agus gur chuireadar raon madhma is míchoscair orthu. Arís agus arís eile ghlaoigh na hÓglaigh ar an ngarastún géilleadh ach cith lámhghránáidí a fuaireadar mar fhreagra. Goineadh an Treasach, an Braonach, an Máilleach agus an Gormánach le giotaí gránáidí. Thit an Máilleach agus an Gormánach ina gcnap i ndeireadh na troda agus b'éigean dá gcomrádaithe iad d'iompar ó láthair an chatha.

Cúig fear triochad a bhí sa gharastún, agus bhí rún dain-gean díongbhálta glactha acu gan an dúnfort a ligint leis na hÓglaigh gan cath agus comhrac a dhéanamh go himirt anama. Mhair an comhlann cruaidh cúig uair a chloig. Cuireadh an

99

ruaig ar na póilíní as an mbeairic i ndeireadh na dála. Bhí
an foirgneamh ar fad fé bharr lasrach fén am san agus dob
fhollas go raibh an troid ag druidim chun críche. D'éirigh
leis na póilíní áit tearmainn a bhaint amach i bhfoscadh do-
dhóite nach rachadh pléascán ná piléar i bhfód air. Ní haith-

Comhairle Chogaidh

ristear cé mhéid a maraíodh ná a goineadh díobh ach is eol
dúinn gur maraíodh an sáirsint a bhí i gceannas agus tuilleadh
ina theannta, agus gur goineadh a lán. Chuaigh ráfla amach
ag tarraingt ar dheireadh an chatha go rabhadar na saighdiúirí
chucu agus thréig cuid de na fir a n-ionaid chatha. Nuair

d'fhág na hÓglaigh Réidh Ardnóige fé dheoidh bhí an dún-fort dóite ina luaithreach agus daingean eile de chuid na nGall leagtha ar lár acu. Tá sé ráite nár fearadh, le linn na mblianta buartha san uile, cath ní ba fhíochmhaire ná comhlann ní ba churata ná an comhrac calma san i Réidh Ardnóige.

Tar éis titim Réidh Ardnóige chinn taoisigh na Treas Briogáide ar bheairic Bhaile Uí Chléireacháin a ghabháil. Tá Baile Uí Chléireacháin suite ar an mbealach mór idir Cluain Meala agus Caiseal Mumhan. Bhí fáinne de gharastúin Ghallda timpeall Baile Uí Chléireacháin—Caiseal Mumhan ar an taobh thuaidh, Tiobraid Árann ar an taobh thiar thuaidh, Cathair Dhún Iascaigh ar an taobh thiar theas, Cluain Meala ar an taobh theas agus Fíodh Ard ar an taobh thoir thuaidh. Bhí garastún den Arm Gallda chomh maith le garastún láidir póilíní i ngach baile díobhsan. Ba é Cluain Meala an baile garastúin ba ghaire do Bhaile Uí Chléireacháin agus bheadh suas le naoi gcéad fear den namhaid sa bhaile sin idir phóilíní agus saighdiúirí. Níl ach cúig míle slí idir an dá bhaile. B'fhurasta do Ghaill teacht i gcabhair ar gharastún Bhaile Uí Chléireacháin dá bhrí sin dá nglaoifí orthu. Is intuigthe as an méid sin nárbh aon dóichín é Beairic Bhaile Uí Chléir-eacháin a ghabháil gan cur isteach ón Arm Gallda.

Bhí an dúthaigh sin breac le Beairicí póilíní freisin, ach níor bhaol do na hÓglaigh na garastúin bheaga san. Tugadh ordú d'Óglaigh an 5ú Cath ionsaí a dhéanamh ar dhúnfort Chill Mainchín siar ó dheas ó Chluain Meala ar an mbóthar go Dún Garbhán, agus ar dhúnfort Chill Síoláin cúig míle soir ó Chluain Meala ar an mbóthar go Carraig na Siúire. Bhí na hionsaithe sin le déanamh an oíche chéanna a tabharfaí fobha fén mbeairic i mBaile Uí Chléireacháin. Ní bheadh sna hionsaithe eile ach amais bhréige chun mearbhall a chur

ar an namhaid agus cuid de gharastún Chluain Meala a mheall-
adh amach an treo san an fhaid a bhéadh an fíor-ionsaí á
dhéanamh ar bheairic Bhaile Uí Chléireacháin. Bhí na
hionsaithe sin le déanamh an 21ú lá d'Iúil. Ba iad Séamas Mac
Roibín agus an Treasach a bhí i gceannas an lucht ionsaithe
i mBaile Uí Chléireacháin. Tugadh ordú do chomplacht
Chluain Meala (Complacht A) dul in eadarnaí ar an namhaid
ag Ráth Rónáin dá dtiocfadh na saighdiúirí an treo san chun
neartú le garastún Bhaile Uí Chléireacháin. Leagadh crainn
agus gearradh trinsí, ach ní dearnadh aon ionsaí ar Bhaile Uí
Chléireacháin. Bhí na fir ina n-ionaid chatha timpeall na
Beairice nuair a tháinig teachtaire chun an Treasaigh agus
teachtaireacht aige ón gCeannáras i mBaile Átha Cliath.
Thug an Treasach an teachtaireacht don Roibíneach. Ordú
a bhí ann ón gCeannáras Ginearálta á chros ar Bhriogáid
Thiobrad Árann aon ionsaí ar bith a dhéanamh ar dhúnfort
feasta sa chontae sin gan an riar chatha a leagadh os comhair
an Cheannárais ar dtúis agus cead d'fháil ón gCeannáras lena
chur i bhfeidhm. B'éigean don Taoiseach Briogáide an
t-ionsaí a chur ar ceal agus na hÓglaigh a dhíshlógadh !
Níor gabhadh aon dúnfort eile i gCo. Thiobrad Árann an
fhaid a mhair an cogadh. Dob amaideach an rud é, dar le
hÓglaigh Thiobrad Árann, a gcuid seifteanna cogaidh a
bheith le cur go Baile Átha Cliath chun go ndéanfaí scrúdú
orthu agus go molfaí nó go gcáinfí iad ag daoine ná raibh aon
eolas acu ar an dúthaigh sin. Agus go deimhin, na pleananna
a bheadh oiriúnach inniu nó amárach b'fhéidir nach n-oirfidís
ar aon chor i gceann seachtaine nó míosa nó ráithe eile. I
gcásanna den tsort san ní fhónann moill agus cuirfí an-mhoill
ar sheifteanna cogaidh na nÓglach dá mbeadh orthu iad a
chur go Baile Átha Cliath mar sin i gcónaí. Agus dá ndéanfaí

a ngabháil ag an namhaid bheadh Óglaigh Thiobrad Árann sa bhfaopach gan aon agó !

Níorbh eol do na hÓglaigh eile go raibh an troid i mBaile Uí Chléireacháin curtha ar ceal. D'fhan Óglaigh Chluain Meala ina n-ionad eadarnaí go camhaoir dorcha deireadh na hoíche ag fuireach leis an namhaid ach, ní nach ionadh, níor tháinig an namhaid an treo ar aon chor. I dtaca leis na hÓglaigh i gCill Síoláin agus i gCill Mainchín, rinneadar ionsaí ar na beairicí sin mar a bhí beartaithe dhóibh. Níor goineadh éinne ar thaobh na nÓglach ná ar an taobh eile sna hionsaithe sin, ach tamall dá éis sin do hionsaíodh beairic Chill Mainchín arís. Níor gabhadh í, ámh, agus b'éigean don lucht ionsaithe bailiú leo gan éinní acu de bharr a saothair.

CAIBIDIL VII

Eadarnaí Úbhla—Rásaí an Chaisleáin Duibh—Cuairt ar Bhaile Átha Cliath—Drom Conrach—Bás an Treasaigh.

I samhradh na bliana 1920 bhí sé de nós ag na hÓglaigh post na nGall a ghabháil agus é á iompar ar na traenacha nó ar na carra poist. Ba mhór an chabhair d'Arm na nGael an t-eolas míleata a gheibhidís ar an gcuma san, agus b'éigean do na Sasanaigh gach ní a dhéanamh chun an post a chosaint ar ruathair na nÓglach. Uime sin is ea a thosnaíodar ar an bpost d'iompar ina mótarthrucailí féin, agus fiú amháin in eitealláin, ionas nach dtiteadh sé isteach i lámha ná nÓglach. Timpeall an ama san chuireadh Gaill Luimnighe lucht coimhdeachta ón gcathair sin go dtí Acomhal Sulchóide i gceann an phoist. B'eagal leo go ndéanfadh na hÓglaigh ruathar ar an traen idir Acomhal Sulchóide agus cathair Luimnighe agus post na nGall a sciobadh leo. Aon mhótarthrucail amháin a dhéanadh an t-aistear ó Luimnigh gach maidin, agus bhíodh mótar-rothaí de chuid na nGall ag gluaiseacht roimh an lorraí mar thúschoimeádaí.

Shocraigh ceannairí na Treas Briogáide ar dhul in oirchill ar an mbuíon san maidin an 30ú lae d'Iúil. Bhí rún acu an t-eadarnaí a dhéanamh gairid do mhionbhaile Úbhla, sé míle slí ó bhaile mór Thiobrad Árann agus trí míle ó Acomhal Sulchóide. Thoghadar ionad oirchille gairid do bheairic na bpóilíní. Is é an riar chatha a bhí ceaptha ag an Treasach ná cosc a chur leis an mótar-rothaí ar dtúis le mionbharacas a thógáil mar a raibh cor sa bhóthar, i dtreo nuair a thiocfadh sé thart an cor go mbeadh air baint siar as a inneall. Bheadh buíon bheag fear ag feitheamh leis ansan chun é smachtú. Bhí crann le leagadh trasna an bhóthair níos sia síos, agus bhí buíon eile le bheith ar chúl claí chun an mhótarthrucail d'ionsaí.

Bhí coinne leis an namhaid leathuair tar éis a deich, agus bhí an crann leagtha agus gach Óglach ina ionad catha cúpla neomat roimhe sin. Tháinig an namhaid ceart go leor ach tháinig ar chuma nach rabhthas ag coinne leis. In ionad aon mhótarthrucail amháin, is amhlaidh a bhí dhá thrucail ann, agus ní raibh an mótar-rothaí rompu amach mar ba ghnáth i dtreo gur baineadh na hÓglaigh as a gcleachtadh. Ní raibh an réamhchoimeádaí rompu toisc gur polladh bonn an mhótar-rothair agus gurbh éigean dó dul isteach sa trucail agus an mótar-rothar a bhreith isteach leis. Mar adúradh cheana, baineadh an bhuíon Óglach a bhí ag fuireach leis an mótar-rothaí as a gcleachtadh agus bhí an mótarthrucail timpeall an chúinne chucu sar ar thuigeadar cad a tharla. Bhí an chuid eile de na hÓglaigh ag fuireach leis an namhaid, áfach, agus iad ar chúl an chlaí mar a raibh an crann ina luí trasna an bhóthair. Tugadh an t-ordú dhóibh ar an toirt agus ghaibh gach n-aon díobh ag díriú ar an namhaid an mhéid a bhí ar a chumas. D'aimsigh an chéad chomhurchar dís de na Gaill gur thug a mbás ar an láthair sin. Léimeadar na saighdiúirí anuas den lorraí gur chuireadar inneall catha orthu féin.

Tharla rud tubaisteach ansan. Ghreamaigh na piléir i raidhfleacha na nÓglach go rabhadar ansan os comhair an namhad gan cóir lámhaithe acu. Is amhlaidh a bhí raidhfleacha Máirtíní-Hénrí ag urmhór na nÓglach ach tugadh na piléir chontráilte dhóibh trí dhearmad. Caitheadh an chéad chomhurchar ceart go leor ach cheangail na piléir sna gunnaí ansan. Bhí na hÓglaigh i ngalar na gcás. Ar an neomat san go díreach tháinig dream póilíní amach as a mbeairic gur ghluaiseadar in aicíorra gacha conaire d'ionsaí na nÓglach. Idir an dá linn bhí an dara trucail mhíleata tar éis teacht i láthair agus gan ar chumas na nÓglach tabhairt fén trucail ná iad féin a chosaint ar philéir na nGall. Bhriseadar a dtreasa gur scaipeadh fé na ceithre hairde agus iad ag teitheadh le luas a gcos. Ag teitheadh dhóibh mar sin ní raibh scáth ná clúdach acu agus is cinnte go dtabharfaí a n-ár meireach crógacht an Treasaigh, colún teann na Treas Briogáide riamh agus chóiche. Ba ghearr an mhoill ar an laoch lonnach san lingeadh ar aghaidh i dtreo an namhad agus rún daingean aige comhrac a thabhairt dóibh. Níor chuir líon ná neart an namhad eagla dá laghad air ach siúd leis ar aghaidh agus a ghunna parabellum ina ghlaic aige go raibh sé i ngiorracht leathchéad slat don mhótharthrucail ba ghiorra dhó mar ar stad sé chois claí gur thionscain scaoileadh leis na saigh-diúirí go luath lántapaidh. Ní bhogfadh sé ón ionad san go raibh na hÓglaigh eile go léir sleamhain slán fé chlúid an chlaí. Ghluais go malltriallach i ndiaidh a chúil ansan agus é ag caitheamh leis an namhaid gan stad gan staonadh.

Thug ionsaí tobann an Treasaigh aire na Sasanach ó na hÓglaigh eile agus thug caoi dhóibh a gcosa a thabhairt slán as an gcontúirt ina rabhadar. Ní bheadh aon teasargan acu ar an mbás meireach an gníomh gaisciúil sin an Treasaigh. Ba ea feabhas agus fíochmhaire an fhobha a thug sé fé na saigh-diúirí gur goineadh triúr acu maraon leis an Taoiseach Briog-áide Lúcas a bhí ina measc. Bhí Lúcas tar éis éalú ó Arm na Poblachta an oíche roimhe sin. Bhí sé cúig seachtaine ina phríosúnach ag Óglaigh Chorcaighe Thuaidh an t-am d'éalaigh sé uathu. Chaith sé an oíche ar fad ag fánaíocht gan treoir timpeall na tíre go dtí gur bhain sé amach dúnfort na bpóilíní i bPailís Gréine mar ar casadh na saighdiúirí air agus iad ag taisteal go hAcomhal Sulchóide. Chuaigh sé ina bhfochair agus nuair a thug na hÓglaigh fobha fúthu ag Úbhla shíl sé, ní nárbh ionadh, gur tugadh fúthu d'aon ghnó d'fhonn a ath-ghabhála. Níorbh eol d'Óglaigh Thiobrad Árann, áfach, go raibh an Taoiseach Briogáide Lúcas tar éis na cosa a bhreith leis ón lucht coimeádta ar aon chor, agus is lú ná san dob eol dóibh é bheith i bhfochair na saighdiúirí an lá úd ag Úbhla.

Rinneas tagairt cheana don chontúirt a bhí ag baint le cruinniú na Comhairle Briogáide le linn an chogaidh, agus dúras gur róbhaol go ndéanfaí príomhoifigigh na Briogáide a ghabháil dá dtiocfaí go hobann ar chruinniú den tsórt. Ba dhóbair go dtitfeadh a leithéid de thubaist amach i dTiobraid Árainn an 12ú Meán Fómhair nuair a rinne díorma de mharcshlua na nGall ruathar reatha ar Chomhairle Bhriogáide a bhí cruinnithe in iothlann feirme ag an gCaisleán Dubh, gairid do Ros Gréine. Bhí an Fhoireann Bhriogáide ar fad i láthair maraon le triúr oifigeach as gach Cath sa Bhriogáid. Tháinig na saighdiúirí ar luas na gaoithe aníos an ascall fhada ón mbóthar mór go dtí an teach agus a gcapaill ar a léimlúth. Tugadh rabhadh do na hÓglaigh díreach in am. Dhún duine de mhuintir an tí geata na hiothlainne in éadan na saighdiúirí agus thug an mhoill bheag san deis do na hÓglaigh a gcuid cáipéisí agus scríbhinní a chur i dtoll a chéile. Scaip-eadar ansan i ngach treo baill. An fhaid a bhíodar ag scaipeadh thug Seán Ó Treasaigh agus Conn Ó Maoldhomhnaigh (an tAidiúnach Briogáide) fobha fén namhaid lena ngunnáin. Chúlaíodar i ndiaidh na coda eile ansan. Amach ó thriúr acu d'éirigh leis na fir uile na cosa a bhreith leo. Léim an

Taoiseach Briogáide féin isteach i lochán uisce mar ar chuaigh
sé síos go tón ann agus giolcach ina bhéal aige trína bhféadfadh
sé an anál a tharraingt bíodh gurbh ar éigin é.

Ní heol dúinn cad a thug na Gaill chun an ionaid choinne
an lá san. Shíl cuid de na hÓglaigh ina dhiaidh san go raibh
fios a rúin ag na Gaill agus gurbh amhlaidh a scéitheadh orthu.
Ba leasc leis an Treasach géilleadh don tuairim sin, áfach.
Gabhadh litir d'Arm na Poblachta gairid do Cathair Dhún
Iascaigh an lá san, agus b'fhéidir gurbh é an t-eolas a bhí sa
litir sin a thug na saighdiúirí amach ó dhúnfort na Cathrach
chun ionsaí a dhéanamh ar an ionad coinne a bhí ainmnithe
sa litir. Nuair d'imíodar na saighdiúirí i ndeireadh thiar
thall, tháinig an Chomhairle Bhriogáide i gceann a chéile
arís ní ba dhéanaí sa tráthnóna go ndearnadar a ngnó gan a
thuilleadh cur isteach ó Ghaill.

I bhfómhar na bliana 1920 bhí tréimhse sosa agus suaimhnis
ag na hÓglaigh i dTiobraid Arann Theas. Do héiríodh as
an troid go ceann tamaillín an fhaid a bhí seifteanna nua
cogaidh á gceapadh ag na ceannairí lena gcur fé bhráid na
Foirne Ceannárais i mBaile Átha Cliath. Is é an plean a bhí
beartaithe ag Seán Ó Treasaigh ná Colún nó Colúin Reatha
a bhunú sa Bhriogáid chun cogadh ní ba éifeachtúla a chur
ar Ghaill. Ba mhian leis an Treasach na fir ab fhearr a thogh-
adh as treasa na nÓglach agus iad a thréineáil agus d'oiliúint
nó go mbeidís ina mbuíon infheadhma inghíomha, agus go
bhféadfaidís gluaiseacht go mear ó thaobh taobh na dúthaí
ag bualadh buille i gcoinne na nGall thall is abhus an uair is
lú a bheadh coinne leo. Ní raibh ach dream beag de na
hÓglaigh ina saighdiúirí lán-aimsire an uair sin. Bhíodh a
n-urmhór ag gabháil dá ngnáth-obair de ló agus ag troid
istoíche, agus ba rófhollas do na taoisigh um an am san nach

bhféadfaidís an ceann ab fhearr d'fháil ar na Sasanaigh go deo mura mbeadh saighdiúirí oilte dá gcuid féin acu nach mbeadh de chúram orthu ach troid a chur ar Ghaill pé uair agus pé áit a gcasfaí ar a chéile iad. Slua soghluaiste a bhí uathu a gheobhadh amas obann a dhéanamh ar Ghaill in áit ar bith aon lá ar bith agus fobha a thabhairt fúthu an lá dár gceann b'fhéidir fiche nó triocha míle as san. Gheobhadh na taoisigh buíon reatha a threorú ó áit go háit tríd an dúthaigh ag tabhairt dúshláin na nGall agus ag cur catha orthu, agus ruathair reatha a thabhairt isteach i ndúthaí " ciúine " ó am go ham chun muintir na ndúthaí sin a mhúscailt as a dtoirchim suain agus na hÓglaigh áitiúla a spreagadh chun gníomhartha gaile agus gaisce.

Thoigh an Taoiseach Briogáide gasra fear ón 3ú agus ón 4ú Cath chun an chéad Cholún Reatha a bhunú agus toghadh Donnchadh de Lása ina Cheannaire. Cúig fear is fiche a bhí sa Cholún Reatha so i dtosach, sé Óglaigh déag ón 4ú Cath agus naoi nÓglaigh ón 3ú Cath. Mhéadaigh ar líon na bhfear le himeacht aimsire go raibh seachtó fear ar fad fé cheannas Dhonnchadh de Lása i ndeireadh na dála. Chuaigh an Treasach i gcomhairle leis na fir fén obair a bhí le déanamh acu agus fé na cleasa catha a bhfaighidís feidhm a bhaint astu in aghaidh an namhad. Is minic a thagaidís le chéile d'fhonn na nithe sin a phlé sar ar imigh an Treasach go Baile Átha Cliath i Meán Fómhair chun an scéim a leagadh os comhair na Foirne Ceannárais. Chuaigh an tÓgánach ina fhochair agus tháinig Donnchadh de Lása chun na cathrach tamall dá éis sin. Bhí Domhnall Ó Braoin ann cheana féin. Bhí beartaithe acu filleadh ar Thiobraid Árann an túisce a bhéadh a ngnó curtha dhíobh acu agus luí isteach ar oiliúint an Cholúin Reatha gan mhoill i dtreo go bhféadfaidís an beartas nua a chur i bhfeidhm roimh theacht an gheimhridh. Ní raibh sé i ndán do Sheán Ó Treasaigh filleadh ar dhúthaigh a bhreithe go deo deo arís.

Ar shroichint Baile Átha Cliath don Treasach chuaigh sé i gcomhairle leis an bhFoireann Cheannárais i dtaobh na gColún Reatha agus, tar éis meabhair is machnamh a chaitheamh leis an scéal agus é a chíoradh agus a chardáil ó gach taobh, ghéill an Fhoireann Cheannárais don scéim gur chinneadar ar Cholúin Reatha a bhunú ar fuaid na tíre. Tháinig Donnchadh de Lása go Baile Átha Cliath i dtrátha na haimsire sin chun dul i gcomhairle leis an Treasach fén gcúram nua a cuireadh air mar Cheannasaí na gColún Reatha i dTiobraid Árann Theas. Chaith sé roinnt seachtainí sa chathair agus nuair d'fhill sé ar a dhúthaigh féin bhí socraithe ag an Treasach go rachadh sé féin ar ais gan mórán moille. Bhí gnó tábhachtach le cur i gcrích aige sa chathair, áfach, agus chuir an gnó san moill air agus chuir bac ar a imeacht an uair sin. Níorbh fhada do Dhonnchadh de Lása i dTiobraid Árann gur tháinig scéala móra olca aibhéile chuige, scéala a chuir saighead léin agus lionnduibh trína chroí ; agus ba dubhach domheanmnach Óglaigh agus Gaeil uile Thiobrad Árann de dheasca na scéala san .i. an Treasach tréan teann, a dtaoiseach míleata mearchalma a chinn ar chrógacht agus ar chalmacht ar chách, do thitim i dtáimhnéalla buanmharfa báis agus bithéaga le gunnaí na nGall. Seo mar tharla :

Tamall tar éis a haon bhuille déag, oíche Dé Máirt, an 11ú lá de Dheireadh Fómhair, 1920, d'fhág an Treasach agus an Braonach slán ag a gcairde i dteach na bPléimeannach i nDrom Conrach mar a rabhadar ar cuairt, gur thugadar aghaidh ar a n-áit dídin .i. ar theach an Ollaimh Ó Cearbhalláin ar Bhóthar Uachtar Drom Chonrach. "Fernside" a tugadh ar an teach san. Bhí lucht bratha agus spíodóireachta go dian ar thóir na beirte agus ar an abhar san d'éalaíodar as teach na bPléimeannach tríd an gcúldoras. Nuair a rángadar "Fernside" fuaireadar an teach fé dhorchadas agus muintir an tí ina gcodladh rompu. Bhí eocracha dá gcuid féin acu agus d'oscladar an doras go ciúin réidh agus isteach leo. Cor ná cnuig ní raibh as éinne sa tigh. Chuadar a mbeirt in airde staighre gan fuaim gan fothram. Níor chualathas ag teacht isteach iad agus níorbh eol d'éinne ach dóibh féin amháin go rabhadar sa teach an oíche sin. Mo dhearmad! Níorbh eol do mhuintir an tí go rabhadar ann, ach bhí dream ar a dtóir arbh eol dóibh gach cor agus car dár chuireadar díobh. Rugadar san, spíodóirí an Chaisleáin, an lorg leo go "Fernside" agus, mo chreach chráite, ba Ghael an t-é a thug an t-eolas dóibh a chuir an dís dea-laoch dána san i mbaol a marfa agus a mbuanoidhe.

Thugadar beirt an leabaidh orthu féin an túisce a bhaineadar a seomra amach. Ní raibh aon fhonn codalta orthu, ámh, agus, ina luí dhóibh ansan i gciúnas na hoíche, tharraing an Braonach anuas scéal na troda agus ba ghearr go rabhadar ag cur is ag cúiteamh fé chúrsaí an chogaidh i dTiobraid Árann, agus fén obair a bhí ag fuireach leo ansan. Tar éis tamaill scoireadar den chaint ach níor chuadar a chodladh. Ar a shon go rabhadar suaite sáraithe tar éis eachtraí an lae bhí rud éigin ag teacht eatarthu agus codladh na hoíche. Bhí sé á thuar dóibh ar chuma éigin go dtiocfadh an namhaid de ruathar orthu. Níor fhéadadar dearmad a dhéanamh de na spíodóirí a bhí ar a dtóir ó mhaidin go hoíche an lá san agus le cúpla lá roimhe sin. Ba ea méid a míshuaimhnis nach mbeadh aon tsásamh ar an Treasach nó go n-abróidís an Paidrín Páirteach. Nocht an Braonach an smaoineadh a bhí ina n-aigne : " B'fhéidir go ndéanfar ruathar orainn anocht a Sheáin." "Níor mhiste liom ar chuma éigin dá dtitfimís anois, a Dhomhnaill," arsa an Treasach ; "tá an cogadh ar siúl pé rud a éireoidh dúinn, agus má thitimid, tá súil agam gur i dteannta a chéile a thitfimid." Chuireadar a ngunnáin i ngiorracht faid láimhe dhóibh agus níor chian go rabhadar ina gcodladh.

Múscladh an teaghlach as a suan go hobann i nduibheagán na hoíche ag triop treap na gcos agus ag torann na dtrucailí troma míleata agus na ngluaisteán iarnaithe. Bhíog an Braonach agus an Treasach ina lándúiseacht. Chaitheadar a gcuid éadaigh orthu féin go dithneasach agus rugadar greim ar a ngunnáin. Ba chlos dóibh trostal na bhfear thíos fúthu ; bhíodar ag liúirigh go fiata feargach agus iad ag gabháil de dhoirne agus de cheapaí a ngunnaí ar an doras. Cuireadh gloine an dorais isteach ina chliogracha, agus i mbrothadh na súl bhí an halla beo le saighdiúirí. Casadh an tOllamh Ó Cearbhalláin orthu san Halla. Baineadh preab as nuair a chuala sé an gleo agus an gliogar thíos. Thuig sé ar an toirt gurbh iad na Sasanaigh a bhí ann agus d'éirigh sé de léim as an leabaidh. Bhuail sé cnag ar dhoras an tseomra ina raibh an bheirt fhear ó Thiobraid Árann agus síos leis i dtreo an halla. Cuireadh an béaldoras isteach air de thuairt agus líon an halla de Ghaill. Chuireadar tuairisc na bhfear a bhí ar lóistín aige ar an ollamh agus d'fhiafraíodar a n-ainmneacha dhe. "An iad na Rianaigh atá uaibh ? " ar seisean. Sloinneadh an-choitianta i dTiobraid Árann an sloinneadh Ó Riain mar dob eol don ollamh.

An Major Smith a bhí i gceannas na buíne. Deartháir don Ard-Chigire Smith (Mac Gabhann) a maraíodh i gCorcaigh toisc gur ghríosaigh sé na Constáblaí i gCiarraighe agus in áiteanna eile chun dúnmharú a dhéanamh ba ea an

Major Smith a rinne an ruathar ar "Fernside." Bhí an Major san Éigipt i bhfeadhmannas na Breataine nuair a chuala sé fé bhás a dhearthár agus tháinig sé go hÉirinn ansan agus rún díoltais ina chroí. Suas leis an staighre i dtreo seomra na beirte agus na saighdiúirí ag baint na sál dá chéile ina dhiaidh. Bhí an bheirt chara in airde staighre, a ngunnaí ina nglaic acu, gan orthu ach a mbrístí, a léinte agus a stocaí. Chualadar an liúireach fhiata fúthu. Ghlaoigh duine éigin amach in ard a chinn is a ghotha : "Where is Ryan ? Where is Lacey ?" B'fhéidir gur shíleadar gurbh é Donnchadh de Lása a bhí ann. Bhain an Treasach fáscadh as lámh an Bhraonaigh. Tháinig dhá philéar tríd an doras. Le prap na súl bhí an Treasach agus an Braonach ag rúscadh piléar leis an namhaid. Bhí an seomra in aon lasair amháin ag an solas spéire a bhí in airde ar ghluaisteán iarnaithe ar chúl an tí. Bhí an namhaid ag teannadh isteach orthu ó gach taobh ; gheobhaidís bladhm na ngunnaí d'fheiscint amuigh sa gharraí i ndorchadas na hoíche. Bhí an namhaid ag loscadh leo arís tríd an doras. Goineadh an Braonach sa chéad rúscadh agus bhí sreabh fola ag sní agus ag sileadh as an gcréacht. Scaoileadar leis an namhaid go dea-thapaidh, agus ba chlos dóibh na screada péine agus tuairt á baint as coirp throma anuas ar an urlár. Bhí an seomra fé dhorchadas arís, agus ba gheall le lasracha tine bladhm na ngunnaí. Amach leis an mBraonach d'urchar go barr an staighre agus Mauser Gearmánach ina ghlaic aige. Thug sé sí santach sárnimhneach isteach i lár na nGall agus é ar mire intinne ag rúscadh na bpiléar leo. Scaipeadar roimhe i ngach treo baill agus as go brách leo síos an staighre i muinín reatha agus ró-theithmhe. Ar ais leis ansan chun an tseomra.

Bhí sos agus suaimhneas sa teach ar feadh tamaillín, an

fhaid a bhí na Sasanaigh á gcur féin in inneall catha arís. Ansan rinneadar amas obann eile le neart iomlán a slua. Bhí an Treasach ar séirse, a pharabellum ina ghlaic aige agus é ag caitheamh leis an namhaid gan stad gan staonadh. Ghaibh racht róbhuile an Braonach nuair a chonaic sé an scata saighdiúirí ag cur an staighre dhíobh aníos. Amach leis de scríb reatha as an seomra don tarna huair gur ling ina measc agus confadhcatha air gur ghaibh á dtreascairt agus á dtuargain go coscrach cathbhuach le frasa fíornimhneacha piléar. Ní raibh feidhm acu cur ina choinne. Ba lámh i nead nathrach dóibh dul do chomhrac leis an dís dána dolba san, agus chaill ar an misneach acu fé dheoidh gur imíodar leo ina raon madhma agus mórtheithmhe. D'fhill an Braonach ar an seomra ; baineadh barrathuisleadh as, agus is beag nár caitheadh ar mhullach a chinn thar corp marbh é. Bhí beirt oifigeach sínte maol marbh ar an urlár ag ceann an staighre, agus saighdiúir leonta ina luí lena dtaobh agus é ag osnaí le barr péine. B'éigean don Bhraonach na coirp a tharraingt as an slí chun doras an tseomra a bhaint amach. Níorbh eol dó an uair sin cérbh iad na hoifigigh a bhí marbh aige, ach fuair sé amach ina dhiaidh san—ó thuairisc oifigiúil na nGall —gurbh iad an Major Smith agus an Captaen White a bhí ann.

Ar shroichint an seomra don Bhraonach bhuail sé an glas ar an doras. Bhraith sé a neart á thréigint de dhíth fola, óir ní gan dochar dó féin a rinne sé an t-ár agus an treascairt úd ar na Gaill nuair a thug comhrac dóibh ar an staighre. Bhí sé gonta go trom agus an fhuil ag sileadh ina sreabha súdhearga as a chréachta. B'eagal leis go raibh an cluiche ag dul ar an Treasach agus air féin agus gan aon tslí éaluithe acu as an teach. Ach dá olcas an íde a bhí orthu níor scéal caillte é.

Thug an Treasach an fhuinneog dá aire agus thuig ar an toirt nach raibh de rogha acu ach imeacht leo tríd an bhfuinneog san i bhfiontar a gcaillte. Bhagair sé ar an mBraonach dul ar tosach.* Chuir an Braonach breis lóin ina ghunna agus seo leis ag drapadh thar lic na fuinneoige amach. Tugadh fé ndeara é. Tháinig rúscadh piléar ón ngarraí agus d'aimsigh cuid díobh an fear gonta. Bhí an solas spéire ag soilsiú ar an bhfuinneog arís. Lig an Braonach é féin anuas go raibh a chosa ag baint le díon an ghrianáin ghloiní a bhí le hais an tí. Ansan bhog sé a ghreim de lic na fuinneoige gur thuirling go trom ar an díon. Rinne brúscar den ghloine agus gearradh glúna agus cosa an Bhraonaigh go doimhin dóite. D'éirigh leis an gairdín a bhaint amach agus é go tréithlag tinn de dheasca a chréacht. Go deimhin, bhí an fear bocht i ndeireadh an anama, nach mór, agus na cosa ag tabhairt fé le corp laige agus díth fola. Bhí cúig piléir ann gan trácht ar na gearr-aíocha a fuair sé de dheasca bruscair ghloine.

Caitheadh leis an mBraonach arís agus arís eile. Bhí lámhghránáidí ag pléascadh ar gach taobh de. Thug sé aghaidh ar an bhfalla íseal ag bun an gharraí. Ar a shlí dhó baineadh tuisle as; bhí dhá chorp mharbha sínte roimhe amach. Nuair a shroich sé an falla d'ardaigh saighdiúir Gallda a cheann. Lig sé graith as ag fógairt " Stad ! Stad ! " Níor stad an Braonach. Is amhlaidh a dhírigh sé a ghunna ar an saighdiúir agus an saighdiúr ar tí scaoileadh leis. Tháinig an dá urchar in éineacht nach mór, ach ba urchar iomraill urchar an tsaighdiúra. Níorbh amhlaidh d'urchar an Bhraon-aigh, ámh. D'aimsigh sé an saighdiúir gur baineadh tuairt

*Táim ag leanúint insint an Rianaigh : deireann Domhnall Ó Braoin, áfach, gurb é Seán Ó Treasaigh an chéad fhear d'fhág an seomra.

115

as anuas den fhalla. Bhí sé sínte ar lár nuair a chuir an Braon-
ach an falla dhe agus níorbh fhios dó cé acu marbh nó gonta
a bhí sé. Siúd leis ar aghaidh gur casadh scata eile saigh-
diúirí air. Scaoileadar san frasa piléar leis ach d'imigh sé
uathu gur bhain sé amach Bóthar Dhrom Chonrach. Bhí
sé de mhí-ádh air gur tharla gluaisteán iarnaithe ar an mbóthar
san agus ní túisce a tugadh fé ndeara é ná mar a dhírigh lucht
an ghluaisteáin iarnaithe a ngunnaí air. Bhí meaisínghunna
ann, ar ndóigh, ach bíodh gur dhóichíde a bhás a theacht
de ná a bheatha, ba é toil Dé gur tháinig sé sleamhain slán
as an mbaol san. D'fhág sé an bóthar ansan agus dhrapaigh
an falla ard timpeall Coláiste Phádraig. Nuair a bhí an falla
san curtha dhe aige bhain sé amach bruach na Tolcha agus
ghaibh de shiúl a chos thar sruth anonn go bhfuair bheith
istigh i dteach cónaithe Fheardorcha Mhic Shómais in Ascall
na nGarraí. Agus chuir muintir an tí cóir ar a chneácha agus
ar a chréachta a stop an rith fola, agus d'fhanadar ina suí á
fhaire ar feadh na hoíche agus é ina luí leoin agus lánbhaoil
ansan. Agus is móide is inmholta iad a mbáidh a bheith leis
an taobh eile sa chogadh san, óir dob Aontaitheoirí iad. Is
amhlaidh a thugadar caomhnadh is carthannacht don Óglach
lag leonta in am a ghábhaidh is a ghátair, d'ainneoin a dtuairimí
polaitíochta.

Le linn don Bhraonach bheith ag drapadh thar lic na
fuinneoige amach, chuala an Treasach coiscéimeanna ag
teacht go fáilthí aníos an staighre. Seo leis de sciuird trasna
an tseomra agus amach go ceann an staighre mar ar scaoil
sé a raibh de philéar ina pharabellum leis an scata saighdiúirí
a bhí ag éalú aníos gur chuir sé scaipeadh is fán orthu. Ar
ais leis de scríb reatha chun an tseomra agus chuaigh i ndiaidh
a chos amach tríd an bhfuinneog. Dála an Bhraonaigh,

gearradh a ghlúna is a lámha nuair a thuirling sé ar dhíon briste an ghrianáin ghloiní agus b'éigean dó feidhm a bhaint as a chiarsúir chun cosc a chur leis an rith fola. Dála an fhir eile, leis, bhain an dá chorp a bhí sínte sa tslí air tuisleadh as. Chuir sé an falla dhe agus thug bóthar Fionnghlaise air féin. Ba ghairid an mhoill air teach a dhuine mhuinteartha a bhaint amach .i. teach Philib Uí Riain i bhFionnghlais. Bhí lámh Dé leis gan aon agó an oíche sin, mar tháinig sé as an troid go sleamhain slánchréachtach gan fuiliú gan fordheargadh air, taobh amuigh de na gearraíocha a fuair sé de dheasca an bhruscair ghloine. Más ea, ba dubhach domheanmnach é ag smaoineadh dhó ar an mBraonach. Tásc ná tuairisc a charad ní fhuair sé ón uair d'imigh sé an fhuinneog amach, ach chuala sé torann na ngunnaí sa ghairdín agus feadh an bhóthair— agus ansan ciúnas. Níor dhóichí scéal de ná go raibh a sheanchomrádaí sínte fuar marbh ar chúl " Fernside."

Chuir Pilib Ó Riain teachtaire go dtí na Pléimeannaigh á rá leo go raibh Seán Ó Treasaigh slán ina theach chónaithe sin i bhFionnghlais, ach go raibh Domhnall Ó Braoin marbh nó gonta in áit éigin ar chúl " Fernside." Idir an dá linn bhí muintir Mhic Shómais tar éis teachtaire a chur go dtí na Pléimeannaigh freisin, ar achainí an Bhraonaigh, á rá leo go raibh Seán Ó Treasaigh marbh sna páirceanna ar chúl " Fernside " agus go raibh an Braonach ina luí leoin ina dteachsan agus éadaí is deocha brostaithe go mór de dhíth air. Ar éigin a bhí an teachtaire sin imithe ar ais go hAscall na nGarraí ná mar a tháinig an teachtaire ón Rianach isteach. Bhí na Sasanaigh tar éis ruathar a dhéanamh ar theach na bPléim-eannach agus bhí sé á ransú acu agus buíon mhór saighdiúirí ina sheilbh nuair a tháinig na teachtairí. Ar a shon san is uile d'éirigh leo a dteachtaireacht a thabhairt d'iníon an

117

Phléimeannaigh i gan fhios do na Gaill !

Nuair ná faigheadh na Sasanaigh greim d'fháil ar an mbeirt fhear a bhí á lorg acu ghaibh foréigean feirge agus confadh cuthaigh iad. Ba mhóide a mbuile agus a mbáiní a dtaoisigh do thitim le piléir na beirte sa choimheascar cruaidh ag " Fernside." Ní fios go cruinn cá líon a maraíodh ansan de Ghaill, ach d'admhaigh duine de na hoifigigh a rinne an ruathar ar theach an Phléimeannaigh an oíche cheanna san gur maraíodh cúigear de na fir ab fhearr a bhí acu, agus is cinnte gur goineadh tuilleadh dhíobh. Mar ba dhual do Ghaill riamh, ligeadar a ndíoltas amach ar dhuine neamhurchóideach nuair a theip orthu greim d'fháil ar na fir a bhí uathu. Rugadar ar an Ollamh bocht Ó Cearbhalláin ; chuireadar ina choilgsheasamh lasmuigh de sheomra na beirte é agus a aghaidh leis an bhfalla ; ansan scaoileadh piléar trí bhaic a mhuiníl.

An lá dár gceann tugadh Domhnall Ó Braoin go hÓspidéal Mháthair na Trócaire, ach nuair a ráinig an gluaisteán an tÓspidéal bhí na Cúntóirí ann rompu agus iad á chuardach ar lorg an fhir ghonta. B'éigean don tiománaí gabháil thar bráid agus seanstábla a bhaint amach i mball eile den chathair. Bhí an seanstábla san ina thaiscionad agus ina stóras folaigh ag an Dara Cath de Bhriogáid Átha Cliath agus is ann a choinnídís a gcuid arm is armlóin. Bhí Domhnall Ó Braoin ar díth meabhrach nuair a ráinig an gluaisteán an áit sin, ach tháinig sé chuige féin i gceann tamaill. Cé thiocfadh isteach ach Seán Ó Treasaigh, agus nach ar an mbeirt a bhí an t-áthas agus an tógáil croí nuair a casadh ar a chéile arís iad tar éis imeachta agus eachtraí uafara na hoíche roimhe sin ! Níorbh fhada gur cuireadh ar a súla dhóibh go raibh na Cúntóirí imithe leo ón Óspidéal, agus tugadh an Braonach ar ais chun an Óspidéil ansan. Chuaigh an Treasach ina theannta agus chuidigh leis na fir eile chun é d'iompar isteach san Óspidéal ar shínteán. Chroith an bheirt lámh le chéile agus d'imigh an Treasach tar éis slán d'fhágaint ag a chara. Slán go héag, fairíor, d'fhág sé aige an lá san.

An lá dá éis sin is ea a maraíodh Seán Ó Treasaigh. Rinneadh ruathar eile ar Óspidéal Mháthair na Trócaire agus cuardaíodh dóigh agus andóigh ar feadh trí huaire a chloig. Ghaibh eagla an Treasach go mbéarfaí ar a chara. Bhí na céadta saighdiúirí agus cúntóirí mórthimpeall ar an óspidéal agus bhí carra iarnaithe ar na sráideanna acu. Bhí dream líonmhar acu istigh san Óspidéal leis agus iad ag cuardach leo ó sheomra go seomra. Ní hionadh go raibh imní ar an Treasach mar sin.

Bhí imní ar dhaoine eile freisin. D'ordaigh Micheál Ó Coileáin an Scuad uile a thiomsú agus a raibh le fáil d'Oifigigh Átha Cliath a thabhairt i gceann a chéile. Bhí beartaithe aige an Braonach a sciobadh ó lámha na nGall dá n-éireodh leosan greim d'fháil air, agus bhí rún daingean aige gan ligint do na Gaill an Braonach a ghabháil. Dá dtarlódh, ámh, go mbéarfaí air, bhí socraithe aige é a sciobadh uathu—beo nó marbh.

Níor gabhadh Domhnall Ó Braoin. Thug na Cúntóirí trí huaire a chloig ar a lorg agus ansan d'imigh leo gan é d'aimsiú. Ach d'aimsigh dream de na saighdiúirí Seán Ó Treasaigh. Thug an Treasach cuairt ar shiopa i Sráid an Talbóidigh .i. The Republican Outfitters mar a dtagaidís na hÓglaigh le chéile ó am go ham. Ba ghnáth leis an Scuad cúlsheomra d'úsáid sa teach san, agus is ann a chruinnigh an dream a bhí ag beartú ar sheift chun Domhnall Ó Braoin a sciobadh ó lámh an namhad dá mbeadh sé de mhí-ádh air go mbéarfaí air san óspidéal. Tháinig Seán Ó Treasaigh isteach sa tsiopa chun dul i gcomhairle le Risteard Mac Aodha,

Ceannasaí Briogáid Átha Cliath, agus le roinnt oifigeach eile. Níorbh fhada sa tsiopa dhó nuair a chualathas torann na mótarthrucailí agus an chairr iarnaithe. Scaip na fir a bhí ins seasamh ag an doras. D'fhéach Mac Aodha amach agus chonaic an carr iarnaithe agus dhá mhótarthrucail ag teacht i dtreo an tsiopa. Ní raibh aon tslí éaluithe ar chúl an tsiopa

An Treasach Ar Lár

san. Mura mbéarfaidís na cosa leo as an siopa sar a dtiocfadh na saighdiúirí anuas de na trucailí bhí a bport seinte !

"Táthar chugainn," arsa Risteard Mac Aodha, " Amach libh ! " Rinne sé deifir amach agus an Treasach lena shála. Stad na mótarthrucailí agus léim cuid de na saighdiúirí anuas. Bhí beirt oifigeach á dtreorú agus ar aghaidh leo de scríb reatha i dtreo an tsiopa. Rug an Treasach ar a rothar, mar shíl sé, agus thug iarracht ar dhul in airde air. Mo léir, bhí dearmad déanta aige ; níorbh é a rothar féin é ar aon chor ach rothar Mhic Aodha agus bhí sé pas beag ró-ard. Baineadh tuisleadh as an Treasach, mar sin, agus sar a raibh sé d'uain aige thar cúpla slat a chur de bhí an namhaid sa mhullach air. Beirt fhear i ngnáthéadach a thug fé ar dtúis. Leagadar anuas den rothar é. Francis Christian dob aimn don chéad

Corp An Treasaigh i Seilbh Gall

fhear acu. Oifigeach Faisnéise de chuid na nGall a bhí ann agus aithne aige ar an Treasach. Tharraing an Treasach a ghunna agus scaoil rúscadh piléar le beirt eile a bhí ag rith ina threo ; ansan dhírigh sé a ghunna ar Christian gur scaoil dhá urchar. Thit Christian i gceann a chos, ach tháinig an bheirt eile d'ionsaí Sheáin gur chaitheadar leis in éineacht. Lena linn sin féin dhírigh na saighdiúirí Gallda a raidhfleacha agus a n-inneallghunnaí ar na fir a bhí ag lámhach lena chéile

121

sa tsráid. Chuaigh duine acusan sna greamanna le Seán Ó Treasaigh. D'éirigh leis an Treasach an fear san—An Liefteanant Price—a bhrú i gcoinne fuinneog siopa, chuir béal a ghunna go daingean i gcoinne a bhoilg agus scaoil dhá philéar trína chorp. Thit an Sasanach mín marbh ar an láthair sin agus thit Seán Ó Treasaigh féin in éineacht leis nach mór ; óir is ar éigin a bhí an dara hurchar scaoilte aige nuair a dhruid

Adhlacadh Sheáin Uí Threasaigh

fear eile leis i leith a chúil gur tharraing a ghunna air agus gur aimsigh sa cheann é ionas gur thug a bhás ar an láthair. B'shin mar chuaigh d'éagaibh an trodaire ba chalma agus dob uaisle meon de throdairí uile na Treas Briogáide.

Roinnt laethanta ina dhiaidh san cuireadh corp tollta an Treasaigh in úir na cille ina dhúthaigh féin—i gcré bheannaithe Chill Fiacla. Dé Luain, an 18ú lá de Dheireadh Fómhair a hadhlacadh é. Bhí an uile theach i mbaile Thiobraid Árann dúnta an lá san. Bhí na sluaite dubha ar an sochraid—na mílte daoine go deimhin—agus bhí fad cúig míle sa tsochraid sin.

Níor fearadh a chluiche caointe amhail a déantaí anallód i gcás na mórlaoch, ná níor scríobhadh a ainm in Ogham. Ach scaoileadh trí comhurchair os cionn na huaighe ag Óg-laigh Thiobrad Árann Theas, agus in ionad cluiche caointe d'fhearadh is amhlaidh a fearadh cogadh fíochmhar in aghaidh na nGall ar fuaid na hÉireann, agus is cinnte gurbh é sin an cluiche dob ansa leis. I bhfad ina dhiaidh san, freisin, tógadh a liag os a leacht agus scríobhadh a ainm i nGaeilge :

"Le dil-chuimhne ar Sheán Mac Allis Ua Treasaigh
Fo-Thaoiseach in Arm na hÉireann do marbhuigheadh
i gcath le Arm Shasana."

CAIBIDIL VIII

NA COLÚIN REATHA

I

InDeireadh Fómhair na bliana 1920 cuireadh an chéad cholún reatha nó an chéad bhuíon reatha ar bun i dTiobraid Árann Theas. Aonad Fianais* a tugadh go hoifigiúil ar an aonad san d'Arm na Poblachta, ach Colún Reatha** is mó a thugadh na daoine agus na hÓglaigh féin air. Bhí taithí mhaith ag na hÓglaigh ar an treallchogaíocht fén am san agus thuigeadar, de bharr an eolais a bhí faighte acu, go gcaithfidís buíonta nó colúin a bhunú a mbeadh Óglaigh oilte iontu agus gan de chúram ar na hÓglaigh sin ach cúram an tsaighdiúra amháin. Is amhlaidh a bhí an scéal roimhe sin, go mbíodh Óglaigh ag troid de shiúl oíche agus ag obair de ló. Bheadh orthu bheith ag obair ar an bhfeirm nó sa tsiopa nó sa mhonarchan i rith an lae agus bheith ag troid in aghaidh na nGall istoíche i gan fhios don tsaol. Is minic a tharla dá dheasca san nach mbíodh ar a gcumas a gcuid oibre d'fhágaint chun bheith i láthair an chatha, agus níorbh fhéidir do na taoisigh feidhm a bhaint as na fir sin ar aon chor dá mba mhian leo amas lae a thabhairt fén namhaid. Leis an bhfírinne d'insint, ní fhéadaidís bheith ag brath orthu i gcónaí le haghaidh amais oíche féin.

Thuigeadar na taoisigh nár mhór dóibh na hÓglaigh d'oiliúint mar ba chóir i gcúrsaí saighdiúrachta agus go mór mór

*nó Active Service Unit.
**nó Flying Column.

i gcúrsaí treallchogaíochta. Thuigeadar fós nach dtiocfadh leo an obair sin a dhéanamh mar ba chóir mura mbeadh na fir féna smacht go hiomlán agus gach caoi acu ar obair an tsaighdiúra agus ar chúrsaí catha a chleachtadh. Bhítheas ag smaoineamh ar feadh i bhfad, dá bhrí sin, ar chóras éigin a bhunú a chuirfeadh ar chumas na dtaoiseach saighdiúirí oilte a chur sa chath i gcoinne na nGall ; saighdiúirí lánaimsire, mar adéarfá, nach mbeadh aon chúram eile orthu ach cúram an tsaighdiúra, agus a bhféadfaí a chur ó áit go háit agus ó cheantar go chéile de réir mar d'oirfeadh. Chun scéal gairid a dhéanamh de, isé a theastaigh ó thaoisigh na nÓglach ná buíonta reatha a bhunú i ngach ceantar Briogáide agus an cogadh a chur ar Ghaill feasta le cabhair na mbuíonta san.

Ní fios cé cheap an riar chatha san ar dtúis. Tá sé ráite gurab é Seán Ó Treasaigh a cheap an scéim,[*] ach is dócha gur buaileadh isteach in aigne a lán de na taoisigh fén am san gur chóir rud éigin mar sin a dhéanamh. Pé scéal é, chuir an Fhoireann Cheannárais imlitir ag triall ar bhriogáidí uile an airm d'iarraidh orthu colún reatha a bhunú i ngach ceantar briogáide. Glacadh leis an gcomhairle agus tosnaíodh láithreach ar na colúin reatha a bhunú agus a chur in eagar, agus ar bhaill na gcolún san d'oiliúint i gcúrsaí treallchogaíochta. Cuireadh an chéad cholún reatha d'Arm na Poblachta ar bun i mBriogáid Luimnighe Thoir i Mí Dheireadh Fómhair, agus níorbh fhada ina dhiaidh san gur bunaíodh an chéad cholún i mBriogáid Thiobrad Árann Theas. Bhí gach ullmhúchán déanta cheana féin nuair a fuair Seán Ó Treasaigh bás. Do hainmníodh an Ceannfort Donnchadh de Lása chun bheith i gceannas Cholúin a hAon, mar tugadh air, agus toghadh baill an cholúin go cúramach as treasa an treas chatha

*cf. Desmond Ryan : "Seán Treacy and the 3rd Tipperary Brigade."

agus an ceathrú catha. Le himeacht aimsire, ámh, glacadh le hÓglaigh as na catha uile,* ach ba é an ceathrú cath cúltaca an cholúin riamh agus choíche.

Ba mhór an chabhair do chúis na hÉireann na colúin reatha ón uair a cuireadh ar bun iad. Dob abhar misnigh agus meanman do chlanna Gael a gcuid Óglach d'fheiscint fé arm is éide agus iad ag taisteal na dúthaí go dána dásachtach gan bean acu ar Ghaill. Thug an radharc san misneach do na daoine, gan amhras ; agus thug sé orthu, fairis sin, muinín a bheith acu as na hÓglaigh a bhí ag seasamh an fhóid chomh fearúil sin nár leasc leo agus nárbh eagal leo dúshlán a chur fé Ghaill. Ar an taobh eile dhe, thug na colúin reatha ar an namhaid garastúin mhóra láidre a choinneáil sna bailte móra agus gan a fhios acu cá huair ná cá háit a mbeadh na Gaeil chucu.

Ní raibh sé d'aidhm ag na buíonta reatha cath a thabhairt don namhaid ach amháin sa chás go mbeadh ar a gcumas bua a bhreith air. Tabharfaí ruathar fén namhaid nuair ba dhóigh le lucht ceannais an cholúin go raibh buntáiste acu air agus go bfréadfaidís é a chloí, nó an ruaig a chur air. Ach dá mba dhóigh leo gur ag an namhaid a bheadh an buntáiste ní chuirfidís cath air ach an uair nach mbeadh aon dul uaidh acu. Thuigeadar brí agus fuinneamh an tseanfhocail gur fearr rith maith ná drochsheasamh, agus dob fhollas dóibh gur mhór agus gur rómhór an dochar is an díobháil a déanfaí do chúis na hÉireann dá mbeadh sé de mhí-ádh ar an gcolún reatha go gcuirfí raon madhma is míchoscair ar na hÓglaigh agus iad i dtreis le Gaill. Bheadh ar chumas na gcolún gluaiseacht go tapaidh ó áit go háit. Nuair a bheadh an

*Gheobhaidh an léitheoir rolla na bhfear a bhí sa Cholún so san Aguisín atá ar leathanach 270.

126

tóir ródhian orthu i gceantar áirithe thiocfadh leo aghaidh a thabhairt ar cheantar éigin eile. D'fhéadfadh na taoisigh feidhm a bhaint astu freisin chun limistéar leadránach nó réigiún róchiúin a spreagadh le ruathar a dhéanamh isteach ann. Gheobhaidís na dúnfoirt d'ionsaí nó dul in oirchill ar dhíormaí den namhaid agus iad ag taisteal na tíre ina lorraithe.

Maidir leis na hÓglaigh a bheadh sna colúin reatha, bheidís ina saighdiúirí amach is amach gan de dhualgas orthu ach dualgas an tsaighdiúra. Gheobhaidís dochar thar na bearta a dhéanamh do mheanmain an namhad—ag dul in oirchill ar shluaite na Coróine thall is abhus, á marú agus á móréirleach gan stad gan staonadh, agus ag dul i muinín na sléibhte is na gcnoc nuair a bheadh an tóir ródhian orthu féin. Bhí eolas na tíre acu agus báidh na ndaoine leo—dhá rud a thug buntáiste mór dóibh ar an namhaid ; agus bhí misneach ina gcroí, óir dob eol dóibh go raibh onóir agus oineach na hÉireann á gcosaint acu agus iad ag troid ar son na saoirse. Is beag a bhfuair na hÓglaigh d'oiliúint le haghaidh an chogaidh a bhí le fearadh acu mar bhaill den cholún reatha. Tugadh teagasc dóibh i láimhseáil agus in aimsitheoireacht na raidhfle agus an ghunnáin, maille le beagán tréineála i dteilgean gránáidí agus pléascán. Teagasc in aimsitheoireacht na raidhfle is mó a bhí de dhíth orthu, óir ba raidhfleoirí urmhór na nÓglach sa cholún reatha agus níor mhór dóibh bheith oilte ar an raidhfil, dá bhrí sin, sar a gcuirfidís cath ar Ghaill. Nuair a bhí eolas cruinn ag na fir ar an méid sin agus lánmhuinín acu astu féin measadh go rabhadar ullamh chun catha agus chuadar i dtreis leis an namhaid ansan gan a thuilleadh moille.

Tugadh eolas don Cheannasaí Colúin go dtéadh mótar-thrucail bheag de phóilíní ó Chaiseal Mumhan go Tiobraid Árann gach Dardaoin. Ar chlos an scéala san dó, chinn

COLÚN REATHA.

Níl lucht an Cholúin go léir anso. I láthair tá:—

Céad Líne—Seán O hAodha, 5ú Cath., Gaibriel Mac Craith, 6ú Cath., Tomás O Gormáin, 6ú Cath., Risteard Dalltún, 5ú Cath., Liam O Maolcatha, 6ú Cath., Liam O Briain, 6ú Cath., Eamon O Duibhir, 5ú Cath., Séamus O Dochartaigh, 8ú Cath.

Lár Líne—Daithí Mac Gearailt, 6ú Cath., Máirtín O Laighin, 6ú Cath., Proinsias Paidhin, 6ú Cath., Seán O Muirgheasa, 5ú Cath., Muiris Mac Craith, 6ú Cath., Seán Mac Gearailt, 5u Cath., Micheál Mac Peadair, 5ú Cath.

Ina Seasamh—Seán O hOgáin, O.C., Coltún a Dó, Eamon O Maolchatha, 6ú Cath., Seán de Buitléir, 6ú Cath., Tomás O Ciardhubháin, 5ú Cath., Liamín O Céitinn, 6ú Cath., Tomás Táilliúir, 2ú Cath., Liam O Maoílleachtna, 5ú Cath., Daithí O Mothair, 6ú Cath., Seán de Nógla, 2ú Cath., Leas-O.C. Baill den Cholún, nach bhfuil sa phictiúir :— Seán ("Buddy") O Donnchadha, Eamon Daltún, Pádraigh Haicéad, Tomás O Lúbaigh, Tomás O Dálaigh, Maitiú Mac Cionnaith (5ú Cath.), Tomás O Riain, Tomás O Maoleanaigh, Donchadh O Lonnargáin, Daithí Mac Amh-laoibh, Daithí O Cuire (6ú Cath.), Seán de Paor, 8ú Cath.

sé ar luíochán a dhéanamh ar an namhaid gairid do Bhaile Mhic Thomáis. Tiomsaíodh an Colún, dá bhrí sin, an 28ú lá de Dheireadh Fómhair, agus dúradh leis na fir go rabhadar chun dul in oirchill ar na Gaill cúpla céad slat siar ón mbaile beag réamhráite. Tá an baile sin suite idir Cill Fiacla agus Gabhailín tuairim is cúig míle slí ó bhaile mór Thiobrad Árann agus seacht míle slí ó Chaiseal Mumhan. Chuaigh na hÓglaigh ina n-ionaid chatha ar chúl an chlaí, ar thaobh Thiobrad Árann den bhaile beag, mar a bhfuil fána leis an mbóthar. Tá bóithrín ag teagmháil leis an bpríomhbhóthar san áit. Cuireadh trucail feirme ina seasamh sa bhóithrín agus téadracha sínte ón dtrucail go dtí an taobh thall den phríomh-bhóthar mar a raibh drong de na hÓglaigh ar chúl clúide. Tá coiréal ar an taobh thuaidh den bhóthar agus cuireadh dream beag de raidhfleoirí ar an ardán lastuaidh den choiréal san, timpeall seasca slat ón mbóthar. Cuireadh fir faire soir agus siar ó ionad na hoirchille agus bhí duine de na hÓglaigh a raibh rothar aige leis an bhfocal a thabhairt don cholún an túisce a chífeadh sé an lórraí chuige.

Níor chian don cholún in ionad catha nuair a tugadh rabhadh dhóibh go raibh na Gaill chucu. Baineadh geit as an gCeannasaí Colúin nuair a chonaic sé an mótarthrucail chucu. Níorbh iad na póilíní a bhí ann ar aon chor ach meitheal mheascaithe den Northamptonshire Regiment agus den Royal Engineers. Tháinig an lorraí fé lánluas i dtreo na nÓglach agus, díreach sar ar ráinig an bóithrín úd ina raibh an trucail feirme ina seasamh tarraingeadh an trucail amach as an mbóithrín leis na téadracha gur fágadh ina seasamh í trasna an phríomhbhóthair. B'éigean don tiománaí luas an lorraí a chosc go hobann. An túisce a stad an lorraí léim na saighdiúirí anuas de gur thosnaíodar ag loscadh leis na hÓglaigh gan stad gan staonadh agus iad ar lorg clúide lena linn sin féin.

Bhí na hÓglaigh ar chúl clúide cheana féin, ar ndóigh, agus iad ag scaoileadh fén namhaid le fonn agus le fíoch. Mhair an comhrac san ar feadh uair a chloig, beagnach, gan barr gaisce ag dream díobh ar an dream eile. Dé réir mar a chuaigh caitheamh san aimsir, ámh, chuaigh an comhrac i ndúire agus i ndéine. Síneadh an tÓglach Mícheál Mac Giolla Phádraig ar lár gan aithne gan urlabhra agus créachta troma ann. Fágadh triúr de na Sasanaigh marbh ar an mbóthar agus goineadh cúigear eile. Ar na daoine a goineadh bhí Ceannasaí na meithle Gallda agus d'éag seisean de dheasca a chréacht cúpla lá ina dhliaidh san. Nuair a chualadar na Gaill i dTiobraid Árann agus i gCaiseal Mumhan fén gcath a bhí ar siúl i mBaile Mhic Thomáis, chuireadar fórsaí fóirthne amach chun comhrac a thabhairt don namhaid. Ar theacht do na fórsaí fóirthne go hionad an chatha tuigeadh dóibh go raibh a gcomrádaithe á dtreascairt agus á dtréanbhualadh ag Arm na Poblachta. Chuireadar rompu, dá bhrí sin, teacht timpeall ar na hÓglaigh agus a slí chúluithe a bhaint díobh. Níor éirigh leo, ámh, Thug an colún reatha, fé cheannas de Lása, comhrac dóibh ar feadh tamaillín, agus nuair ba léir don Cheannasaí Colúin go raibh beartaithe ag an namhaid teacht timpeall air féin agus ar a chuid fear, chúlaigh sé gona cholún trí na páirceanna.

Ón Teampall Mór a tháinig na saighdiúirí a hionsaíodh i mBaile Mhic Thomáis agus b'olc an tuar do mhuintir an Teampaill Mhóir treascairt na nGall an lá úd. Ba ghnáth leis na Sasanaigh díoltas d'imirt ar dhaoine neamhchiontacha nuair a bhíodh an cluiche ag dul orthu. Cá hionadh, dá bhrí sin, má agradar gníomh an cholúin reatha ar mhuintir an Teampall Mhóir. I lár na hoíche d'éiríodar amach ar na sráideanna gur thugadar ruathar fé thithe agus fé shiopaí, go ndearnadar creach agus argain ar gach leith, ag briseadh na bhfuinneog agus ag réabadh na ndoirse le tuanna agus le huirlisí troma eile nó go raibh pábháil na sráide fé bhrat de bhrúscar gloine.

Rinne na sladairí bradaíocht agus bithiúntas, foghail agus fuadach, argain agus iorghail sna siopaí agus d'ardaíodar leo gach saghas éadála agus creiche. Tugadh tine do chuid de na tithe gur dódh dhá áras gnótha ina smól ionas nach raibh fágtha dhíobh ar maidin ach na fallaí ; agus rinneadh a bheag nó a mhór de dhochar is de dhíobháil do sheachtó tithe eile idir árais chónaithe agus árais ghnótha. Bhí na saighdiúirí ag rith feadh na sráideanna i gcaitheamh na hoíche agus iad uile, nach mór, ar chaoi meisce agus mearbhaill. Níor shos dóibh ach ag scaoileadh urchar agus ag rúscadh piléar síos suas na sráideanna nó isteach sna tithe nó in airde sa spéir le linn na hairgne is na hiorghaile a bheith ar siúl acu. Ghaibh sceimhle agus scanradh mná agus miondaoine an bhaile, agus ba shia leo ná an tsíoraíocht an oíche uafar úd.

Thug an lucht airgne fé bhaile mór Thiobrad Árann ansan. Saighdiúirí ón Teampall Mór a rinne an argain i dTiobraid Árann. Mháirseáladar isteach sa bhaile tráthnóna Dé Sathairn an 30ú lá de Dheireadh Fómhair, 1920, agus banna práis ag seinm rompu amach. Tráthnóna Dé Domhnaigh le linn do mhuintir an bhaile bheith ag freastal urnaithe na heaspartan san Eaglais ghaibh na saighdiúirí Gallda tríd an mbaile ag foghail is ag forgain ar na siopaí agus ag déanamh slaide is bradaíochta ar chuid agus ar mhaoin na ndaoine fé mar a rinneadar roimhe sin sa Teampall Mór.

Iomthúsa an cholúin reatha, d'fhágadar ceantar Bhaile Mhic Thomáis le bua coscair gur thugadar aghaidh ar

Ghleann Eatharla. Cuireadh na hÓglaigh ar coinnmheadh sa Ghleann agus bhíodar i gcomharsanacht an Bhealaigh nuair a tharla an chéad chath eile eatorthu féin agus na Gaill. Tugadh fé ndeara go mbíodh díorma de na Dubhchrónaigh ag taisteal go féiltiúil ón nGallbhaile go dtí an Bháinseach agus bheartaigh an Ceannasaí Colúin ar dhul in eadarnaí ar a gceann. Socraíodh go ndéanfaí a n-ionsaí gairid do Lios na nGall mar a bhfuil cor sa bhóthar. Chuaigh an colún ar chúl clúide laistiar den chlaí ar leataoibh an bhóthair. D'ordaigh an Ceannasaí do thriúr dá chuid fear drapadh in airde ar chrann ard a bhí ag fás ós comhair láthair an luíocháin amach agus é ina sheasamh tamall maith isteach ón mbóthar. Cuireadh de dhualgas orthu urchar a scaoileadh nuair a chífidís an namhaid chucu. Rinneadh amhlaidh. Chuir na hÓglaigh sin an crann suas díobh nó gur bhaineadar amach ionad ard mar a raibh radharc breá fairsing acu ar na páirceanna agus na coillte agus go háirithe ar an mbóthar ón nGallbhaile ansúd thíos fúthu. Bhíodar ansúd ag faire na dúthaí agus ag feitheamh go fuireachair friochnamhach leis an namhaid nó go bhfacadar chucu fé dheireadh é.

Scaoileadh aon urchar amháin nuair a bhí mótarthrucail na bpóilíní i bhfogas ceathrú míle do láthair an luíocháin. Ar a chlos san don tiománaí ghéaraigh sé ar luas an lorraí gur luaimnigh air mar bheadh an ghaoth Mhárta ann. Tháinig sé timpeall an chúinne ar a mhineghéire agus gan ach dhá roth ar an mbóthar aige. Bhí de mhéid a luais ansan go bhféadfaí a rá fén mótarthrucail mar adúradh fén Aonbharr Mhanannáin fadó .i. gur chomhluath í le gaoth lomfhuar earraigh. Ní túisce an cúinne curtha dhé ag an lorraí ná mar a scaoileadh comhurchar as gach gunna dá raibh ag an gcolún reatha agus bhí ina chogadh dhearg láithreach. Briseadh gléas stiúrtha an lorraí agus tolladh umar na hartola leis an gcéad chomhurchar. Chuaigh an lorraí ó smacht an tiománaí agus sciorr sé ar fiarsceabha trasna an bhóthair gur baineadh tuairt as i gcoinne an chlaí. Lena linn sin uile bhí na crónphoic istigh sa lorraí agus iad ar a ndícheall ag caitheamh leis na hÓglaigh. D'fhanadar mar a rabhdar nó gur thug déine agus dúire an deabhaidh orthu an trucail a thréigint fé dheireadh thiar thall agus dul i bhfolach ar a cúl nó fána bun. Ansan is ea d'éirigh an Ceannasaí Colúin amach thar an gclaí gur ordaigh dá chuid fear gluaiseacht ar aghaidh i dtreo an namhad. Do haimsíodh duine de na póilíní lena linn sin gur thit ina chnap ar an mbóthar. Goineadh dís eile dhíobh go bhfuair duine acu bás ar an láthair sin de dheasca a chréacht, agus d'éag an duine eile go grod dá éis sin in otharlann an airm i dTiobraid Árann.

Níor mhair an comhrac ach seal beag eile. Goineadh triúr eile de na crónphoic agus d'éag duine acusan. Bhí duine de na fir a goineadh ina luí fén trucail an uair a bhladhm na lasracha in airde ar gach leith. I mbrothadh na súl bhí an lorraí fé aon bharr amháin lasrach agus bhí an fear gonta i mbaol a loiscthe meireach gur phreab beirt Óglach amach chuige, á tharraingt as an áit ina raibh sé fén trucail, cé gur chuadar i bhfiontar a gcaillte chun é a thabhairt slán. Mheas na dubhchrónaigh fén am san nach raibh tairbhe dhóibh leanúint den troid agus, ar an abhar san, ghéilleadar gan chomhtha. Ba mhór le rá é an t-ár agus an treascairt a rinneadh ar na Gaill an lá úd. Níor tháinig slán díobh ach an t-aon fhear amháin. Maraíodh ceathrar agus goineadh beirt. Iomthúsa na nÓglach, thángadar uile as gan fuiliú gan fordheargadh ar éinne acu agus d'imíodar as an áit sin le bua coscair agus caithréime.

133

D'agradar na Sasanaigh cath Lios na nGall ar mhuintir bhaile Thiobrad Árann. An 13ú lá de Mhí na Samhna, 1920, is ea briseadh an cath san ar Ghaill. Ar feadh trí lá agus trí oíche ina dhiaidh san ghaibh na póilíní trí shráideanna an bhaile mhóir ag dó is ag creachadh rompu. Ghluaiseadar ina ndronga agus ina ngasraí ar fuaid an bhaile ag cur na dtithe trí thine agus ag déanamh an uile shaghas airgne is iorghaile ; óir chuireadar de gheasa orthu féin go mbainfidís díoltas amach in éiric an choscair a rinneadh orthu ag Lios na nGall, agus bhí beartaithe acu go deimhin léirscrios agus lomadh luain a dhéanamh ar Ghaeil thar ceann an ghnímh sin. Thugadar tine do theach cónaithe Phádraig Uí Mhaoldhomhnaigh, Teachta Dála ; d'fhágadar stóras Muintir Lipton agus roinnt tithe gnótha eile fé bharr lasrach agus thugadar dianiarracht fén teach gnótha ba mhó sa bhaile .i. an Teach Gaelach, a scrios. Cé gur theip orthu an teach deireannach san a dhó, rinneadar luach dhá mhíle punt de dhamáiste ann, agus meireach na saighdiúirí Gallda a chuidigh go mór le muintir an bhaile, á gcosaint ar dhíoltas na gcrónphoc, ní fios cad é an chríoch a bheadh ar an obair. An lá dár gceann do hordaíodh do na daoine na siopaí go léir a dhúnadh, agus bhí an baile ina fhásach go ceann trí lá ina dhiaidh san. Theith a lán de na daoine as an áit ar fad agus lean na póilíní de bheith ag argain agus ag foghlú na siopaí ar a dtoil, ionas go meastar gur chaill na siopadóirí luach £36,000 d'earraí le linn na dtrí lá san.

I dtrátha an ama so is ea socraíodh ar an dara colún reatha a thionscnamh i dTiobraid Árann Theas. Ceapadh Seán Ó hÓgáin in a Cheannasaí ar an gcolún nua. As treasa an Chúigiú Cath agus an Séú Cath a toghadh baill uile an cholúin sin ach amháin an Ceannasaí agus an Tánaiste. Ball den

Cheathrú Cath ba ea an Ceannasaí Colúin agus ball den Dara Cath ba ea an Tánaiste Colúin .i. Seán de Nógla. Chuaigh an tÓgánach i gceannas an cholúin i Mí na Nollag agus as san amach bhí an dá cholún reatha ag obair as lámha a chéile.

Ba é raon taistil Cholúin a hAon ó thailte sléibhtiúla Choill na Manach Íochtair sa tuaisceart go dtí Sléibhte na nGaibhlte ar an taobh theas, agus ó theora Luimnighe ar an taobh thiar go dtí teora Chill Choinnigh soir. Ba é raon taistil Cholúin a Dó, ámh, Uí Fathaigh thoir agus thiar i gContae Thiobrad Árann, agus Gleann na hUidhre maille leis an mórchuid den Trian Uachtarach i gContae Phortláirge, eadhon, an dúthaigh uile ó Shléibhte na nGaibhlte agus ó Shliabh na mBan sa tuaisceart go dtí Sliabh gCua agus Sléibhte an Chomaraigh sa deisceart. Ba mhinic an dá cholún ag siúl na sléibhte agus na ngleannta i dteannta a chéile, áfach, ó theora Chorcaighe is Luimnighe go teora Chill Choinnigh, agus ó Choill na Manach go Gleann na hUidhre. Óir dob eol do chinnirí na gcolún, nach rachadh as ach an dream ba threise dhíobh dá dtabharfaidís cath do Ghaill, d'fhéachadar chuige nach gcuirfidís cath ar an namhaid ach sa chás go mbeadh sé de dhualgas orthu é a dhéanamh chun saoirse na hÉireann a chosnamh nó an uair ba dhearbh leo go rachadh acu ar an namhaid dá rachaidís i ngleic catha leis. Lasmuigh den dá chás san ba é príomhchúspóir na gcolún reatha fanúint ar a gcosaint agus gan ligint don namhaid lom d'fháil orthu, nó go mbeadh a fhios acu ar dtúis arbh inchatha dhóibh iad.

II

Le linn do na colúin reatha bheith ag tiomsú a nirt chun

dúshlán a chur fé Ghaill bhí réim imeagla agus uafáis ag
leathadh tríd an tír uile. D'éirigh an scéal chomh dona
san gur tháinig creathadaíl fuatha agus déistin ar chách an
uair ba chlos dóibh fé na hainghníomhartha urghránna a
bhí á ndéanamh ar fuaid na hÉireann ag "imeaglaitheoirí"
an Rialtais Ghallda. Ní raibh Tiobraid Árann saor ar
ghníomhartha den tsórt san, bíodh nach rabhadar chomh
fairsing ná chomh coitianta i gceantar na Treas Briogáide
agus a bhíodar sna ceantair eile. Ní ag na Dubhchrónaigh
agus na Cúntóirí amháin a bhí na hainghníomhartha urgh-
ránna úd á ndéanamh. Bhí lámh ag an Arm Gallda iontu,
freisin, agus ba iad na seanphóilíní féin, Constáblacht Ríoga
na hÉireann nó an sean-R.I.C. mar tugtaí orthu go minic,
ba chiontach i roinnt de na gníomhartha ba bharbartha
dhíobh uile. Ní chuirfead síos anso ach fíorbheagán de na
gníomhartha a rinneadh gan trua gan taise san am creathnach
úd i dTiobraid Árann, agus is beag le rá iad san féin i gcomór-
tas le cuid de na gníomhartha a rinneadh i gceantair eile.

Do hadhlacadh Seán Ó Treasaigh sa tseanreilig i gCill
Fiacla an 19ú lá de Dheireadh Fómhair, 1920. Ar na hÓg-
laigh a bhí ag máirseáil i ndiaidh an chróchair an lá san bhí
dís dearthár de mhuintir Dhuibhir—Proinsias agus Éamon
Ó Duibhir ó Bhaile Dháithí i nGleann álainn Eatharla. Nuair
a bhí an Treasach curtha in úir bheannaithe na cille, agus na
paidreacha deireannacha ráite ag an bpobal ar a shon, d'fhill
Proinsias agus Éamon abhaile i bhfochair a ndearthár eile,
Diarmaid. Thugadar tamall ag comhrá chois tine roimh dhul
a chodladh dhóibh. Ba é Seán Ó Treasaigh dob abhar
cainte dhóibh agus is iad a bhí go dubhach dubhrónach ag
cur síos dóibh ar thréithe an tsaighdiúira chalma a chuaigh
d'éaga agus é ag troid go cróga ar son na hÉireann. Bhí

na seandaoine ina suan agus na buachaillí ina seomra leapan nuair a buaileadh an cnag ar an doras. Níor thug éinne aird air gur buaileadh an dara cnag. Tháinig Proinsias amach as an seomra leapan ansan agus é leathghléasta. Bhí a dheirfiúr roimhe sa chistin agus d'fhiafraigh si dhe an ndéanfadh sí an doras d'oscailt. Thoiligh sé leis sin. D'oscail Cáit Ní Dhuibhir an doras agus mar d'oscail shiúl gasra fear isteach agus raidhfleacha ar iompar acu. Tuairim is deichniúr fear a bhí ann agus iad gléasta in éide airm. Bhí aon fhear amháin ina measc, ámh, a raibh éide an phóilín air. Bhí sé ceathrú tar éis an aon bhuille dhéag.

D'fhiafraigh duine de na fir den chailín arbh é sin áit chónaithe Dhiarmada Uí Dhuibhir. Nuair d'fhiafraigh Iníon Uí Dhuibhir díobh cad é an gnó a bhí acu dhe is é freagra a fuair sí ná ordú a lámha a chur in airde, agus dúradar léi gur dí ba mheasa mura ndéanfadh sí rud orthu. Chuadar in achrann i bProinsias ansan. Rugadar air gur stracadar an doras amach é ; agus ní túisce san déanta acu ná mar a chualathas torann na ngunnaí lasmuigh. Is olc a rinneadar a mharú. Chaitheadar tríd an scornach agus tríd an gclár éadain é gur ligeadar a inchinn trína cheann amach. An fhaid a bhí an dream san ag marú Proinsiais go fealltach bhí dream eile dhíobh sa chistin agus iad ag scaoileadh urchar tríd an doras isteach sa tseomra ina raibh an tseanlánú ina leabaidh agus iad i ndeireadh an anama le sceimhle. Rith na stróinséirí isteach i seomra leapan na beirte dearthár ansan. Stracadar Éamon as a leabaidh gur thugadar amach sa chlós é ina léine oíche agus ba rófhollas dá dheirfiúr go raibh mian a mharfa orthu. Scaoileadar fé gur fhágadar ina chnap ar an talamh é. Bhí sé ina luí i gcróilí an bháis an uair a tháinig a dheirfiúr amach á lorg, agus mo léir, bhí airíona báis agus bithéaga ag teacht air lena linn sin féin. Chuaigh an cailín bocht d'iarraidh cabhrach ar a deartháir Diarmaid. Tháinig seisean agus thángadar a mbeirt ar a nglúna go ndearnadar gníomh croíbhrú don té a bhí ag fáil báis. Ní rabhadar ach díreach in am, mar, i gceann neomait eile scar anam le corp aige.

Oíche Dé Sathairn, an 18ú lá de Mhí na Nollag maraíodh beirt Óglach as fuil fhuar i gCill Fiacla. Bhí an bheirt acu, Séamas Ó Lúbaigh agus Liam Ó Dúshláine, ina bpríosúnaigh ag na póilíní i gCaiseal Mumhan ar feadh cúpla lá nuair a tháinig gasra de shaighdiúirí Galldai steach sa dúnfort, rugadar ar an mbeirt agus sciobadar chun siúil iad ina mótarthrucail go Baile Thiobrad Árann. Ag filleadh ar Chaiseal dóibh stad an lorraí gairid do Chill Fiacla agus strac na saighdiúirí an dís óganach anuas de gur mharaíodar gan trua gan taise iad ar thaobh an bhóthair. Laistigh de cheithre huaire fichead ina dhiaidh san rugadh ar Lorcán Ó Lúbaigh, deartháir Shéamais, gur maraíodh go gránna é i mBaile Uí Shíocháin. Sluaite Rí Shasana a rinne an choir sin freisin.

An lá roimhe sin rinneadh dúnmharú eile dá shamhail ar na hardáin i bhfogas baile Thiobrad Árann. Duine de na hÓglaigh, fear darbh ainm Mícheál Mac Éamoinn a maraíodh an iarracht san. Bhí sé ar a theitheadh ar feadh i bhfad roimhe sin agus níor ghnáth leis codladh fé dhíon a thí féin. B'fhéidir go raibh fonn air féile na Nollag a chaitheamh sa bhaile. Pé scéal é tháinig sé abhaile an oíche sin (an 17ú lá de Mhí na Nollag) agus chuaigh a chodladh ina theach féin i measc a theaghlaigh don chéad uair le fada an lá. Bhí sé pósta agus bhí beirt clainne aige. Tháinig na dúnmharfóirí á éileamh i dtráth mharbh na hoíche—ar a dó a chlog ar maidin. Seisear nó ochtar a bhí sa ghasra agus thugadar amach leo i dtreo na

138

gcnoc é. Chualathas pléascadh na bpiléar agus iad á scaoileadh as béal na ngunnaí tamall dá éis sin, agus fuarthas an corpán agus é tollta le piléir maidin an lae a bhí chugainn. Naoi lá ina dhiaidh san d'imir na saighdiúirí Gallda bás agus buanéag ar an gCaptaen Séamas Ó hIceadha le faobhar a mbeaignití. Bhí sé ina phríosúnach i ndúnfort an airm Ghallda san am agus gan aon tslí éaluithe aige nuair a ghabhadar de bheaignití ina chorp. Dúirt na Sasanaigh, ámh, gurab amhlaidh a maraíodh é agus é ag iarraidh éalú uathu, agus dúradar fós gur thug sé fé na saighdiúirí d'fhonn raidhfil a bhaint de dhuine acu ! Bhí taithí ag muintir na hÉireann ar an leath-scéal san um an am san, ámh, agus is leor a rá nár chreid éinne é níos mó.

Tharla cath idir sluaite na Coróine agus Arm na Poblachta ar theora Thiobrad Árann agus Chill Choinnigh i gceantar Shliabh na mBan an 20ú lá de Nollaig, 1920. Leis an bhfír-inne d'insint, ní cath ná comhrac ba chóir a thabhairt ar ar tharla ansan mar bhí níos mó ná aon troid amháin ar siúl sa cheantar san an lá céanna, bíodh nach san aon am ná san aon áit amháin a tharla na comhraic éagsúla san. De réir an chuntais oifigiúil a cuireadh amach ina dhiaidh san ó Chaisleán Átha Cliath is amhlaidh a thug na hÓglaigh fé dhream de na Gaill a bhí ag taisteal an bhóthair ina gcuid lorraithe gairid do Chill Chuillinn (Teach na Naoi Míle) i gCo. Thiobrad Árann. Bhí idir shaighdiúirí agus póilíní ann, agus cé gur líonmhaire go mór na hÓglaigh ná iad féin throideadar chomh fíochmhar san gur ghoineadar ceithre dhuine dhéag de na hionsaitheoirí gur thángadar féin as an gcath gan chréacht. Cé nach eol dúinn conas a bhí a fhios ag na Sasanaigh cé mhéid duine de na hÓglaigh a goineadh, baineann sé le dealramh gur buaileadh trombhuille ina gcoinne an lá san, mar de réir cuid de na hÓglaigh féin a chuir síos ar an gcath tamall de bhlianta ina dhiaidh san, maraíodh ochtar Gael sa chath san. Níor éirigh liom féin aon deimhniú d'fháil ar an scéal san, ámh. Is cinnte nár maraíodh ochtar fear de lucht Briogáide Thiobrad Árann Theas, mar sa chás san bheadh sloinnte na bhfear ar fáil agus cuntas éigin ag na hÓglaigh ina dtaobh. Níorbh iad Óglaigh Thiobrad Árann ba líonmhaire sa chath an lá san, áfach, mar ba iad Óglaigh Chill Choinnigh a bhí i gceannas na troda agus ba iad colúin Chill Choinnigh a rinne an mhórchuid den obair, cé go raibh fir ann leis ón seachtú cathlán agus ón ochtú cathlán de Bhriogáid Thiobrad Árann Theas.

D'éirigh le lorraí amháin de chuid na nGall teacht tríd an eadarnaí go sábhálta agus post na saighdiúirí a bhaint amach ag Muileann Uí Chuain. Cuireadh scéala ansan go Cluain Meala agus go Calainn d'iarraidh ar lucht ceannais an airm Ghallda san dá áit sin fórsaí athneartacha a chur amach. An dream a tháinig amach as Calainn rinneadh luíochán orthu ar bhóthar Chluain Meala tuairim is dhá mhíle go leith siar ó dheas ó Chalainn. Goineadh duine de na saighdiúirí agus bhí an troid ar siúl nuair a tháinig dream de phóilíní amach as Calainn agus thángadar i láthair an chatha nuair a bhí dorchadas na hoíche ann. Bhí na saighdiúirí tar éis a lorraí féin a thréigint i bhfad roimhe sin agus bhíodar ag rúscadh piléar leis na hÓglaigh. Is dócha gur lena linn sin a chaill na hÓglaigh na fir úd a ndearna mé tagairt dóibh cheana, mar nuair a bhí deireadh leis an gcath fuair na Sasanaigh dhá rothar i bpáirc agus raidhfil ceangailte de gach ceann acu. Tháinig mótarthrucail na bpóilíní i raon na bpiléar an túisce a rángadar an áit agus maraíodh sáirsint de Chonstáblacht Ríoga na hÉireann ar an láthair sin agus goineadh sáirsint eile sa cheann agus sa lámh. Thréig na póilíní an mótarthrucail agus rinneadar iarracht ar dhul i gcomhar leis na saighdiúirí, ach baineann sé le dealramh go raibh mearbhall orthu sa dorchadas agus ní dóichí rud ná go raibh saighdiúirí agus póilíní i dtreis lena chéile an uair sin agus gurbh iad na saighdiúirí féin a mharaigh an Sáirsint Breathnach.

Chuir Óglaigh na Treas Briogáide tús leis an mbliain nua le hionsaí a dhéanamh ar dhúnfoirt na bpóilíní ag Gabhal Sulchóide (Acomhal Luimnighe), ag Áth na Cairte agus i nDún Droma. Do hionsaíodh dúnfort na bpóilíní ag Loch Ceann idir Caiseal Mumhan agus Cathair Dhún Iascaigh, an 17ú d'Eanair, 1921. Ba é an Sáirsint Raeburn a bhí i gceannas an gharastúin agus cúig dhuine dhéag a bhí sa bheairic aige. Bhí an sáirsint agus cúigear den gharastún ar patról agus iad ag filleadh ar an mbeairic nuair a hionsaíodh iad, gairid don gheata. Goineadh an sáirsint agus d'iompair a chomrádaithe isteach sa bheairic é. Chosain an garastún an dúnfort go cróga, agus chaitheadar soilsí Verey in airde go rabhadar ag bladhmadh is ag lasadh ar nós saighneán i néala nimhe, do thabhairt scéala do na Gaill sna bailte mórthimpeall gur theastaigh a gcabhair is a gcúnamh ón ngarastún ag Loch Ceann. Cuireadh fórsaí fóirthne chucu ó Bhaile Thiobrad Árann agus ó Chaiseal Mumhan agus ó áiteanna eile, ach bhí na hÓglaigh tar éis féachaint chuige go mbeadh na hidirbhealaí briste acu roimh ré agus nach mbeadh na bóithre inaistir ag Gaill. Ráinig leis na Gaill teacht i leas a bhfóirthne i ndeireadh na dála, ach bhí deireadh leis an gcath um an dtaca san mar níor éirigh leis na hÓglaigh an dúnfort a ghabháil agus chúlaíodar ó láthair an chatha gan éinní acu de bharr an chomhraic.

Trí lá ina dhiaidh san do hionsaíodh dúnfort na bpóilíní

i nGabhailín. Baineadh feidhm as raidhfleacha agus pléas-
cáin ar an dá thaobh ach níor goineadh éinne. Níor mhair
an troid sin thar leathuair a chloig. Scaoil na póilíní na
Soilse Verey in airde arís agus arís eile, agus tugadh fé ndeara
iad ní hamháin i gCaiseal Mumhan ach fiú amháin i mbaile
chomh fada i gcéin le Cluain Meala. Cuireadh fórsaí fóirthne
chun an gharastúin ach bhí an lucht ionsaithe ag cúlú nuair
a rángadarsan an baile. Chuir sluaite na Coróine dhá theach
trí thine in éiric an ionsaithe sin.

Níorbh é dúnfort Ghabhailín an t-aon dún amháin de
chuid na nGall a hionsaíodh an oíche sin. Thugadar na
hÓglaigh fé dhúnfort Bhaile an Iubhair, leis, ach níor éirigh
leo é a ghabháil. Chuir na Sasanaigh teach feirmeora trí
thine dá éis sin in éiric an ionsaithe. Tugadh dúshlán an
namhad arís i gCill Mhainchín i gceantar Cluain Meala nuair
d'ionsaigh na hÓglaigh beairic na bpóilíní, an 19ú lá d'Eanáir,
agus an lá ina dhiaidh san arís nuair a thugadar fobha fé bheairic
na bpóilíní i Lios Róineach sa cheantar céanna. Níorbh
fhada dá éis sin gur hionsaíodh ocht mbeairicí i dTiobraid
Árann san aon oíche amháin agus, cé nár gabhadh aon dúnfort
díobhsan, dob fhollas ó na hionsaithe agus na ruathair a bhí á
ndéanamh ag na hÓglaigh orthu de shíor go raibh Arm na
Poblachta ag fás is ag forbairt i gcumhacht is i gcumas in
aghaidh an lae.

Ba í an chéad bheairic eile de chuid na nGall a hionsaíodh
i dTiobraid Árann Theas ná beairic na bpóilíní sa Ghleann
Bodhar. Gleann cumhang coillteach ar an taobh thoir de
Shliabh na mBan is ea an Gleann Bodhar. Tá sé suite idir
Cill Chuillinn—ar a dtugtar de ghnáth Teach na Naoi Míle—
agus Carraig na Siúire, ar an bpríomh-bhóthar ó Chluain
Meala go Cill Choinnigh agus Baile Átha Cliath. Ba é

Colún a hAon den Treas Briogáid d'ionsaigh an dúnfort san fé cheannas an Cheannfoirt Donnchadh de Lása. Dún daingean doghabhála ba ea é. Bhí sé suite san áit a dtagann an bóthar ó Charraig na Siúire agus an bóthar ó Chluain Meala le chéile agus ceannas aige ar an dá bhóthar san. Gheobhadh na hÓglaigh na póilíní a choimeád fé ia an tí ach ní bhfaighdís an bheairic a ghabháil mura dtiocfadh leo an garastún a mhealladh amach. Bhí sé d'aidhm ag de Lása, dá bhrí sin, na póilíní a mhealladh as an mbeairic chun cath a thabhairt dóibh, ach níor tháinig leis é a dhéanamh. Bhí an comhrac ar siúl ar feadh breis agus uair a chloig sar ar éirigh na hÓglaigh as an iarracht. Chonacthas don Cheannasaí Colúin fé dheireadh thiar thall gur díomhaoin dóibh bheith ag leanúint den troid. Scaoil an garastún na hurchair shaighneáin go néalta nimhe mar ba ghnáth, agus tháinig sluaite na nGall ó Charraig na Siúire chun fóirithint orthu. Más ea, bhí an colún reatha bailithe leis um an dtaca san. Chúlaigh an colún i dtreo na Siúire agus chuir an abha anonn de lastuas den Charraig. Ar shroichint áit dídin don cholún cuireadh na hÓglaigh ar coinnmheadh le muintir na tuaithe.

Le linn do na hÓglaigh a bheith ar coinnmheadh sa dúthaigh sin chuaigh an Ceannasaí chun na Carraige ag cur tásc agus tuairisc na nGall ar óglaigh an bhaile sin. Do hinseadh dó go mbíodh patról de na saighdiúirí ag siúl na sráideanna san oíche agus go bhféadfaí an patról d'ionsaí ach tráth na faille d'fhaire. Chinn an Ceannasaí, dá bhíthin sin, ar an gcolún a threorú isteach sa bhaile agus fobha a thabhairt fé na Sasanaigh. Tháinig na fir isteach go fáilthí thar an droichead nua anall, gur rángadar an cé mar ar chuadar ina n-ionaid chatha sna lánaí agus sna foshráideanna idir an cé agus an tSráid Mhór. Ní raibh feidhm acu bheith ag faire. Níor tháinig an namhaid ar aon chor agus b'éigean don Cheannasaí an colún a thabhairt chun siúil arís gan buille a bhualadh ná urchar a scaoileadh. Ghluaiseadar na hÓglaigh as an mbaile amach agus is iad a bhí go dubhach díomách ag imeacht dóibh. Thugadar aghaidh ar Ghráinseach Mhoicléar ar dtúis agus thrialladar ar Ros Gréine ansan. Tar éis sos a dhéanamh i Ros Gréine thugadar a mbóthar orthu arís. Siúd ar aghaidh leo thar Loch an Cheanntaigh gur rángadar Dún na Sciath fé dheoidh mar ar cuireadh ar coinnmheadh le muintir na tuaithe iad.

Idir an dá linn bhí críocha na nGael á gcreachadh, a gcathracha is a mbailte is fiú amháin a dtithe cónaithe á loscadh agus a maoin is a maitheas saolta á milleadh ag Gaill. Bhí sé de bhéas ag sluaite an Rí le fada an lá díoltas d'agairt ar na daoine bochta uair ar bith a chuirfeadh na hÓglaigh maidhm is briseadh orthu. Bíodh nár thaobhaigh na húdaráis mhileata ná aon údarás eile de chuid na nGall go hoscailte leis na gníomhartha díoltais úd ní dúradar dada ina gcoinne ná ní dhearnadar iarracht riamh ar chosc a chur leo. Bhídís ag ligint orthu, mar sin féin, ná raibh aon neart acu ar na gníomhartha san, gurbh amhlaidh a théadh na saighdiúirí agus na póilíní ó smacht orthu uaireanta nuair a ghabhadh fearg agus fraoch agus róracht buile iad de dheasca ainhgníomhartha an *Murder Gang* mar a bhaist na Gaill ar na hÓglaigh.

Is fíor a rá, dá bhrí sin, nach é amháin nach gcuirtí cosc le drochbhearta míchuíosacha na nDubhchrónach agus an airm Ghallda, ach gurab amhlaidh a tugtaí cead a gcinn dóibh a rogha rud a dhéanamh. Bhaineadar lántsásamh as na daoine bochta dá bhrí sin. D'agradar a ndíoltas ar na mná agus ar na páistí féin, agus ní thugaidís anacal fiú amháin do shagairt Dé. De réir Iris Oifigiúil na Dála mharaigh sluaite an Rí 203 duine i rith na bliana 1920 amháin ! Ní háirítear anso na hÓglaigh a thit i gcath agus iad i ngleic le Gaill. Dúnmharú gránna ba ea marú an uile dhuine den 203 duine atá luaite againn. Ar na daoine neamhchiontacha a dúnmharaíodh ar an gcuma san bhí dáréag páiste, seisear ban, deichniúr seanfhear agus beirt sagart. Ina theannta san chreach na Gaill 98 gcinn de bhailte na hÉireann—rinneadh cuid díobhsan a thoghladh arís agus arís eile—agus cuireadh caoga uachtarlann trí thine d'fhonn na feirmeoirí a scrios agus an tír a mhilleadh ó thaobh geilleagair agus tráchtála dhe.

Rinne Rialtas na Breataine a ndícheall chun an fhírinne a cheilt ar mhuintir Shasana ach, diaidh ar ndiaidh, shroich an trua-scéal iad gur chualadar fé réim an uafáis agus na himeagla a bhí ar siúl in Éirinn, agus thosnaigh aicmí éagsúla dhíobh ag cur suime in anchaoi na tíre seo. Chuir Cumann na gCarad, Cumann Idirnáisiúnta na mBan agus Páirtí Pairliminte an lucht Oibre toscaireachta go hÉirinn chun fios fátha an scéil d'fháil agus chun taighde a dhéanamh ar an gceist pholaiticiúil. Thángadar go hÉirinn ; chonaiceadar na nithe a bhí á ndéanamh sa tír agus cuireadh ina luí orthu go raibh éagóir mhór á déanamh ar mhuintir na hÉireann agus go raibh gníomhartha ansmachta agus coirpeachta á ndéanamh in ainm an Rí agus a Rialtais. Nuair a léigh muintir Shasana tuarascála na gcumann san fén ár agus éirleach a bhí á ndéanamh ag Gaill in Éirinn tháinig náire agus ceann fé orthu agus cháineadar beartas a Rialtais féin go dian. Chas na heaspaig Phrotastúnacha agus daoine creidiúnacha eile gníomhartha fola na nDubhchrónach leis an Rialtas, agus d'iarradar ar an bPríomh-Aire cosc a chur leo.

Thuig an Rialtas fé dheireadh go gcaithfí rud éigin a dhéanamh chun muintir Shasana a chiúnú. D'fhógraíodar mar sin nach ligfí do shluaite na Coróinne díoltas d'agairt ar na Gaeil de réir a dtola féin feasta, ach go gcinnfeadh na húdaráis mhíleata beartas " oifigiúil " díoltais agus go gcuirfí an beartas san i bhfeidhm fé stiúrú an Cheannasaí Mhíleata san uile cheantar briogáide. Thugadar le fios, dá bhrí sin, (an 2ú lá d'Eanáir, 1921), go raibh socraithe acu feasta tithe a bhí suite gairid do láthair eadarnaí a shéideadh san aer maraon lena raibh de throscán iontu. Cuireadh an beartas nua " oifigiúil " i bhfeidhm don chéad uair in aice le Mainistir na Corann i gContae Chorcaighe in éiric an ionsaí a rinne na hÓglaigh ar ghasra de phóilíní agus de shaighdiúirí Gallda sa chomharsanacht san. Níorbh fhada go raibh an beartas oifigiúil á chur i bhfeidhm i dTiobraid Árann leis.

Bhí gasra de Ghaill ó Chill Donáil ag taisteal na tíre an 24ú lá d'Eanáir, 1921, nuair a hionsaíodh iad. Bhíodar ag filleadh ó na Coimíní agus iad ag tarraingt ar Ghleann Guail nuair a cuireadh luíochán orthu i bhfogas don bhaile beag san. Gasra meascaithe de shaighdiúirí agus de phóilíní a bhí sa lorraí. Tá cor géar sa bhóthar gairid do Ghleann Guail agus bhí an lorraí ag cur an choir sin de nuair a scaoil na hÓglaigh fé. Ling an bás go hobann ar an namhaid ; maraíodh beirt acu .i. sáirsínt agus saighdiúir singil, leis an gcéad chomhurchar. Bhí an sáirsínt ina shuí le hais an tiománaí nuair a haimsíodh é. Stad an lorraí láithreach bonn agus léim an fhoireann anuas de.

Fearadh cath fuilteach ansan. Throid na Gaill go cróga ach bhí fonn a dteascartha ar na hÓglaigh agus níor leasc leo dul i ndáil éaga ar son saoirse na hÉireann. D'fhearadar an cath go dian díscir, mar sin, nó gur leonadh triúr eile den arm Gallda agus dís de na póilíní. Ar na saighdiúirí a goineadh bhí Ceannasaí an ghasra Ghallda agus ba róthrom iad a chréachta go deimhin. Níor mhair an cath i bhfad. D'imigh na hÓglaigh leo go coscrach cathbhuach agus thug na Gaill a mairbh agus a lucht gonta leo go Cill Donáil agus ba dhúr agus ba dhoiligh leo an maidhm agus an míchoscar a cuireadh orthu. Gasra den Dara Briogáid a rug an bua san.

Cuireadh tionól agus tiomsú ar na Gaill ansan gur ghluaiseadar ar fuaid na dúthaí ina ndronga agus ina ndíormaí ar lorg na nÓglach, ach, ní fhuaireadar a dtásc ná a dtuairisc in aon áit. Más ea nuair a sháraigh orthu teacht suas leis na hÓglaigh chun a ngníomh d'agairt orthu, rinneadar díoltas an mhadhma úd ar mhuintir Ghleann Ghuail agus an cheantair máguaird. Maidin Dé Domhnaigh an 13ú lá d'Fheabhra, 1921, líon an limistéar de phóilíní agus de shaighdiúirí, idir mharcra agus coisithe an fhaid a bhí díormaí de na hInnealltóirí Ríoga ag síobadh áras cónaithe na ndaoine san aer. Síobadh sé tithe maille lena raibh de throscán iontu agus d'imigh na Sasanaigh ansan agus iad lántsásta leo féin.

CAIBIDIL IX

Na Colúin Reatha (ar leanúint) : An Cigire Potter : An
Sos Cogaidh.

I

I dtrátha an ama san bhí cúis mhórthábhachta os comhair
na hArd-Chúirte i mBinse an Rí : Seán Ó hAilín ó
Thiobraid Arann, óglach den Cheathrú Cathlán a cuireadh
ar a thriail i gCorcaigh i láthair binse airm. Cuireadh ina
leith go raibh gunnán lódálta ina sheilbh maille le scríbhinn
dar theideal " Night Fighting." Ciontaíodh é gur daoradh
chun báis é. Bhaineadar na dlíodóirí feidhm as a gceart
achomhairc agus thugadar an chúis i láthair Binse an Rí.
Níorbh í cúis an Ailínigh amháin a bhí os comhair Binse an
Rí feasta ach cúis na nÓglach uile. Is é a bhí i gceist ná
an raibh sé de cheart, de réir dlí, ag lucht ceannais an airm
Ghallda fir a thabhairt i láthair na gcúirteanna airm agus iad
a dhaoradh chun báis. Má bhí cogadh ar siúl sa tír bhí an
ceart san acu ; mura raibh cogadh ar siúl ní raibh an ceart san
ag lucht ceannais an airm ar aon chor. Do dhearbhaigh an
Ginearál Mac Riada, Ard-Taoiseach an airm Ghallda in
Éirinn, i bhfaisnéis a léadh don chúirt, go raibh cogadh ar
siúl sa tír agus go háirithe sna ceantair úd ar ar tugadh " limis-
téar an Dlí Chogaidh." Dúirt sé go raibh éirí amach nó
" méirleachas " ar siúl i láthair na huaire sin i gContae Thiobrad
Árann agus i gcathair Chorcaighe agus na ceantair máguaird.

Bhí de mhéid agus de throime an mhéirleachais sin go raibh treallchogaíocht ar siúl i ndáiríre.

Dhearbhaigh an Ginearál don chúirt go raibh ionsaithe agus eadarnaithe á ndéanamh ar shaighdiúirí agus ar phóilíní agus go raibh na méirligh ag baint feidhm as pléascáin agus raidhfleacha agus gunnaí fiaigh agus gunnáin sa chogadh a bhí á fhearadh acu. Dúirt sé gur dhream eagraithe gurbh ea na méirligh agus iad fé smacht a n-oifigeach féin ina n-arm-shlua oilte, agus gur múnladh a n-eagras de réir seaneagras an airm Ghallda féin. Bhí taoisigh agus oifigigh dá gcuid féin ag na méirligh a thugadh orduithe míleata dá gcuid fear ; bhí ceannáras ginearálta acu agus bhídís ag cur cogaidh de ghnáth ar fhórsaí an Rí. Ar na habhair sin uile d'iarr an Ginearál ar an gcúirt a rá go raibh cogadh ar siúl in Éirinn agus go raibh de cheart ag an arm Gallda, dá bhrí sin, na hÓglaigh a thabhairt i láthair binse airm agus iad a dhaoradh. Ghéill an chúirt d'argóintí an Ghinearáil. Dheimhnigh Binse an Rí go raibh cogadh ar siúl in Éirinn. De bhíthin na breithe sin básaíodh Seán Ó hAilín agus cúigear eile i ndúnfort na nGall i gCorcaigh, an 28ú lá d'Fheabhra, 1921. Mar-aíodh seisear saighdiúirí Gallda i gcathair Chorcaighe an lá céanna in éiric bású na nÓglach san.

Ghéaraigh ar an gcogadh sa bhliain 1921. De réir ráiteas oifigiúil an Chaisleáin (19 Feabhra, 1921) rinneadh 70 Teach Cúirte agus 530 dúnfort de chuid an R.I.C. a scrios ar fad ; rinneadh a bheag nó a mhór de dhochar do 212 dhúnfort. Chaill Constáblacht Ríoga na hÉireann 578 fear agus chaill an t-arm Gallda 213 saighdiúirí lena linn sin, idir mhairbh agus lucht gonta. Ba mheasa ná san an tuarascáil d'fhoilsigh Caisleán Átha Cliath cúpla seachtain ina dhiaidh san (5 Márta 1921). De réir an chuntais sin milleadh 220 dúnfort ó thos-

naigh an cogadh. Chaill an Chonstáblacht 615 póilíní
(maraíodh 242 díobhsan agus goineadh 373 díobh) agus chaill
an t-arm Gallda 243 fear—idir an dream a maraíodh (74)
agus an dream a goineadh (169).

Ós rud é go raibh daoine áirithe in Éirinn agus i Sasana
á rá nach raibh in Arm na Poblachta ach Dream Murdraeirí
nó Murder Gang agus nach raibh údarás na Dála ná an Rialtais
acu le cogadh d'fhearadh ar Ghaill, b'éigean don Uachtarán,
Éamon de Valéra, a rá go poiblí agus a chur in iúl go fianach
don tsaol Fódhlach nach amhlaidh a bhí an scéal ar aon chor,
ach go raibh cogadh ar siúl idir Éire agus Sasana agus go
raibh na hÓglaigh ag fearadh an chogaidh sin le toil agus
le húdarás na Dála i dtreo go raibh Rialtas na Poblachta
freagarthach as gníomhartha na nÓglach. Dúirt sé fós
gur státslua rialta Arm na Poblachta amhail arm ar bith eile.

D'admhaigh na Sasanaigh go raibh cogadh ar siúl in
Éirinn. B'éigean dóibh é sin d'admháil ionas go bhfaighdís
na príosúnaigh Ghaelacha a thabhairt i láthair binse airm agus
san a dhéanamh gan dlí Shasana a shárú. Ach bíodh gur
admhaíodar go raibh cogadh ar siúl, ní raibh aon admháil
acu ar aon cheart a bheith ag na Gaeil i gcoitinne, ná ag Óg-
laigh na hÉireann go háirithe, ar chogadh a chur ar Ghaill,
agus d'éilíodar go raibh sé de cheart acu féin, dá bhrí sin,
príosúnaigh chogaidh a chur chun báis. Tar éis don obair
sin a bheith ar siúl tamall fada mheasadar na hÓglaigh gur
mhithid dóibh cor in aghaidh an chaim a thabhairt agus
bheartaíodar, uime sin, ar na príosúnaigh a ghabhfaidís féin
a chur chun báis i ndíol bású na nÓglach. Ach beidh tuilleadh
le rá againn i dtaobh an bheartais sin amach anso agus ní gá
dhúinn cur síos air anois.

Leanadar Óglaigh na Treas Briogáide den chogadh go

dícheallach in earrach na bliana 1921. D'ionsaíodar beairicí na bpóilíní ag Acomhal Sulchóide, ag Áth na Cairte agus i nDún Droma ar uair an mheán oíche, an chéad lá de mhí an Mhárta. Ar an lá san, leis, is ea tharla comhrac cruaidh calma gairid do Chill Ros, ar an taobh thiar theas de bhaile mór Thiobrad Árann an uair a theagmhaigh gasra de phóilíní agus de shaighdiúirí (na Green Howards) ón nGallbhaile le dream de na hÓglaigh. Bhí an dá dhream ag loscadh lena chéile go féigh fíochmhar nuair a tháinig díorma den Lincolnshire Regiment ó bhaile Thiobrad Árann i gcabhair ar na Green Howards. Chuaigh ag na Sasanaigh ar na Gaeil. Maraíodh Tomás Ó Lúbaigh agus goineadh beirt eile de na hÓglaigh. Fuair duine acusan—Seán Ó hAodha—bás de dheasca a chréacht cúpla lá dá éis sin. Maidir leis na Sasanaigh, thángadar slán as an gcath gan chréacht gan chneá ar dhuine acu.

Dhá lá tar éis an cath san a bhriseadh ar Ghaeil, ghaibh slua de shaighdiúirí amach ó Chathair Dhún Iascaigh ag tóraíocht i ndiaidh na nÓglach a mheasadar a bheith i gceantar Loch Ceann. Bhí na hÓglaigh ann gan amhras, agus ina measc bhí Ceannasaí agus Tánaiste agus Aidiúnach agus Ceathrú-Mháistir an Dara Cath. Le linn do na Sasanaigh bheith ar thóir na nÓglach thimpealladar teach feirme le fear darbh ainm Risteard Dagg. Ar an drochuair dó féin, tharla an Ceannasaí Catha ar coinnmheadh le muintir an tí nuair a tháinig na Sasanaigh. Baineadh Pádraig Ó hÓgáin, an Ceannasaí Catha, as a chleachtadh. Nuair a thuig sé féin agus a chompánach, Pádraig Ó Céin, go raibh na Gaill chucu, chuadar amach ina gcoinne, óir níor éimhigh an tÓgánach cath ná comhrac riamh ó ghaibh sé arm ar son na saoirse. Thug an Ceannfort scinneadh amach fén macha le linn don Chaptaen Gallda teacht chun doras an tí. Nuair a

151

chonaic an tÓgánach an t-oifigeach Gallda chuige agus na saighdiúirí in inneall catha ar a chúl bhí a fhios aige nach dtiocfadh sé beo uathu don turas san. Scaoil sé fén gCaptaen Gallda gur thug ainchréacht air, ach ba é an t-urchar san an t-urchar deireannach dár scaoil sé riamh, óir ní túisce an t-urchar caite aige ná mar d'aimsigh piléar é féin gur thit sé i dtámhnéala báis agus bithéaga ar an láthair sin. Goineadh a chompánach agus rinneadh príosúnach de.

Maidir leis na hoifigigh eile a bhí ar coinnmheadh le muintir na tuaithe sa chomharsanacht, tháinig leo, bíodh gur le mórdhua é, na cosa a bhreith leo ón namhaid. Rinneadh príosúnaigh de Risteard Dagg, dá bhainchéile agus dá mhac agus tugadh go dúnfort na nGall i gCathair Dhún Iascaigh iad i bhfochair Phádraig Uí Chéin. Scaoileadh bean Risteard Dagg abhaile arís ach choinnigh na saighdiúirí greim ar Dagg féin agus ar a mhac. Níor choinníodar greim ar Mhac Uí Chéin, ámh. D'éirigh leis-sean éalú as an mbeairic tar éis ceangal na gcúig caol a chur ar an bhfear faire agus falla cloch a bhí dhá throigh déag ar airde a chur suas de. Níor éirigh leis na Gaill teacht suas leis arís.

Tharla bruíon bheag idir Colún Reatha a hAon agus díorma den Yorkshire Light Infantry ag an mBaile Glas ar Shliabh na Muc, gairid do bhaile Thiobrad Árann, an 15ú lá de Mhárta. Ba é an Ceannfort Donnchadh de Lása a bhí i gceannas an cholúin. Bhí dún ag an arm Gallda i mBaile na Cúirte sa Ghleann an uair sin, agus ba ghnáth leis na Sasanaigh an garastún a bhiathadh gach seachtain. Ghluaiseadh an mheitheal biata thar Sliabh na Muc siar ódheas go Baile na Cúirte ar bhóthar an Chóiste. Tugadh tuairisc na meithle biata don Cheannasaí Colúin an lá áirithe sin agus dúradh leis go raibh na saighdiúirí tar éis Sliabh na Muc a chur anonn díobh cheana féin. Siúd chun siúil na hÓglaigh gur bhaineadar amach cor géaruilleach sa bhóthar a ghabhann thar mullach Sliabh na Muc. Chuir an Ceannasaí na hÓglaigh in eadarnaí ar cheann na Sasanach, ach ní raibh na fir uile ina n-ionaid chatha nuair a tháinig na saighdiúirí tosaigh timpeall an chúinne go bhfacadar na Gaeil. Chuaigh na Sasanaigh ar chúl clúide agus bhí ina chath láithearch. Maraíodh miúil de chuid na nGall agus goineadh aon tsaighdiúir amháin. D'éirigh an Lásach as an gcath tar éis tamaill. Bhí an mhórchuid den namhaid tar éis cúlú roimhe agus b'eagal leis go ndéanfaidis sliossháinniú ar an gcolún. Ba mhaith an bhail air gur éirigh sé as. Le linn don troid bheith ar siúl tháinig leathchéad Gall ó Thiobraid Árann do dhéanamh uanaíochta ar an ngarastún i mBaile na Cúirte. Chuaigh an dream nua san ar chúl clúide ar chlos lámhach na ngunnaí dhóibh. Is róbhaolach go dtiocfaidís gan choinne ar na hÓglaigh dá leanfaí den chath agus, sa chás sin, níl aon amhras ná go gcuirfí raon madhma agus mí-choscair ar na Gaeil.

As a aithle sin d'fhág Colún an Lásaigh Gleann Eatharla ina ndiaidh gur thriall thar an Siúir anonn go ceantar Chluain Meala mar ar theagmhaigh Colún an Ógánaigh leo. Chuaigh an dá cholún i gcomhar lena chéile ansan gur chuadar in eadarnaí ar cheann na nGall ag Bréagóg, i bhfogas don bhaile mór. Níor ghluaiseadar na Gaill as an mbaile mór amach an lá san. Cuireadh in iúl dóibh go raibh na colúin sa chomharsanacht, ach b'fhearr leo gan dul amach ina ndáil. D'fhan na hÓglaigh ina n-ionaid chatha ar feadh breis agus cúig uaire a chloig. Thugadar a mbóthar orthu ansan. Siúd ódheas iad thar an Siúir anonn gur thrialladar trí Bhearna na Gaoithe agus Rath Ó gCormaic gur rángadar an dúthaigh in aice le loch Com Seangán mar ar cuireadh ar coinnmheadh iad. Ligeadar a scíth ansan ar feadh coicíse agus nuair a bhí a scíth is a dtuirse curtha dhíobh acu thréigeadar an dúthaigh sin gur ghluais rompu thar Siúir óthuaidh do leataoibh na Carraige go dtí an Gleann Bodhar agus as san go Gráinseach Mhoicléir mar a ndearnadar sos beag. Siúd chun siúil arís iad ansan siar ódheas thar machaire Thiobrad Árann agus Maigh Feimhin gur rángadar bruach na Siúire arís. Chuireadar an abha anonn díobh agus leanadar leo siar ódheas gur bhaineadar amach limistéar an Séú Cath fé scáth Chnoc Maoil Domhnaigh.

II

Bhí an dá cholún reatha ar coinnmheadh i gceantar Chloichín an Mhargaidh nuair a fuaireadar scéala gur ghnáth leis na Sasanaigh meitheal biata a chur ó Chathair Dhún Iascaigh go dtí an garastún i gCloichín an Mhargaidh gach seachtain. Socraíodh láithreach ar an ngasra san d'ionsaí. Toghadh crosaire an Gharraí Mhóir mar láthair don luíochán. Tá an crosaire sin timpeall míle go leith ó Chloichín an Mhargaidh ar an mbóthar go Béal Átha Uí Lúbaigh. Cuireadh tionól is tiomsú ar an dá cholún agus ar chomplacht an Gharraí Mhóir—Complacht "E". Tháinig an Tánaiste Briogáide (Conn Ó Maoldhomhnaigh) agus Domhnall Ó Braoin chun an cheantair an oíche roimh ré gur thugadar cuairt ar an ionad a toghadh le haghaidh an luíocháin. Bhí beartaithe acu bheith i dteannta na bhfear nuair a cuirfí cath ar na Sasanaigh lá arna mhárach.

D'éirigh na hÓglaigh ar a cúig a chlog maidin an lae dár gceann—an 22 lá d'Aibreán. Ghluaiseadar go luath fé dhéin crosaire an Gharraí Mhóir mar ar chuadar in oirchill na nGall.

154

Bhí coinne acu leis na Sasanaigh timpeall a deich a chlog ach níor thángadar go dtí leath uair tar éis a trí um thráthnóna. Bhí an Tánaiste Briogáide agus Domhnall Ó Braoin imithe ar ais chun an cheannárais bhriogáide roimhe sin ó bhí deireadh na foighne caite acu agus shíleadar nach dtiocfadh an namhaid ar aon chor an lá san. Más ea, bhí an Lásach agus an tÓgánach in eadarnaí ar cheann an namhad ag crosaire an Gharraí Mhóir, agus bhí na hÓglaigh ag feitheamh is ag faire go fuireachair friochnamhach go bhfacadar chucu fé dheoidh na rothail chapaill agus na bhaigíní, maille leis na saighdiúirí Gallda a bhí á dtiomáint is á dtionlacan. Ba é Donnchadh de Lása a bhí i gceannas na nGael. Nuair a tháinig na saighdiúirí i bhfogas don chrosaire scar an lucht oirchille agus chuaigh in eagras oscailte chun comhrac a thabhairt don namhaid. Níor mhair an troid i bhfad. Cúig feara déag a bhí sa ghasra Gallda. Maraíodh duine acu agus goineadh beirt. Ghéill an chuid eile do na hÓglaigh, agus nuair a cuireadh na rothail is na bhaigíní agus a raibh iontu ó chion scaoileadh na saighdiúirí saor arís ach baineadh díobh a dtrealamh cogaidh agus a gcuid arm. Maraíodh ceithre cinn de na capaill le linn na troda.

D'imíodar na hÓglaigh leo go caithréimeach. Bhíodar ag gabháil an bóthar in eagras oscailte nuair a tháinig gluaisteán ina gcoinne in áit ar a dtugtar Currach Cluana. Stad na hÓglaigh an gluaisteán gur cheistíodar an tiománaí. Níorbh aithnid d'éinne den cholún é, ach bhaineadar drochthátail as na freagraí a thug sé ar na ceisteanna a chuireadar chuige. Do hordaíodh dó tuirlingt den ghluaisteán agus nuair a thuirling sé d'fhág sé gunnán ina dhiaidh ar an suíochán. Ba dhóigh leis na hÓglaigh roimhe sin nár ghnáthdhuine é ; rinneadh deimhin dá ndóigh nuair a chonaiceadar an gunna sa ghluaisteán. Cheistíodar arís é, dá bhrí sin, agus chuir sé é féin in aithne dhóibh don chor san. Cé bheadh ann ach an Cigire Ceantair Potter de Chonstáblacht Ríoga na hÉireann! Is amhlaidh a bhí sé ag taisteal ó Chathair Dhún Iascaigh nuair a chuala sé torann na ngunnaí. D'iompaigh sé i leat-aoibh ón mbóthar mór chun láthair an chatha a sheachaint agus siúd isteach i lár an cholúin é ! Rinneadh príosúnach de agus rugadh chun siúil é leis an gcolún. Níorbh fhada sa tsiúl don cholún an uair a theagmháíodar le slua láidir de Ghaill agus iad ag triall ar an nGarraí Mór chun cath a chur ar na hÓglaigh. Bhí ina chath láithreach bonn, agus rinne na Sasanaigh a ndícheall chun na hÓglaigh a sháinniú, ach theip orthu. Threoraigh an Lásach an dá cholún trí threasa na nGall gur ghluaiseadar rompu in aiciorra gacha conaire nó gur bhaineadar amach áit dídin imeasc na sléibhte i gceantar an Chaisleáin Nua.

Rinneas tagairt thuas romham do bhású na bpríosúnach. Nuair ba léir do thaoisigh na nÓglach go raibh socraithe ag na Sasanaigh leanúint de bhású na bpríosúnach chinneadar féin ar aithris a dhéanamh orthu agus na Gaill a ghabhfaidís as san amach a chur chun báis. Is amhlaidh a dhéanadh na Gaeil roimhe sin ná na príosúnaigh a ghabhaidís a scaoileadh saor arís tar éis a dtrealamh is a gcuid arm a bhaint díobh. Bheadh a mhalairt de scéal le ríomh feasta, ámh. Bhí cuid de na taoisigh i leith gach Gall a mbéarfaí air agus é ag iompar arm a bhású, ach bhí a lán de na taoisigh ina choinne sin agus is é rud a shocraíodar fé dheoidh ná gach *oifigeach* a mbéarfaí air agus é ag iompar arm a chur chun báis. Le linn don Chigire Potter a bheith ina phríosúnach ag na hÓglaigh bhí Óglach de Bhriogáid Atha Cliath ag fuireach lena chrochadh i bpríosún Mountjoy. Tomás Mac Tréinfhir ab ainm dó.

Athair clainne ba ea Tomás Mac Tréinfhir a raibh lán an tí de mhuirín óg aige a fágfaí in anchaoi dá gcuirfí a n-athair muirneach chun báis. Chinneadar taoisigh na Treas Briogáide ar an gCigire Potter a choimeád mar ghiall agus chuireadar litir ag triall ar cheannáras na nGall á rá go raibh an Cigire Potter ina phríosúnach ag Arm na Poblachta ach gur thoil le lucht ceannais an airm sin é mhalartú ar Thomás Mac Tréinfhir a bhí lena linn sin arna dhaoradh chun a chrochta. Dá dtarlódh, ámh, nach n-aontóidís na Sasanaigh leis sin ach go gcuirfidís Mac Tréinfhir chun báis, cuireadh ar a súla dhóibh go raibh beartaithe ag na hÓglaigh an Cigire Potter a bhású, leis, i ndíol báis an fhir eile.

Dhiúltaigh na Gaill do thairiscint na nGael agus chrochadar Tomás Mac Tréinfhir. Dhá lá ina dhiaidh san chuir na hÓglaigh an Cigire Potter chun báis. Ba leasc leis na hÓglaigh a bpríosúnach a bhású ach sa chás so, go háirithe, shíleadar nach raibh de rogha acu ach é a chur chun báis mar a bhí geallta acu cheana. Fuair Potter bás go cróga calma mar ba dhual do dhuine uasal agus do Chríostaí. Scríobh sé dialann le haghaidh a bhainchéile agus é ina chime ag Arm na Poblachta. Ag so inár ndiaidh sliocht as an dialann san— an rud deireannach a scríobh sé :

" 27 Aibreán, an 6ú lá. Chodlaíos go maith. D'éiríos ar a 8.30 a.m. Tae agus ubh ar a 9.15 a.m. Do hinseadh dom timpeall a 11.0 a chlog go rabhas chun bás d'fháil um thráthnóna. Bhí na fir óga atá am choimeád go cineálta dhom ó thosach. Thug a gcinnirí an t-ordú dhóibh agus is saeth leo é . . . Iarraim ort, a thaisce, gan éinní searbh a rá in aghaidh ár namhad. Ná coinnigh an t-olc id chroí. Teastaíonn uaim go mbeidh grá id chroí. Tagann sé ónár nAthair."

Tugann an sliocht san as scríbhinn deiridh an Chigire Potter mórán eolais dúinn fé thréithe uaisle an fhir a scríobh é. Cá hionadh gur mhéala mór le hóifigigh na Treas Briogáide bású an fhir uasail sin. Thug sé a dhialann, a uaireadóir, a fháinne, agus beagán nithe eile maille le litir a scríobh sé chun a bhainchéile do na hÓglaigh gur iarr d'achainí orthu iad a sheoladh chuici. Rinne na hÓglaigh de réir mar d'iarr sé orthu. Chuireadar na nithe sin uile chun na baintrí agus scríobh an Ceannasaí Briogáide chuici á chur in iúl di na tosca ba bhun lena bhás, agus á rá fós gur cuireadh chun báis é de réir dlí tar éis é thriail agus a chiontú i ngníomhartha cogaidh in aghaidh na Poblachta. Ní miste a rá anso gur thug Óglaigh na Treas Briogáide corp an Chigire Potter ar ais dá bhaintreach go luath tar éis an tSosa Chogaidh maille le gach comhartha urrama is onóra, ionas go ndéanfaí a adhlacadh in úir bheannaithe na cille.

Le linn don Chigire Potter bheith ina phríosúnach ag na hÓglaigh chuir na Sasanaigh a gcuid saighdiúirí ar fuaid deisceart Thiobrad Árann á lorg. Ghluaiseadar tríd an dúthaigh ina ndronga agus ina mbuíonta ach ní raibh aon fháil acu air thíos ná thuas, thall ná abhus. B'éigean dóibh éirí as an gcuardaíocht i ndeireadh na dála. Nuair ba dhearbh leo go raibh na hÓglaigh tar éis é chur chun báis d'agradar a ndíoltas ar na daoine i gcoitinne mar ba ghnáth leo. Phléascadar ceithre tithe déag san aer i ndíol " dúnmharú brúidiúil " an Chigire Potter, mar adúradar.

In Aibreán na bliana san rinneadh atheagrú ar Arm na Poblachta nuair a cuireadh Arm-Ranna ar bun don chéad uair. Is é a chiallaíonn Arm-Roinn ná líon áirithe de bhriogáidí arna gcur le chéile fé aon ardcheannas amháin. Bhí gach briogáid de bhriogáidí na hArm-Roinne fé smacht a cheannárais féin i gcónaí ach bhí an Ceannáras Roinne os a gceann san uile. Cuireadh tús leis an eagras nua an uair a cuireadh briogáidí uile Chorcaighe, Phortláirge, Chiarraighe agus Luimnighe Thiar i gceann a chéile fé ardcheannas an Cheannfort-Ghinearáil Liam Ó Loinsigh. B'shin í an Chéad Roinn Deisceartach d'Arm Phoblacht na hÉireann. Níor chian dá éis sin gur cuireadh Dara Roinn an Deiscirt ar bun fé cheannas an Cheannfort-Ghinearáil Earnán Ó Máille. Bhí Briogáid Thiobrad Arann Theas sa Dara Roinn Deisceartach, agus toghadh cuid d'fhoireann na Treas Briogáide chun bheith ar Fhoireann Ceannárais na Roinne. Rinneadh Aidiúnach de Chonn Ó Maoldhomhnaigh agus Ceathrú-Mháistir de Dhomhnall Ó Braoin. Ceapadh Mícheál Mac Giolla Phádraig ina Leas-Ceathrúnach toisc go mbíodh an Ceathrúnach ar siúl go minic leis na colúin reatha. B'éigean roinnt athruithe a dhéanamh ar fhoireann na Treas Bríogáide ansan. Chuaigh Donnchadh de Lása in ionad Choinn Uí Mhaoldhomhnaigh mar Thánaiste Briogáide agus ceapadh Mícheál Ó Síocháin chun bheith ina Cheathrú-Mháistir in ionad Dhomhnaill Uí Bhraoin.

Cúig Briogáidí ar fad a bhí sa Dara Roinn Deisceartach, eadhon, Tiobraid Árann Theas, Tiobraid Árann Láir, Luimneach Thoir, Luimneach Láir agus Cill Choinnigh. Bíodh a fhianaise ar an gCeannasaí Roinne féin gurbh é Tiobraid Árann Theas colún teann na Roinne—"cnámh droma" na Roinne mar a thugann sé féin air ina leabhar "On Another Man's Wound." Mar sin féin, ní róshásta a bhí an Máilleach le trodairí na Treas Briogáide. Shíl sé go bhféadfaidís níos mó a dhéanamh ná mar a bhí á dhéanamh acu go nuige sin. Cheap sé gur fágadh an troid ar fad fé dhream beag de na taoisigh agus gur bhain an dream beag san cáil agus clú amach don bhriogáid go hiomlán, cáil agus clú ná raibh tuillte, b'fhéidir, ag an mbriogáid i gcoitinne. Shíl sé fairis sin gur mhó de chatha agus de chomhlainn a bhí curtha dhíobh ag Óglaigh Luimnighe Thoir ná ag Óglaigh Thiobrad Arann Theas. Chuir an Ceannasaí Roinne a bheag nó a mhór dá mhilleán san ar an gCeannasaí Cholúin .i. Donnchadh de Lása. Theastaigh uaidh go ndéanfadh an Lásach tóraíocht ar an namhaid agus cath a thabhairt dó ní ba mhinicí. Is é adeireadh an Lásach, ámh, nach dtiocfadh leis cath a thabhairt do na Gaill toisc nach dtiocfaidís-sean amach as a mbeairicí sna bailte móra. Ba é tuairim an Cheannasaí Roinne go bhféadfaí iad a mhealladh amach nó, neachtar acu, go bhféadfaí dul isteach sna bailte agus cath a thabhairt dóibh ansúd. Ní bheadh (agus ní raibh) gach éinne ar aon aigne leis an Máilleach fén gceist sin, áfach. Ba láidre agus ba líonmhaire go mór sluaite na nGall ná sluaite na nÓglach. Ní raibh ach an dá cholún reatha ar bun ag Óglaigh na Treas Briogáide agus gan ach 112 fear ar fad ar fianas leo. Leis an bhfírinne d'insint ní raibh ar fianas sa bhriogáid uile, agus na hAonaid Fianais áitiúla a chur san áireamh, ach trí céad go leith fear. Bhí tuairim agus trí míle saighdiúirí Gallda i nBaile Thiobrad Árann amháin. Ba róbhaol do na colúin, dá bhrí sin, dá rachaidís isteach sna bailte d'ionsaí na nGall, agus b'fhearr leis an Lásach ná déanfaidís amhlaidh mar ba ródhóichí a mbás a theacht de ná a mbeatha ; agus dá gcuirfí dianscrios agus díbirt orthu dá dheasca, dob abhar cumhaidh agus caointe do Ghaeil é, agus dob abhar millte don Bhriogáid é.

Chinn an Ceannasaí Roinne ina dhiaidh san ar amas oíche a dhéanamh ar bhaile Thiobrad Árann le colún a thabhairt isteach sa bhaile do dhéanamh áir is éirligh ar na saighdiúirí is na póilíní a gheobhaidís ag siúl na sráideanna nó ag ól is

160

ag aoibhneas sna tábhairní. Threoraigh sé na hÓglaigh go himeall an bhaile mar ar tugadh fé ndeara iad gurbh éigean dóibh cúlú má luaithe ar scáth an dorchadais. Níor deineadh aon iarracht eile ar an gcolún a thabhairt isteach i mbaile Thiobrad Árann. Tamall dá éis sin thug Seán Ó hÓgáin iarracht ar amas oíche a thabhairt fén ngarastún i gCluain Meala. Is beag nár discíodh an colún dá dheasca. Bhí beartaithe ag an gCeannasaí na Gaill a bhaint as a gcleachtadh ach is amhlaidh a fuair na Gaill leid ar bheartas na nÓglach i dtreo go rabhadar ullamh dóibh nuair a thángadar. Is é an tÓgánach féin a baineadh as a chleachtadh mar sin. B'éigean don cholún cúlú i dtreo Shliabh na mBan, agus ní miste a rá gur bhuaileadar an bóthar go maith an oíche úd. Goineadh duine de na scabhtaí a cuireadh isteach rompu agus rinneadh príosúnach de. Daoradh chun báis ina dhiaidh san é ach tháinig an sos cogaidh ansan agus rug sé a anam leis.* Thaispeáin an dá iarracht san—iarracht an Mháilligh agus iarracht an Ógánaigh—go raibh an ceart ag an Lásach agus gurbh é an riar chatha ab fhearr i gcóir na gcolún reatha ná ceannas d'fháil ar an tuaith agus na Sasanaigh a choinneáil isteach sna bailte ach gan dul ar a dtóir isteach i gceartlár a bhfearainn féin. Cath a thabhairt dóibh nuair a rachaidís amach fén tuaith, ámh, agus san a dhéanamh san áit agus san am ba rogha agus ba thogha leis na hÓglaigh féin.

Bhí an ceantar briogáide ar fad, taobh amuigh de na bailte a raibh garastún Gallda iontu, fé smacht na nÓglach um an dtaca san (Bealtaine, 1921). Ghluaisidís na colúin reatha ó áit go háit i lár an lae ghil agus ba mhinic iad le feiscint ag máirseáil ar na bóithre nó ag gluaiseacht trasna na gcnoc is

*Tomás Ó Lúbaigh. Chuaigh sé in Arm an tSaorstáit tar éis an Chonartha agus fuair bás le fíor-dhéanaí. Ar dheis Dé go raibh a anam.

11

na ngleannta; cuid de na fir gléasta in éide ghlasuaithne na nÓglach, ach a n-urmhór ina ngnáthéadaí féin. Bhíodh bandolier at gach duine acu, crios fána chom aige agus asáin ar a loirgne. Bhíodh cótaí trinse ar a n-urmhór agus raidhfil nó gunna fiaigh ag gach fear. Chítí cuid de na hÓglaigh agus gránáidí ar crochadh dá gcreasa acu. Bhí gasra Meaisínghunna le Colún a hAon. Gunna Hotchkiss a bhí acu ach is beag má bhí aon mhaith ann mar mheaisín-ghunna. Ghluaiseadh an colún in eagras oscailte de ghnáth agus na fir ag máirseáil ar dhá thaobh an bhóthair i bhfogas don chlaí. Uaireanta cloistí na fir ag gabháil amhrán agus iad ag teacht isteach i sráidbhaile éigin tar éis cath a bhualadh ar an namhaid. Bhíodh a gcuid féin amhrán acu ar nós "Step Together" agus a leithéidí, ach ba bhinne agus ba bhreátha leo "Amhrán na bhFiann"—"The Soldiers Song"—ná aon cheann eile acu. Ba dhream meidhreach mórmheanmnach iad—scoth agus plúr na nGael—agus ba mhór ag muintir na tuaithe iad. Cuirtí na tuartha fáilte rompu nuair a thagaidís isteach i mbaile beag chun a scíth a ligint ar feadh na hoíche; agus in ionad doicheall a bheith ar na daoine roimh na hÓglaigh a cuirtí ar coinnmheadh leo, is amhlaidh a bhíodh na teaghlaigh ag coimhlint le cheile i bhféile agus iad ag fearadh fíorchaoin fáilte rompu. Bhíodh na Gaill ar a dtóir i gcónaí agus níorbh fholáir do na hÓglaigh fir faire a chur amach ní hamháin san oíche ach sa ló féin ar eagla go dtiocfadh an namhaid orthu i gan fhios. Bhíodh urgharda roimh an gcolún amach le linn máirseála agus iargharda ina dhiaidh. Ní dhéanaidís moill in aon áit de ghnáth, ach gluaiseacht leo tríd an dúthaigh ar lorg an namhad agus ag iarraidh é thabhairt chun catha.

Leanadh den chogadh ar an dá thaobh i rith an tsamhraidh,

ach bhí ráflaí ar siúl i dtaobh coinníollacha síochána cheana féin. Chinn an Rialtas Gallda ar dhlí cogaidh a chur i bhfeidhm ar fuaid na hÉireann agus " iarracht báis nó beatha " a thabhairt ar na Gaeil a chloí. Bhí a gcúis féin acu leis sin. Bhíodar tar éis rabhadh d'fháil ó Ard-Cheannaire an Airm Ghallda in Éirinn .i. an Ginearál Mac Riada, agus fós ón Marascal Sir Henry Wilson, Ceann na Foirne Impriúla, go gcaithfidís na Gaeil a chloí an samhradh san nó go gcaillfidís Éire ar fad. Theastaigh tuilleadh saighdiúirí uathu. Bhíodar ag tnúth le 80,000 saighdiúirí a bheith ar fianas acu in Éirinn roimh dheireadh Mí Iúil. Más ea, chuir Mac Riada in iúl don Aireacht go gcaithfí na saighdiúirí uile, beagnach, a bhí an uair sin in Éirinn, maille leis an mórchuid de na Ceannasaithe Airm a bhí ann, a thabhairt as an tír agus arm úrnua ar fad a chur ina n-ionad muna gcloífí na Gaeil roimh Dheireadh Fómhair. Bhí morale an tseanairm nach mór briste ! B'shin iad na fátha fér chinn Aireacht na Breataine ar dhlí cogaidh a chur i bhfeidhm ar fuaid na hÉireann fé dheoidh. " Ní mar síltear bítear ! " Bíodh go raibh Mac Riada agus Wilson á éileamh ar feadh i bhfad ar an Rialtas dlí cogaidh d'fhógairt ar fuaid na hÉireann, bhíodar tar éis teacht ar mhalairt intinne um an dtaca inar chinn an Rialtas ar a gcomhairle a ghlacadh. Is é rud adúradar ansan nár cóir dlí cogaidh a chur i bhfeidhm mura n-éireodh leo muintir Shasana a mhealladh chun glacadh leis an bpolasaí nua ar dtúis. Mura ndéanfaí san ba dhearbh le Wilson agus le Mac Riada go dteipfeadh orthu agus ba é a dtuairim go mbrisfí an tArm Gallda sa chás san.

Is í comhairle ar ar chinneadar na Sasanaigh fé dheoidh, dá bhíthin sin, ná sáriarracht eile a dhéanamh chun na Gaeil a chloí, agus chuireadar mar chuspóir rompu na mílte saighdiúirí a chur isteach i limistéar an dlí chogaidh i gCúige

Mumhan agus na colúin reatha a lorg agus a thimpeallú agus a threascairt ar fad. Chuireadar chun na hoibre láithreach. Bhrúcht na mílte saighdiúirí ar aghaidh i dtreo an imeallbhoird i gCorcaigh agus i gCiarraighe agus iad beartaithe ar na colúin reatha a dhísciú. Rinneadh amhlaidh i dTiobraid Árann leis. Bhrúigh na Gaill na colúin rompu i dtreo na sléibhte agus súil acu go bhfaighdís a sáinniú agus a dtimpeallú ansan agus iad a dhíothú ina ndream agus ina ndream iar sin. Níor éirigh leo, cé gur beag nár gabhadh Colún a Dó. Bhí an colún i dteannta agus an namhaid timpeall orthu ar gach taobh, agus meireach gur tháinig dorchadas na hoíche i gcabhair orthu bhí deireadh go deo le Colún an Ógánaigh. Is ar éigin d'éirigh leo éalú trí línte na nGall i ndeireadh na dála.

Tuigeadh do thaoisigh na Treas Briogáide ansan nár mhór dóibh seifteanna nua a cheapadh chun an cogadh a choinneáil ar siúl le linn laethanta fada an tsamhraidh. Ní bheadh na colúin mhóra oiriúnach nó go mbeadh an samhradh thart. Chinneadar, dá bhrí sin, ar a ndíthiomsú agus na hÓglaigh a chur ar ais chun a ndúthaí féin. Rinneadh san. D'fhill gach duine acu ar a dhúthaigh féin gur ghaibh leis an Aonad Fianais a bhí ar bun sa dúthaigh sin. In ionad dhá cholún mhóra bhí ocht n Aonaid Fianais ag fearadh an chogaidh ar Ghaill sa cheantar briogáide feasta. Ní raibh sa bheartas nua ach beartas sealadach. Déanfaí na colúin a thiomsú arís tar éis an tsamhraidh, agus, cheana féin, bhí an Ceannasaí Roinne ag socrú go mbunófaí Colún Roinne chomh maith leis na colúin bhriogáide. Céad fear a bheadh sa cholún nua san agus cuireadh fógra chun na mbriogáidí d'iarraidh orthu fir a thoghadh chun dul ar fianas sa cholún. Níor bunaíodh an colún riamh mar, ar an aonú lá déag de Mhí Iúil, fógraíodh

Sos Cogaidh. Bhí breis agus trí míle fear sa Treas Briogáid i dTiobraid Árann an uair sin. Timpeall trí céad go leith dhíobhsan a bhí ar fianas nuair a scoireadh den chogadh, agus bhí dhá chéad go leith Óglach fé ghlas ag Gaill.

CAIBIDIL X

An Bhriogáid i nGéibheann

LE linn do na hÓglaigh sna Colúin Reatha bheith ag fearadh cogaidh in aghaidh na nGall ar mhachairí agus ar shléibhte Thiobrad Árann bhí dream eile dhíobh ag tabhairt dúshlán Shasana ar a mhalairt de shlí. Tá inste againn sa chaibidil deiridh sin roimhe seo conas mar a bhí dhá chéad go leith Óglach den Treas Briogáid fé ghlas ag na Gaill. Bhí cuid de na hÓglaigh sin i gcampaí géibhinn in Éirinn (i mBaile Cainnléara, b'fhéidir, nó ar Inis Píce nó ar Churrach Chill Dara), cuid acu i bpriosúin na hÉireann (Mountjoy nó Cill Maighneann i mBaile Átha Cliath, nó i bpríosún Portlaoise, b'fhéidir, nó i gcarcair Chorcaighe), agus bhí tuilleadh acu i bpríosún i Sasana. Tar éis a bhfuil inste againn go nuige seo fé eachtraí na nÓglach i dTiobraid Árann Theas ní mór dúinn cuntas éigin a thabhairt sa chaibidil seo ar an troid a rinne na hÓglaigh eile sa phríosún nó sa champa géibhinn in aghaidh an namhad chéanna. Tá a fhios ag cách fén troid a rinneadh sna colúin reatha ach is beag duine a bhfuil eolas aige ar an troid dian agus ar an gcomhrac cruaidh a fearadh laistigh d'fhallaí na bpríosún in Éirinn is i Sasana. Is ar an troid sin a bheidh cur síos sa chaibidil seo.

Bíodh ná raibh Óglaigh Thiobrad Árann páirteach in éirí amach na bliana 1916—rud nach tógtha orthu—gabhadh a lán acu nuair a bhí an troid thart i mBaile Átha Cliath gur seoladh thar sáile go Sasana iad. Ar na fir a sciobadh as a mbaile agus as a dtír dhúchais an uair sin bhí Piaras MacCanna ó Bhaile Eoghain a bhí an tráth san ina Oifigeach Ceannais ar Óglaigh uile Thiobrad Árann ; Pádraig S. Ó Maoldhomhnaigh, Lughaidh Dáltún, Tomás Mac Ruaidhrí agus Liam Benn ó Thiobraid Árann ; Éamon Ó Duibhir ón mBealach, Mícheál Ó Síocháin ó Dhún Droma, Séamas Ó Néill, Seán Ó Muirgheasa, Proinsias Ó Druacháin, Liam Mac Mílis, Tomás Ó hAilpín, Doiminic Ó Macdha, agus Donnchadh Ó Scéacháin ó Chluain Meala, gan ach beagán díobh a lua. Bhí baint ag a lán acusan leis an mBráithreachas (Bráithreachas Poblachta Éireann) agus níor bheag san chun amhras na nGall a tharraingt orthu.

Níorbh fhada gur fhill na príosúnaigh, agus ansan is ea a thosnaigh eagrú na nÓglach as an nua. An túisce a thug na Gaill fé ndeara go raibh obair na nÓglach fé lán tseol arís chuireadar a ladhar sa ghnó agus tosnaíodh ar na fir a ghabháil. Ar an gcuma san líonadh na príosúin athuair, agus ar na hÓglaigh a sáitheadh isteach an cor san bhí Seán Ó Treasaigh. I bhfómhar na bliana 1917 is ea a gabhadh an Treasach mar atá inste againn ar leathanach eile. Cuireadh i bpríosún Mountjoy é agus chuaigh sé ar stailc ocrais i dteannta na bpríosúnach eile. Ba de dheasca na drochíde a tugadh dó sa phríosún san a fuair Tomás cróga Ághas bás. Is amhlaidh a fágadh ina luí ar urlár lom na cille é ar feadh deich n-uaire is dathad a chloig gan leabaidh, gan éadaí leapan, gan bhróga. Le linn dó bheith ar stailc ocrais rinne lucht ceannais an phríosúin iarracht ar an mbia a chur siar síos ina scornach le foréigean gur thachtadar é. In ionad an bia a chur síos ina ghoile is amhlaidh a chuireadar síos ina dhiúcán é. Chuaigh a bhás i bhfeidhm go mór ar aigne na ndaoine. Meastar gur tháinig

30,000 duine d'fhéachaint a choirp in Otharlann Mháthair na Trócaire i mBaile Átha Cliath agus go raibh idir 30,000 agus 40,000 duine ar an sochraid. Suas le dhá mhíle dhéag d'Óglaigh na hÉireann a bhí ag máirseáil sa tsochraid sin, agus rud a chuir ionadh ar chách ba ea an méid sagart a shiúl roimh an gcomhra amach go díreach i ndiaidh réamhshlua

Piaras Mac Canna, T.D.

na nÓglach. Céad agus fiche dhíobh a bhí ann, agus ar na gluaisteáin a ghaibh páirt sa mhórshiúl bhí gluaisteán an Ardeaspaig.

Tuigeadh do Rialtas Shasana go gcaithfí bheith níos cúramaí feasta agus gan éinní a dhéanamh a spreagfadh suim

na ndaoine in eagraíocht na nÓglach nó i ngluaiseacht Sinn
Féin, agus go deimhin dob fhollas dóibh go ndearnadh botún
mór i Mountjoy, mar corraíodh croí agus fuil na ndaoine
ar chuma ná facthas ón uair a cuireadh an t-éirí amach féin
fé chois. Chuaigh crith déistin trí chroí na ndaoine ar chlos
dóibh fén ainíde agus an íospairt a tugadh don fhear uasal
san i bpríosún Mountjoy, agus léiríonn breith an choiste
chorónaera meon agus aigne an phobail go soiléir :
     " We find," ar siad, " that Thomas Ashe . . . died of
     heart failure and congestion of the lungs . . . caused by
     the punishment of taking away from his cell the bed,
     bedding and boots, and his being left to lie on the cold
     floor for fifty hours, and then subjected to forcible
     feeding in his weak condition after a hunger-strike of
     five or six days." Do luadh fós an bhunchúis a bhí leis
     an stailc ocrais úd ; " the hunger-striking was adopted
     against the inhuman punishment inflicted."
     Ní raibh na príosúnaigh uile ar aon fhocal maidir le morál-
tacht na stailceanna ocrais,   Chreideadar go léir nach raibh
de cheart ag na Sasanaigh iad a choinneáil fé ghlas ar aon
chor agus gur lú ná san a raibh de cheart acu drochíde a
thabhairt dóibh ; ach chreid a n-urmhór ina theannta san go
raibh gach ceart ag na príosúnaigh, dá bhrí san, dul ar stailc
ocrais ina gcoinne. Bhí cuid de na príosúnaigh ar a mhalairt
sin de thuairim áfach, agus dhiúltaigh na daoine sin don stailc,
i dtreo gur tharraingeadar míghnaoi a gcomrádaithe, orthu
féin. Ceist creidimh nó moráltachta a bhí ann, dar leo agus
ní ligfeadh a gcuid prionsabal dóibh dul ar stailc ocrais. Ní
meatachas ná mílaochas a thug orthu diúltadh don stailc, ach
a gcoinsiasacht agus a n-ionracas féin. Duine den dream san
ba ea Risteard Ó Colmáin a throid go cróga fé cheannas

Thomáis Ághas i gcath Dhún Riabhaigh sa bhliain 1916. Cuireadh ar a thriail é os comhair cúirte airm agus daoradh chun báis é, cé nár cuireadh breith an bháis i bhfeidhm . Ba mhian le cuid de na príosúnaigh iachall a chur ar Risteard Ó Colmáin—agus ar phríosúnaigh eile a bhí ar aon intinn leis—bheith páirteach sa stailc ocrais. Níor scrupall le Seán Ó Treasaigh dul ar stailc bídh agus bhí sé ullamh ar bhás d'fháil dá mba ghá é fé mar a fuair daoine eile bás ina dhiaidh san ní ba thúisce ná mar a ghéillfidís do mheon na nGall. Ach thuig sé go maith go gcaithfeadh gach éinne beart a dhéanamh de réir a choinsiasa féin. Chreid sé go raibh de cheart aige feidhm a bhaint as an stailc ocrais ; ach má chreid duine eile a mhalairt thuig sé go raibh de cheart ag an duine sin treoir a choinsiasa féin a leanúint, agus dá bhrí sin, chuir sé go mór i gcoinne na leathchuma a bhí á déanamh ar Risteard Ó Colmáin agus a leithéid.

Géilleadh d'éileamh na bpríosúnach tar éis bás Thomáis Ághas. Ní rabhthas ródhian orthu as san amach i Mountjoy ; go deimhin, is féidir a rá go raibh a bheag nó a mhór dá slí féin acu ón uair a cuireadh deireadh leis an stailc ocrais. Ní hé amháin gur ligeadh dóibh beartanna agus litreacha d'fháil óna gcairde, ach is amhlaidh a ceadaíodh dóibh bheith i gcaidreamh agus i gcomhluadar a chéile go minic, agus thugaidís cuairt ar a chéile ina gcillíní agus bhíodh rincí ar siúl acu anois agus arís ! Scríobh Seán Ó Treasaigh dialann le linn dó bheith i Mountjoy, agus tá an t-eolas san go léir le fáil ann. Bhíodh ranganna ag na príosúnaigh ionas go dtiocfadh leo cur lena gcuid eolais ar an nGaeilge agus ar an luaithscríbhneoireacht, agus fiú amháin ar chúrsaí míleata ! Is ar éigin a chreidfeá é, ach gheibhidís teagasc sa phríosún san ar na slite ab fhearr chun pléascáin a dhéanamh ! Maidir le rince, tá cur síos ag Seán Ó Treasaigh ina dhialann ar chleas a rinne Seosamh Mac Donnchadha; ag rince ar phláta a bhí sé agus d'éirigh leis leathdosaon mugaí a leagadh lena linn. Cuirtí deireadh leis an lá go diaga, mar chruinníodh na príosúnaigh ina gcillíní go ndeiridís an paidrín páirteach i dteannta a chéile.

Bhí an scéal go maith an fhaid a fágadh na príosúnaigh i Mountjoy, ach nuair a haistríodh go príosún Dún Dealgan iad gur thosnaigh na Sasanaigh ar dhul siar ar an gcomhaontú a bhí déanta acu leis na Gaeil fén gcóir ba cheart a chur ar phríosúnaigh " pholaiticiúla " d'éirigh an clampar arís. Chuir na príosúnaigh in aghaidh lucht ceannais an phríosúin agus chuadar ar stailc ocrais. Mhair an stailc nua san ar feadh ocht lá. Scaoileadh leis na príosúnaigh ansan, ach cuireadh ar a shúla do gach mac máthar acu go gcaithfeadh sé filleadh chun príosúin pé uair a tabharfaí fógra dhó, agus dá dtarlódh nach bhfillfeadh sé ar an bhfógra d'fháil dó, bheadh sé de cheart ag na Gaill é a ghabháil arís. Ní gá a rá nár fhill éinne de na príosúnaigh sin dá dheoin féin.

Gabhadh Seán Ó Treasaigh arís i bhFeabhra na bliana 1918. Cuireadh go Dún Dealgan é i dteannta Shéamais Uí Néill (ó Chluain Meala) agus Mhichíl Uí Bhraonáin (ó Chontae an Chláir), agus níor chian dó san áit sin go raibh sé féin agus a chomrádaithe ar stailc ocrais arís. B'shin í an uair a tháinig Domhnall Ó Braoin agus Muiris Mac Conchradha chun an bhaile sin le súil go bhféadfaidís seift a cheapadh chun Seán a thabhairt amach as an gcarcair i gan fhios do na Gaill. Ghéill na Sasanaigh d'éileamh na nGael, ámh, agus d'fhill an Braonach is a chomrádaí abhaile, ach d'fhan an Treasach mar a raibh sé i gcarcair an Rí.

I Mí na Bealtaine is ea d'fhógair an Rialtas Gallda go raibh

" comhcheilg " aimsithe acu. Bhí Gearmánaigh agus Sinn Féinithe i gcomhcheilg le chéile in aghaidh na Breataine, má b'fhíor do Rialtas Shasana, agus níorbh fholáir, dá bhrí sin, na Sinn Féinithe—agus na hÓglaigh—a chur in áit nach dtiocfadh leo aon díobháil a dhéanamh do shábháltacht na Ríochta Aontaithe ná do cheannas a Shoilse an Rí ar Éirinn. Chonacthas do lucht ceannais na nGall sa tír seo nach raibh aon áit ní ba shábhálta do na comhcheilgeoirí sin ná príosún an Rí, agus, ar an abhar san, thug fórsaí armtha na Coróine ruathar obann ar thithe na Sinn Féinithe agus na nÓglach a bhí ainmnithe as a ndílse do chúis na Poblachta gur rugadar orthu, agus gur dhíbríodar iad le barr na beaignite go Sasana, mar ar chuireadar fé ghlas iad. Ar na daoine céimiúla a gabhadh agus a cuireadh thar sáile an uair sin bhí Éamon de Valéra agus Art Ó Gríofa. Ach cuireadh mórchuid de na hÓglaigh chun príosúin leis, agus ina measc san bhí roinnt fear ó Thiobraid Árann. Cuireadh cuid de na príosúnaigh go príosún Lincoln : is ann a bhí Éamon de Valéra agus Liam Mac Coscair ; cuireadh tuilleadh acu go príosún Gloucester : orthu san bhí Piaras MacCanna, ceannfort na nÓglach i gCo. Thiobrad Árann roimh an bhliain 1918. Cuireadh tuilleadh fós go príosún Usc sa Bhreatain Bhig, agus bhí Proinsias Ó Druacháin ina measc san. Nuair a scaoileadh Proinsias as príosún Cloucester in earrach na bliana 1919 thug sé cuntas ar shaol na nGael le linn a ndeoraíochta thall, agus is fíor-shuimiúil an cuntas é. Tá sé le fáil san *Nationalist* (Cluain Meala) fén dáta Marta 15, 1919.

Rugadh ar Phroinsias Ó Druacháin ina theach cónaithe féin i mBealtaine na bliana 1918 gur tógadh chun siúil é go dtí dúnfort na nGall i gCluain Meala. Níor chian dó san áit sin nuair a seoladh Piaras MacCanna isteach sa tseomra chuige, agus tamall ina dhiaidh san cuireadh an bheirt phríosúnach ar an traen gur seoladh go hAcomhal Luimnighe (Gabhal Sulchóide) iad. Níorbh fhios dóibh fáth ná cúis a ngabhála gur rángadar Gabhal Sulchóide, nuair a cuireadh in iúl dóibh don chéad uair go raibh baint acu leis an "gComhcheilg Ghearmánach." B'shin é an chéad chogar a fuaireadar féna leithéid de chomhcheilg a bheith ar siúl ar aon chor! Tar éis tamall beag a chaitheamh in Acomhal Luimnighe cuireadh ar thraen Bhaile Átha Cliath iad, agus ar éigin a bhí an chathair sin bainte amach acu nuair a seoladh chun an bháid iad go ndúradh leo go raibh a dtriall ar Shasana. Nuair a bhuaileadar port i gCathair Chobí scaradh ó chéile iad ; cuireadh Proinsias Ó Druacháin go príosún Usc sa Bhreatain Bhig agus bhí isteach is amach le fiche príosúnach eile ina fhochair ag triall dó ar an áit sin. Cuireadh Piaras MacCanna go dtí Sasana mar ar sáitheadh isteach i bpríosún Gloucester é i bhfara Airt Uí Chríofa agus daoine mórthábhachta eile. Ní go rómhaith a caitheadh leis na príosúnaigh in Usc agus ghoill an áit mhífholláin ar a lán de na fir. D'éirigh a lán de na príosúnaigh breoite dá dheasca agus níor chuidigh an droch-bhia a gheibhidís lena neart ná a sláinte a choinneáil suas. Rinneadar a ngearán le Ceannasaí an phríosúin ach níor tugadh aon aird orthu nó gurbh éigean dóibh clampar a thógáil arís is arís eile. Géilleadh dá n-éileamh fé dheoidh agus tugadh cead dóibh cócaireacht a dhéanamh dóibh féin ar a gcuid bídh, a gcuid éadaigh féin a chaitheamh, caidreamh a bheith acu ar a chéile agus cuairt a thabhairt ar a chéile sna cilliní suas go dtí deich a chlog um thráthnóna. As san amach ní raibh an saol go dona acu ar aon chor. Cócaire ab ea Liam Ó Luachráin, duine de na príosúnaigh ó Bhéal Feirste, agus an bia go léir a gheibheadh na príosúnaigh óna gcairde

173

sa bhaile cuireadh féna churam-san é go ndéanfadh seisean a bhruith agus a riaradh ar chách.

Ina dhiaidh san is uile bhí an mí-ádh ar na príosúnaigh in Usc. Tháinig an slaghdán mór orthu dá ngoirtear de ghnáth an " Flú " agus níorbh fhada go raibh a n-urmhór in anchaoi. An dochtúir a bhí ag freastal orthu san am ní raibh cónaí air sa phríosún ná fiú i ngiorracht dó, ach b'éigean dó teacht óna theach féin seacht míle slí as láthair, agus ní thagadh sé chun an phríosúin ach uair sa ló. Maidir le deochanna, an té a mbeadh deoch uaidh i rith na hoíche, pé acu deoch the nó deoch fhuar é, b'éigean dó dul ina héagmais. An cúram nárbh fholáir a thabhairt do na hothair sa chás san, níor tugadh dóibh é, agus rud ba mheasa ná san, tugadh faillí iontu. I gcás Risteaird bhoicht Uí Cholmáin rinne scamhatas dá shlaghdán agus fé cheann cúpla lá bhí sé sciobtha chun siúil ag an mbás. Tugadh corp an fhir óig sin abhaile gur cuireadh in úir bheannaithe Ghlas Naoidhean é. Fuair sé bás an 7ú Nollaig, 1918.

Nuair a fuair na príosúnaigh scéala an olltoghcháin in Éirinn bhí gliondar croí orthu de bharr an bhua a rug lucht Sinn Féin. Ní raibh aon teora lena ríméad agus níor thúisce toradh an toghcháin ar eolas acu ná go raibh bratach na Poblachta á chur ar folúin acu os ceann na carcrach ; agus go deimhin, ní i dtaobh le haon cheann amháin a bhíodar mar is amhlaidh a bhí suas le sé bratacha ar folúin acu as na fuinneoga dob airde sa phríosún. Níor chian dá éis sin an uair d'éalaigh ceathrar Gael as príosún Usc. Ba iad Seosamh Mac Craith, Brian Ó Maoilíosa, Proinsias Shouldice agus Seoirse Mag Oireachtaigh na fir a rug na cosa leo. Ghaibh ionadh is alltacht an Gobharnóir is a fhoireann nuair a bhraitheadar na príosúnaigh uathu. Cuartaíodh gach poll is póirse

174

sa phríosún agus ceistíodh na príosúnaigh Éireannacha go grinn géar, ach tásc ná tuairisc na bhfear d'imigh ní fhuair an Gobharnóir ná a lucht cúnta. Níorbh fhada ina dhiaidh san gur cinneadh ar na Gaeil uile a bhí i bpríosun Usc a chur chun bóthair. Ní raibh i ndán dóibh go scaoilfí leo go ceann tamaill eile, ach is amhlaidh a haistríodh iad go príosún Gloucester mar ar theagmhaíodar le roinnt mhaith dá sean-chomrádaithe a bhí ar iostas sa charcair sin ar cuireadh an Rí.

Bhuail Proinsias Ó Druacháin agus Piaras MacCanna um a chéile i bpríosún Gloucester don chéad uair ó scaradh le chéile iad ag Cathair Chobí an Bhealtaine roimhe sin. Bhí céim nua faighte ag Piaras um an dtaca san ; is amhlaidh a hainmníodh é ina iarrthóir ag lucht Sinn Féin do cheantar Thiobrad Árann Thoir san olltoghchán a rinneadh i Mí na Samhna roimhe sin gur bhuaigh sé glan ar a chéile comhraic. Ní raibh sé i láthair, faraoir, nuair a tionóladh *Dáil Éireann* don chéad uair in Eanáir na bliana 1919, ná níor tháinig sé riamh ina dhiaidh san chun a ionad a ghlacadh imeasc teachtaí na hÉireann, mar fuair sé bás i bpríosún. Mar adúradh cheana bhí Art Ó Gríofa ar dhuine de na Gaeil a cuireadh go príosún Gloucester, agus is mó argóint a bhíodh idir é féin agus Piaras fén mbeartas úd an Dé-Ríochais a bhíodh á mholadh ag Art ina chuid nuachtán agus ina phaimpléidí polaiticiúla. Phléadh Art Ó Gríofa a chúis go dian dúthrachtach, agus níor thaise do Phiaras é ach é ag cur go daingean diongbhálta ina choinne agus é ag iarraidh beartas Poblachtánach a chur abhaile ar an bhfear eile. Scríobhadh Piaras chun an Athar Máirtín Ó Mathúna, C.S.Sp. i gColáiste Charraig an Tobair, agus i gceann de na litreacha san deire séann :

" . . . Tá Art Ó Gríofa ag foghluim na Gaeilge go dúthrachtach agus is iontach an dul chun cinn atá déanta cheana aige. Mise an múinteoir atá aige !"

Uaireanta agus é ag scríobh chun an Athar Máirtín d'fhágadh Piaras leathanach bán sa litir ionas go bhféadfadh Art é líonadh le teachtaireacht dá chuid féin. Snaidhmeadh dlúthcharadas eatorthu beirt, agus riamh ina dhiaidh san thugadh Art Ó Gríofa ardmholadh don chomrádaí a mhúin an Ghaeilge dhó i bpríosún Gloucester agus a thug a anam ar son na hÉireann sa phríosún céanna. I gceann de na litreacha úd a scríobh Piaras chun an Athar Máirtín Ó Mathúna, líon Art leathanach amháin agus imeasc na nithe adúirt sé leis an Athair Máirtín sa leathanach san ba é an rud ba shuimiúla ná go raibh sé (mar adúirt sé) "ina Phoblachtánach fé dheireadh" agus go raibh sé ag foghlaim na Gaeilge fé stiúrú Phiarais. Tháinig an mí-ádh ar phríosúnaigh Gloucester fé mar a tháinig roimhe sin ar phríosúnaigh Usc. Bhuail an Flú iad agus d'éag Piaras bocht MacCanna an 6ú Marta, 1919. Tháinig tocht agus traochadh ar a chomhphríosúnaigh de dheasca bás an fhir fhíoruasail sin, agus fágadh a chomrádaithe i dTiobraid Árann Theas go duairc dobrónach dá éis. Tugadh a chorp thar n-ais go hÉirinn mar ar cuireadh go honórach é i gcré na cille i nDubh-Alla agus thug Aire Cosanta na Poblachta, Cathal Brugha, a bhí an-tam san ina Uachtarán nó ina Phríomh-Aire sealadach, óráid os cionn na huaighe.

"Tá an martar múinte is déanaí againn sínte os ár gcómhair anso. Tá Piaras uasal ard-aigeanta MacCanna tar éis scarúint linn go deo. Na súla glasa gealgháiriteacha trína dtaitneadh a anam gan eagla orainn, táid iata go brách ag an mbás millte. Tá an guth glan binn ceolmhar ina shíorthost. Do shamhailse, a Phiarais, a bhí in aigne Thomáis Dhábhis an uair adúirt gur lucht córach a dhéanfadh náisiún dár nÉirinn áin arís . . . Á, mo mhíle slán leat a Phiarais anois ; céad slán leat a Phiarais an chroí fhéil is na haigne glé. Is maith is eol dúinn go bhfuilir cheana féin ar dheasláimh Dé."

Sin mar a labhair Cathal Brugha agus é ag cur slán leis an té a bhí á chur fén bhfód an lá uaigneach san ; agus tá ráite go raibh comharthaí uaignis chroí air go deimhin agus é ag cromadh i mbéal na huaighe le linn dó bheith ag cur críche lena óráid.

Bhí roinnt mhaith d'Óglaigh Thiobrad Árann Theas i bpríosún sa bhliain 1918 agus bhí cuid acu san i gcarcair Bhéal Feirste, áit ar tugadh drochíde thar na bearta dhóibh. I Mí Iúil is ea a thosnaigh an mórchlampar sa phríosún san. Bhí líon mór de na hÓglaigh agus de na Sinn Féinithe i gcoitinne fé ghlas ag na Gaill i mBéal Feirste, agus nuair a baineadh díobh na príbhléidí ar leith a tugadh roimhe sin do na príosúnaigh pholaiticiúla nó a buadh dóibh de bharr na troda a rinne na príosúnaigh féin in aghaidh lucht ceannais na bpríosún ar fuaid na hÉireann, d'éirigh na príosúnaigh sin amach arís agus chuireadar go daingean i gcoinne beartas an lucht cheannais. Sháraigh ar an lucht ceannais smacht a chur ar na príosúnaigh agus b'éigean dóibh dul i muinín Constáblachta Ríoga na hÉireann. An túisce a tugadh na píléirí isteach sa phríosún chun na " méirligh " a smachtú d'éirigh an clampar agus an rí rá agus an ruaille buaile. Ling na píléirí ar na príosúnaigh gur ghabhadar de bhaitíní orthu. Cuireadh glasa lámh ar na príosúnaigh ansan, caitheadh ar an urlár lom iad agus a lámha ceangailte laistiar díobh agus gabhadh de chosa orthu gan trua gan taise. Stracadh anuas an staighre iad ar a mbéal fúthu nó gur sroicheadh an t-urlár íochtarach mar ar stracadh ar an gcuma chéanna thar leacacha an phasáiste iad chun na gcillíní dorcha. Teilgeadh isteach sna cillíní sin iad agus fágadh ina luí iad ar an urlár lom leac gan na glasa lámh a bhaint díobh. Bhí na cillíní sin go fíordhona gan aon troscán ina n-urmhór agus gan comhgair shláintíochta ar bith iontu. Lean na píléirí isteach sna cillíní iad agus óisfheadáin ar iompar acu agus chromadar ar an uisce a scairdeadh isteach ar na príosúnaigh bhochta nó go rabhadar ina lipíní báite acu. Fágadh ina luí ansúd iad ar feadh trí lá agus trí oíche, agus nuair ná raibh aon chomhgair shláintíochta sna cillíní agus dá mbeadh féin, ná tiocfadh leo feidhm a bhaint astu toisc a lámha a bheith ceangailte, d'éirigh a gcuid éadaigh an-salach go dtí go raibh boladh an bhréantais ar fuaid na háite. Ar na daoine ar gabhadh de chosa orthu agus a stracadh anuas an staighre iarainn agus feadh leacacha an phasáiste ina dhiaidh san, bhí Cathaoirleach Chomhairle Chontae Chiarraighe agus Mícheál Ó Ciarmhaic (de Cheathrú Cathlán na Treas Briogáide i dTiobraid Árann) a bhí an uair sin ina Shuirbhéir Cúnta i gContae an Chábháin.

Chuir an Flú mór deireadh le brúidiúlacht na bpíléirí i mBéal Feirste, agus nuair a bhí an flú thart bhí síocháin is suaimhneas sa charcair arís. Ní fada a mhair ré an tsuaimhnis, áfach. Tugadh Óglach darbh ainm Seán Ó Deoráin go Béal Feirste agus cuireadh imeasc na gcuirpeach é in ionad é a chur imeasc na bpríosúnach polaiticiúil. Ní chuirfeadh na Poblachtánaigh suas leis sin, áfach, agus maidin áirithe nuair a tháinig an Deoránach chun an Aifrinn leis na cuirpigh tháinig na príosúnaigh polaiticiúla timpeall air agus thugadar leo go caithréimeach é chun a sciatháin féin den phríosún. Ó bhí a fhios acu go dtabharfadh na Gaill fúthu d'fhonn an Deoránach a ghabháil agus a thabhairt ar ais chun sciathán na gcuirpeach, bheartaíodar ar a sciathán féin den phríosún a leithleasú. D'aslonnaíodar bun-urlár an sciatháin sin ar fad agus, tar éis seilbh a ghlacadh ar an gcéad urlar, rinneadar an staighre cloch ón mbun-urlár go dtí an t-urlár eile a réabadh le ceapoird a rugadar leo ó stóras an phríosúin. Réabadar mar an gcéanna na pasáistí idir an sciathán eile den phríosún agus an sciathán ina rabhadar féin ar iostas. Bhí dún agus daingean déanta acu dá sciathán féin ansan agus gan aon fháil ag an namhaid ar theacht suas leo . Ina theannta san bhí stór maith bídh curtha i dtaisce acu agus thiochfadh leo a ndúshlán a chur fé na Gaill, rud a rinneadar gan aon ró-mhoill. Rinneadar poill mhóra sa díon agus d'ardaíodar bratach na Poblachta—uaithne, bán agus flannbhuí—os ceann an phríosúin, rud a chuir a sáith iontais agus feirge ar Oráistigh Bhéal Feirste.

D'ordaigh na Sasanaigh do na príosúnaigh Phoblachtánacha Seán Ó Deoráin a thabhairt suas, agus nuair ná géillfeadh na príosúnaigh bhrúcht na céadta saighdiúirí isteach sa phríosún agus ghlac díormaí dhíobh ionaid chatha sa chlós agus dhíríodar a gcuid inneallghunnaí ar na príosúnaigh . Rinne Ard-Mhaor Bhéal Feirste agus Ard-Mhaor Bhaile Átha Cliath eadarghabháil, ámh, agus le cuidiú an Easpaig Mac Ruaidhrí, d'éirigh leo socrú a dhéanamh idir na príosúnaigh agus an Rialtas Gallda. D'aontaigh na príosúnaigh Seán Ó Deoráin a thabhairt suas ar choinníoll go ndéanfaí é d'áireamh mar phríosúnach polaiticiúil agus go bhfaigheadh sé cóir dá réir. Thug an Rialtas geallúint go ndéanfaí amhlaidh agus ná bainfí éiric as na príosúnaigh sa díobháil a bhí déanta acu ach gurab amhlaidh a déanfaí iad d'aistriú go Sasana gan aon rómhoill. Bhí cáil ar an Deoránach de bharr ar tharla i bpríosún Bhéal Feirste agus bhí amhrán i mbéal an tslua i dtaobh na n-eachtraí sin :

Hurrah ! hurrah ! we won't give Doran back,

Hurrah ! hurrah ! they can't get on his track ;
He's safe because Green White and Gold supplants the
Union Jack
In the Sinn Fein Fortress in Belfast.

Gabhadh Ben Ó hIceadha, oifigeach den Treas Briogáid i
gCluain Meala Lá Coille na bliana 1919. Is é an " choir "
a cuireadh ina leith ná go raibh éide airm na nÓglach á caith-
eamh aige, rud a bhí in aghaidh dlí Shasana. Tháinig slua
mór de mhuintir Chluain Meala chun dúnfort na bpóilíní
sa bhaile sin gur ghlaodar ar na póilíní Ben Ó hIceadha a
scaoileadh amach chucu. Is é freagra a thug na póilíní orthu
ná tabhairt fén slua agus gabháil de bhaitíní ar na daoine.
Cuireadh Ben ar a thriail agus gearradh 18 míosa de dhian-
phríosúnacht air. Cuireadh go príosún Chorcaighe ar dtúis
é, ach nuair a ghaibh sé leis na príosúnaigh a bhí ar stailc ansan
agus iad ag éileamh cearta polaiticiúla, do haistríodh go Doire
Cholmcille é. Chuaigh sé ar stailc ocrais ansan agus tar éis
seal gairid a chaitheamh san otharlann cuireadh go príosún
Mountjoy é. Bhí stailc ar siúl ansan freisin agus ghaibh sé
le lucht na stailce, ach tar éis tamall do héiríodh as an stailc
sin. Is amhlaidh a bhí beartaithe ag cuid de na príosúnaigh
éalú as an bpríosún agus níor mhaith lena gceannasaithe go
ndéanfaí éinní a fhéadfadh a bheith ina abhar millte don phlean
a bhí leagtha amach acu. D'éalaigh Roibeard Bartún an
16ú Márta tar éis nóta d'fhágaint ina dhiaidh i gcóir an
Ghobharnóra inar chuir sé in iúl dó nár réitigh an áit leis agus
gurbh oth leis aon cheataí nó míchomhgar a déanfaí don
Ghobharnóir de dheasca an imeachta obainn. Is amhlaidh
d'oibrigh sé líomhán ar bharraí iarrainn na fuinneoige sa
chillín a bhí aige san otharlann. Nuair a bhí na barraí snoite
anuas aige d'éalaigh sé amach i gclós an phríosúin agus le

cúnamh dréimire rópa a caitheadh de dhroim an fhalla chuige d'éirigh leis an falla ard a chur de agus na cosa a bhreith leis.

Ghaibh rabharta feirge lucht ceannais na nGall nuair a fuaireadar scéala ó Ghobharnóir an phríosúin go raibh an Bartúnach imithe. Cuireadh coimisiún speisialta ar bun chun an scéal d'iniúchadh, ach rinneadh ceap magaidh ar fad de lucht ceannais an phríosúin agus de Rialtas na nGall in Éirinn nuair d'éalaigh fiche príosúnach eile as Mountjoy i lar an lae ghil le linn don choimisiún úd a bheith ag déanamh scrúduithe ar na toscaí ba bhun le héalú an Bhartúnaigh. Baineadh feidhm as dréimire rópa an iarracht san freisin, agus ar na daoine a rug na cosa leo bhí Ben Ó hIceadha. Ba iad Piaras Béaslaí agus Séamas Breathnach a threoraigh na príosúnaigh thar falla amach an fhaid a bhí dream beag eile de na cimí ina seasamh ag bun an fhalla agus iad ag cur cúil ar na coimeádaithe le " gunnaí " a bhí ina bpócaí acu. B'shiúd an lucht coimeádtha agus a lámha in airde acu, ach nach orthu a tháinig an bhuile agus an ceann fé ar ball nuair a fuaireadar amach nach raibh sna " gunnaí " a bhí i bpócaí na bpríosúnach ach gnáth-spiúnóga príosúin ! Ba ghairid an mhoill ar lucht na mbailéad scéal na heachtra san a thabhairt don phobal, agus go deimhin bhí abhar grinn go dóite ann. Cuireadh síos sa bhailéad ar éalú an Bhartúnaigh ar dtúis agus ansan ar éalú na bpríosúnach eile. Tugaim dhá bhéarsa don léitheoir anso :

> The first was bold Barton,
> When he was departin',
> Left a note for the Boss his
>   politeness to show,
> And a dummy in order
>   to fool the poor warder,

But Barton had popped it
 alive, alive O !

J. J. Walsh and Pierce Béaslaí
 The trick did quite easily
Some pro-German devils
 a ladder did throw ;
Then some twenty Sinn Feiners
 like acrobat trainers
Scaled the wall and got free all
 alive, alive O !

Alive, alive, O ! alive, alive O !
Sinn Feiners pro-Germans alive, alive O !

Níorbh fhada roimhe sin an uair a gabhadh Muiris Mac
Conchradha, Pádraig Ó Maoldhomhnaigh agus Liam Ó
hAirtnéada i gCill Ros. B'shin é an 7ú Márta, 1919, agus
rinne fórsaí na Coróine ruathar ar áras cónaithe mhuintir
Bharlow ag Sruth an lá céanna san. Chabhadar an bheirt
dearthár Art agus Maitiú Barlow, maraon le Pádraig de Paor
(a bhí ina O.C. ar Chomplacht Bhrughais) agus Tomás Ó
Nuanáin. Rugadar na príosúnaigh leo go dúnfort na nGall
i dTiobraid Árann agus, tar éis iad a choinneáil sa bheairic
sin ar feadh cúpla lá, chuireadar go carcair Chorcaighe iad.
Coicíos ina dhiaidh san scaoileadh saor iad uile ach amháin
an bheirt dearthár. Cuireadh armchúirt orthusan agus
gearradh dhá bhliain de dhaorphríosúnacht orthu. Tugadh
cead a gcos dóibh tar éis cúpla mí, ámh. Bhíodar fé ghlas
sna cillíní aonair ar feadh i bhfad agus theip ar an sláinte acu
dá dheasca.

Gabhadh Muiris Mac Conchradha agus Pádraig Ó Maoldhomhnaigh athuair an 22ú Aibreán agus coinníodh fé ghlas i ndúnfort na saighdiúirí i dTiobraid Árann iad ar feadh deich lá. Cuireadh binse airm ar Mhac Uí Chonchradha i gCorcaigh ina dhiaidh san agus gearradh 12 mhí de dhianphríosúnacht air. Bhí dream príosúnach ar stailc i bpríosún Chorcaighe an uair sin agus ghaibh Muiris Mac Conchradha leo. Ba é Tomás Ó Donnchadha ó Lios Tuathail i gCo. Chiarraí a bhí i gceannas na bpríosúnach a bhí ar stailc, agus nuair a scaoileadh saor é i lár an tsamhraidh toghadh Muiris Mac Conchradha ina Oifigeach Ceannais ar na príosúnaigh ina ionad. Bhí na príosúnaigh sin uile i sciathán 10 den phríosún agus is sa sciathán san a cuireadh Gearóid Ó Súilleabháin freisin nuair a gabhadh é le linn ruathair a rinneadh ar Thigh Chuain Dor i gCo. Chorcaighe. D'éirigh le Gearóid bheith ina Aidiúnach-Ghinearálta d'Arm na Poblachta ina dhiaidh san. Beirt is triocha a bhí fé ghlas sa sciathán san den charcair, agus chuaigh an uile dhuine acu ar stailc ocrais an 25ú Meán Fómhair d'éileamh a gcearta polaiticiúla. Is amhlaidh a bhítheas á gcur i gcillíní aonair agus gan cóir príosúnach polaiticiúil á cur orthu mar mheasadar. Maidin Dé Domhnaigh, an treas lá tar éis dóibh dul ar stailc ocrais do haistríodh ochtar is fiche de na príosúnaigh sin ó Chorcaigh go Baile Átha Cliath mar ar sáitheadh isteach i bpríosún Mountjoy iad. Tugadh cearta príosúnach polaiticiúil dóibh ar dtúis i Mountjoy, ach tháinig athrú ar an scéal go hobann agus baineadh na cearta san díobh arís nuair ná rabhadar ach trí lá sa phríosún. Bheartaíodar, dá bhrí sin, ar stailc eile a chur ar siúl mura ngéillfeadh an Gobharnóir dá n-éileamh.

Toghadh coiste chun dul chun cainte leis an nGobharnóir, agus tar éis don choiste a n-éileamh a chur in iúl dó dúradar leis gur theastaigh freagra uathu taobh istigh de thrí lá. Bhí beartaithe acu dul ar stailc ocrais agus an príosún a réabadh as a chéile dá mb'fhéidir é mura bhfaighidís freagra sásúil. Ós rud é nár tugadh aon aird ar an éileamh a bhí á dhéanamh acu chuadar ar stailc ocrais ar uair an mhéan oíche, an 6ú Deireadh Fómhair. Is é céad rud a rinneadar ná baracas a thógáil i ngach cillín chun cúl a choinneáil ar na coimeádaithe an fhaid a bhí na cillíní á mbriseadh acu. Réabadar na cillíní ansan, bhriseadar na fuinneoga, rinneadar smidiríní den troscán, stracadar an t-éadach leapan nó thugadar tine dhó ! Nuair nár éirigh leis na coimeádaithe teacht orthu sna cillíní chuadar i muinín na huirlise ar baineadh feidhm aisti roimhe sin i mBéal Feirste, is é sin óisfheadán an uisce. Mhair an comhrac cruaidh sin idir na príosúnaigh agus an lucht coimeádta go dtí tuairim is a cúig a chlog ar maidin, agus ó bhí na príosúnaigh traochta tnáite fén am san, agus a lán acu ina lipíní báite, d'éirigh leis an dream eile an lámh uachtair d'fháil orthu fé dheoidh. Cuireadh glasa lámh ar na príosúnaigh ansan agus fágadh ar an gcuma san iad ar feadh seachtaine nó mar sin, agus na héadaí fliucha orthu i gcaitheamh na haimsire sin go léir. Chuadar ar stailc ocrais ansan. Ba é Éamon (" Ted ") Ó Ceallaigh a bhí i gceannas na bpríosúnach le linn na troda san ; ba é Muiris Mac Conchradha a bhí ina Leas-Cheannasaí, Seosamh Ó Ceallaigh ina Aidiúnach, agus bhí beirt eile ar an gcoiste maraon leo .i. Proinsias Ó Gallchobhair agus Gearóid Ó Súilleabháin. Do haistríodh " Ted " Ó Ceallaigh go príosún Doire ansan agus chuaigh Muiris Mac Conchradha i gceannas na bhfear, agus is é a bhí i gceannas le linn na stailce ocrais. Níor mhair an stailc ocrais i bhfad ámh, mar ghéill an Rialtas ar an gceathrú lá agus tugadh cead a gcos do na príosúnaigh. Le linn do gach duine acu bheith ag imeacht as an bpríosún fé dhéin an ospidéil tugadh rabhadh dhó i scríbhinn go gcaithfeadh sé filleadh ar an bpríosún chun an chuid eile dá théarma a chur isteach ann an 16ú Nollaig, 1919. Ní gá a rá nár fhill éinne de na príosúnaigh ach an méid díobh a tugadh thar n-ais i gcoinne a dtola. Ar na hÓglaigh ó Thiobraid Árann Theas a raibh páirt acu sna heachtraí atá luaite againn thuas bhí Séamus de Brún ó Chill Sheanáin (Cathlán III), Páid Mór Dáltún, Máirtín ("Sparkie") Ó Braoin, Pádraig Ó hAllmhuráin, Tomás Ó Tuamaigh, Roibeard Condún, Pádraig Ó Riain, Seán Ó Duibh (Black), Tomás Ó Fionnghalaigh agus Brian Ó Seancháin (Cathlán IV).

Gabhadh Muiris Mac Conchradha arís an 8ú Márta, 1920, maraon le Seán Ó Meára agus Seán Mac Giolla Phádraig. Ar iostas i dteach mhuintir Mhaoldhomhnaigh i Lic Ailbhe a bhíodar nuair a rugadh orthu. Cuireadh Muiris Mac Conchradha chun príosúin Mountjoy arís d'fhonn go gcuirfeadh sé isteach sa phríosún san an chuid dá thearma príosúnachta ná raibh curtha isteach aige fós de réir dlí Shasana. Bhí suas le leathchéad príosúnach polaiticiúil i sciathán "A" den phríosún agus uad uile arna ndaoradh ag cúirt éigín, pé acu cúirt airm í no a mhalairt. Príosúnacht aonair a cuireadh ar na fir sin. Ba iad Éamon Ó Maoileoin ó Bhaile Átha hÍ i gCo. Chill Dara agus Críostóir Ó Luasaigh ó Chorcaigh a bhí ina gceannas. Bhí suas le leathchéad eile de phríosúnaigh pholaiticiúla i sciathán "B" den phríosún nár tugadh os comhair cúirte ar bith. Ba iad Peadar Mac Fhlannchadha, Tomás Ó Fiacha agus Proinsias Ó Gallchobhair a bhí i gceannas na bhfear san.

Bheartaigh na príosúnaigh "dhaortha" ar stailc mhór a chur ar siúl agus d'iarradar cead ar Cheanncheathrú an Airm chuige sin. Rinne lucht na Ceanncheathrún scrúdú ar an bplean a bhí beartaithe ag na príosúnaigh agus thaitn sé leo. Thugadar cead do na príosúnaigh é a chur i bhfeidhm, dá bhrí sin, agus cheap an tArd-Aidiúnach (Gearóid Ó Súillabháin) Muiris Mac Conchradha ina Oifigeach Ceannais ar na príosúnaigh uile a bhí fé phianbhreith. Ba é Mícheál Ó Cearbhalláin a bhí ina Aidiúnach orthu. Ní cearta polaiticiúla a bhí á n-éileamh ag na príosúnaigh an iarracht san ; is é a theastaigh uathu go scaoilfí chun siúil iad as an bpríosún gan choinníoll gan cheangal d'aon tsórt a bheith orthu. Níor tugadh aird ar a n-éileamh agus thosnaigh an stailc mhór Céadaoin an Bhraith, 1920. Thóg na fir baracais ina gcillíní agus ansan bhriseadar a raibh iontu de throscán agus leagadar na fallaí a bhí idir na cillíní go dtí go raibh aon tseomra nó halla mór amháin san áit a raibh na cillíní roimhe sin. Tháinig an lucht coimeádta á n-ionsaí ansan, agus nuair a fuaireadar an lámh uachtair ar na príosúnaigh fé dheireadh chuireadar na glasa lámh orthu agus d'aistríodar iad uile go dtí sciathán " C " den phríosún. Chuaigh na coimeádaithe chun a ndinnéir ansan. Idir an dá linn bhí na príosúnaigh go gnóthach agus nuair d'fhill na coimeádaithe tar éis an dinnéir tháinig leathadh súl is béil orthu le teann iontais is alltachta, óir bhí Sciathán " C " den phríosún ina fhothrach ó cheann go chéile !

Thosnaigh an stailc ocrais Luan Cásca agus na príosúnaigh nach raibh cúirt curtha orthu fós ghabhadar leis na príosúnaigh a bhí fé phianbhreith, i dtreo go raibh breis agus céad fear ar stailc ocrais ansan. Níor cuireadh d'iachall ar éinne, ámh, dul ar stailc ocrais. Fágadh fén uile dhuine a rogha féin a dhéanamh de réir a choinsiasa, ach cuireadh ar a shúla do gach duine a ghaibh leis an stailc go gcaithfeadh sé ceangal

186

sollamanta a ghlacadh air féin gan aon bhia d'ithe, ná aon deoch d'ól ach uisce amháin, go dtí go gcuirfí cóir phríosúnach cogaidh ar na fir uile a raibh páirt acu sa stailc sin nó go dtabharfaí cead a gcos dóibh. Chromadar na fir ar staonadh ón mbia um nóin. Chanadar *Amhrán na bhFiann* ar dtúis agus ansan thángadar ar a nglúna agus dúradar an paidrín páirteach. Uair áirithe gach uile thrathnóna thagadh na fir uile ar a nglúna mar sin chun an paidrín páirteach a rá, agus leanadar go dílis den nós san an fhaid a mhair an stailc ocrais. An fhaid a bhíodh na fir istigh sa phríosún ag rá an phaidrín pháirtigh bhíodh na sluaite dubha de dhaoine ar a nglúna sna sráideanna lasmuigh agus an paidrín páirteach céanna ar siúl acu. An tAthair Ailbhe, O.F.M. Cap. a bhí ag treorú na sluaite sa phaidreoireacht agus thugadh sé cuairt ar na príosúnaigh gach lá go dtí gur chosc na Gaill air dul isteach sa phríosún a thuilleadh. Nuair nach raibh ar a chumas teacht chucu feasta chuir sé nóta chucu an 13ú Aibreán, 1920.

" Don Cheannphort Mac Conchradha.

" Bheirim mo ghrá agus mo bheannacht do na fir chróga uile atá ag troid ar son saoirse agus neamhspleáchas na hÉireann i Mountjoy.

" Léifead an tAifreann ar son an uile dhuine acu ar maidin. Bímid ag guidhe ar bhur son gach lá óir n cead dúinn sibh d'fheiscint.

" An tAthair Ailbhe."

Ba mhór an tógáil chroí do na fir a bhí ar stailc ocrais an nóta san dfháil ón gCapuisíneach dílis agus ba mhóide a meanmna a fhios a bheith acu go raibh na paidreacha á gcur suas chun Dé ar a son agus go mbeadh an tAifreann doimhin

á rá dhóibh mar an gcéanna. Ar na daoine a tháinig d'fhéach-
aint na bpríosúnach bhí duine de na giúistísí cuarta, fear darbh
ainm Ó Cléirigh. Ní cómbáidh a bhí aigesean leis na príosún-
aigh ach a mhalairt, agus ní d'fhonn trua a dhéanamh leo ach
d'fhonn aghaidh béil a thabhairt orthu a tháinig sé. Más ea,
nuair a chonnaic sé na fir chróga san agus iad sínte ar a leapacha
ag fuireach go foighneach leis an mbás corraíodh chomh mór
san é gur impigh sé ar an Tiarna French gan iad a ligint chun
báis. D'iarr sé go dtabharfaí cearta polaiticiúla dhóibh ar
a laghad. Do heitíodh é agus chaith sé suas a phost dá dheasca.
"No man," ar seisean, "with a drop of Irish blood in his body
could but resent it."

Fear céimiúil eile a thug cuairt ar na príosúnaigh ba ea
an tEaspag Mícheál Ó Fógartaigh, Easpag Chill Dá Lua. Ar
theacht amach as an bpríosún dó labhair sé leis na nuachtóirí
a bhí bailithe timpeall an gheata :

"It affected me profoundly," ar seisean, "to see these
noble-minded men of stainless character, many of them
without a trial or charge, in prison at all ; and then to look
upon them stretched exhausted, calmly waiting death,
should that be necessary, for the sake of principle. For
they are absolutely inflexible in their resolution to die
rather than submit to what they regard as a horrible
outrage on common humanity and justice . . . I
doubt if there is a country in the world where you could
have so much heroism on one side and cruelty on the
other."

Corraíodh fuil na nGael ar chlos na dtuairiscí sin dóibh.
Bhí mórchuid acu gan mórán báidhe acu leis na Poblachtánaigh
roimhe sin, agus cuid acu is dócha gan aon bháidh ar aon chor
acu leo, ach de réir mar a chuaigh caitheamh san aimsir bhí

na daoine sin ag teacht ar mhalairt aigne maidir leis na hÓg-
laigh agus le cúis na saoirse. An íbirt a bhí á déanamh ag
na fir a bhí ar stailc ocrais chuaigh sí go mór i gcion ar aigne
na ndaoine, agus ní haibhéil a rá go raibh na gnáthdhaoine
tógtha go mór dá bharr. Bhíodh na sráideanna timpeall
ar an bpríosún pulcaithe le daoine, agus bhí na sluaite ag
gabháil chun méaduithe i gcónaí. Cuireadh na céadta de
shaighdiúirí Gallda ar na sráideanna, iad uile fé airm agus
éide agus trealamh cogaidh, agus bhí a gcuid mótarthrucailí,
a gcuid carra iarnaithe agus a gcuid carbad cogaidh nó tain-
ceanna le feiscint san uile áit. D'fhógair Páirtí an Lucht
Oibre Stailc Ghinearálta ansan agus d'éirigh an lucht oibre
go léir as gach obair a dhéanamh ar fuaid na hÉireann. D'fhoil-
sigh buanchoiste Cliarfhlaitheas na hÉireann fógra sollamanta
a raibh ainmneacha an Chairdinéil agus na n-ardeaspag eile
maraon le mórchuid de na heaspaig leis.

" We feel it a solemn duty," ar siad, " to call the attention
of every one to the appalling tragedy that seems iminent
in Mountjoy Prison. It is a very serious responsibility
for any Government to arrest a man on suspicion and
detain him in prison without charge or trial . . . But
now to add to the miseries of this tortured country those
canons of civilization are trampled under foot and Irish
political prisoners, tried and untried, are denied the
consideration which is certainly their due, and which even
last year were allowed in Ireland. If a disaster which
will do unspeakable damage for many a day ensues from
this insensate course the responsibility must undoubtedly
rest with the Government that substitutes cruelty, ven-
geance and gross injustice for equity, moderation and
fair play . . . "

Aird níor tugadh ar ráiteas san na n-easpag ach oiread is a tugadh ar ráiteas Pháirtí an Lucht Oibre. Mar sin féin, níor stríoc na daoine. In ainneoin na mílte de shaighdiúirí armtha a bhí cóirithe ar na sráideanna ; in ainneoin na dtainceanna agus na gcarra iarnaithe agus na dtreanglam de shreang dheilgneach a bhí le feiscint ar gach taobh, bhí na sráideanna ag cur tharstu le daoine agus iad uile ar a nglúna ag freagairt an phaidrín pháirtigh a bhí á thabhairt amach ag na sagairt. Ghéill an Rialtas Gallda fé dheoidh, agus is cinnte gurbh iad na paidreacha a cuireadh suas chun Dé agus chun a Mháthar chomh dúthrachtach san ar fuaid na hÉireann a rug an bua san. Mar adúirt an file :

> Then up from the heart of the city
> > Ere Sunday's course was run
> Arose a great prayer for pity
> > To Mary and her Son.
> And oppression saw with silent awe
> > That people of valiant deeds
> Could defy its power in the darkest hour
> > With a Cross and a string of beads.

Le linn don troid sin a bheith ar siúl i bpríosún Mountjoy i mBaile Átha Cliath, bhí a shamhail eile de throid ar siúl i bpríosún Wormwood Scrubbs i Londain. Céad seachtó agus cúigear príosúnach a thug dúshlán na nGall sa phríosún san, agus ar na fir a chuaigh ar stailc ocrais ann bhí roinnt mhaith Óglach de Bhriogáid Thiobrad Árann Theas. Do haistríodh cuid de na fir sin ó phríosún Bhéal Feirste agus bhí sé de mhí-ádh orthu gur thug na hOráistigh fúthu agus iad ar a slí go Sasana. Bhí na príosúnaigh ceangailte ina mbeirt agus ina mbeirt le glasa lámh agus ní raibh aon deis acu ar iad féin a chosaint ar lucht a n-ionsaithe, ná ní dhearna a lucht coimeádta aon iarracht ar iad a chosaint ach oiread. Nuair a rángadar Londain fé dheireadh tugadh drochíde thar na bearta dhóibh. Mhair an stailc ocrais i Wormwood Scrubbs go ceann trí seachtaine ach ghéill an Rialtas i ndeireadh báire agus scaoileadh saor na príosúnaigh uile. Níorb é príosún Wormwood Scrubbs an t-aon phríosún amháin i Sasana a raibh stailc ann an uair sin. Cuireadh stailc ar siúl bliain roimhe sin i bpríosún Birminghan agus bhí duine den bheirt a bhí i gceannas na stailce ina bhall de Bhriogáid Thiobrad Árann Theas, is é sin D.P. Breathnach. D'éiligh sé féin agus Piaras Béaslaí na gnáthchearta polaiticiúla do na príosúnaigh Éireannacha agus b'éigean dóibh troid dian daingean a dhéanamh ar son na gcearta céanna sar a bhfuaireadar iad. Tamall dá éis sin d'éirigh leis an mbeirt sin éalú as príosún Strangeways i Manchester i lár an lae maraon le ceathrar Gael eile, .i. Áibhistín de Staic, Seán Ó Deoráin, Conchubhar Ó Conghaile agus Pádraig Mac Cárthaigh.

I Mí Iúil sa bhliain 1920 tharla troid idir dream de na hÓglaigh agus dream den namhaid gairid do stáisiún Imleach Iubhair. Seisear saighdiúirí agus ceathrar póilíní a bhí sa phatról Gallda agus gabhadh ochtar acu sa troid. Baineadh a gcuid armacha agus a dtrealamh cogaidh díobh agus scaoileadh chun siúil iad ansan. Cúpla lá ina dhiaidh san rugadh ar Mhuiris Mac Conchradha agus tugadh chun dúnfort na saighdiúirí i mbaile Thiobrad Árann é mar ar " aithníodh " é. Dúradh gur dhuine de na hÓglaigh d'ionsaigh an patról úd é, agus cuireadh go príosún Chorcaighe é gan aon mhoill. Ní miste a rá anso ná raibh aon bhaint ag Muiris leis an ionsaí sin. Gabhadh Traolach Mac Suibhne, Ard-Mhaor Chorcaighe agus Ceannfort Briogáide a hAon i gCorcaigh an 12ú Lúnasa, 1920, agus sáitheadh isteach i bpríosún Chorcaighe é. An lá roimhe sin go díreach is ea a thosnaigh stailc mhór ocrais i gcarcair Chorcaighe agus bhí an stailc sin fé lántseol an uair a tháinig Traolach Mac Suibhne agus roinnt príosúnach eile isteach. Ba é Tadhg Ó Maonghaile ó Mhainistir na Corann a bhí i gceannas na bpríosúnach a bhí fé phianbhreith, agus Muiris Mac Conchradha a bhí i gceannas na bhfear a bhí gan triail san am. Bhi an dá dhream páirteach sa stailc ocrais, agus ba í an stailc sin an stailc ocrais ba mhó dá ndearnadh riamh roimhe sin ná riamh ó shin. Bhí roinnt fear de Bhriogáid Thiobrad Árann Theas páirteach sa stailc sin agus orthusan bhí Mícheál Ó Síocháin agus Micheál de Búrca. An túisce a thosnaigh an stailc cuireadh Comhairle Phríosúnach ar bun agus ceapadh Muiris Mac Conchradha ina O/C agus Mícheál Mac Gearailt (Bríogáid Chorcaighe II) ina Leas-O/C. Ceathrar a bhí ar an gComhairle, .i. Conn Ó Naíonáin ó chathair Chorcaighe (Bríogáid Chorcaighe I), Seán T. Ó Ríordáin, Cill Mocheallóg (Bríogáid Luimnighe Thoir), Mícheál de Búrca, Fíodh Ard (Bríogáid Thiobrad Árann Theas) agus Conn Mac Conmara ó chathair Luimnighe (Bríogáid Luimnighe Láir). Tar éis don stailc a bheith ar siúl ar feadh coicíse tugadh Conn Ó Naíonáin, Tomás Cráfort (ó Bhaile an Londraigh) agus Muiris Mac Conchradha amach as an bpríosún ar shínteáin agus cuireadh isteach san otharlann i ndúnfort na saighdiúirí iad. Bhí beartaithe ag na Gaill bia a chur siar go fórsúil orthu, ach nuair a chuaigh an scéal san amach tógadh an oiread san calláin sna nuachtáin gurbh éigean dóibh éirí as mar iarracht. Dhá oíche ina dhiaidh san caitheadh an triúr príosúnach san isteach i dtrucail mhíleata agus rugadh go Cuan Chorcaighe iad mar ar cuireadh ar bord galtáin darbh ainm an *Heather* iad. Cuireadh tuairim agus tríocha de lucht na stailce ar bord na loinge sin agus díbríodh go

Sasana iad. Bhí cuid de na príosúnaigh sin fé phianbhreith agus cuid nach raibh aon triail curtha orthu san am.

Nuair a tugadh Muiris Mac Conchradha as príosún Chorcaighe chuaigh Mícheál Mac Gearailt i gceannas na bpríosúnach uile agus ceapadh Mícheál de Búrca ina O/C ar na príosúnaigh nár triaileadh. Gabhadh Mícheál de Búrca tamall roimhe sin i dTiobraid Árann agus gunna ina sheilbh. Ba leor san lena dhaoradh chun báis. Ach ba mheasa ná san an scéal. An gunna a bhí aige ba ghunna é a bhain le póilín a gabhadh i gcath leis na hÓglaigh tamall roimhe sin gur baineadh an gunna dhe. Ó bhaineann an eachtra bheag san le scéal na Treas Bríogáide agus ná fuil tagairt déanta againn di cheana b'fhéidir gur mhaith leis an léitheoir é léamh anso.

Patról beag de phóilíní a bhí ag dul ó Chaiseal Mumhan go Baile an Iubhair an 2ú Iúil, 1920. Patról rothaithe a bhí ann .i. ceathrar póilíní de Chonstáblacht Ríoga na hÉireann agus an tOifigeach Ceannais (an Sáirsint Roibeard Tóibín) a chur san áireamh. Bhí gach cóir chosanta agus lámhaithe ar fheabhas acu, óir bhí gunnán (roithleán) ag an Tóibíneach, gunna fiaigh agus roinnt gránáidí ag an gConstábla Ó Brádaigh, raidhfil ag an gConstábla de Ros agus uathghunna ag an gConstábla Ó Maoldhomhnaigh. Chuaigh an patról trí Dhubh Alla agus nuair a bhíodar gairid do chrosaire an Bhaile Nua agus iad ag déanamh ar Bhaile an Iubhair do hionsaíodh iad go hobann. Maraíodh an Sáirsint Tóibín ar an láthair sin. Gabhadh an Constábla Ó Maoldhomhnaigh agus baineadh de a threalamh cogaidh agus a uathghunna. Rug an bheirt eile na cosa leo ach créachtnaíodh an Constábla Ó Brádaigh go mór. Mar sin féin d'éirigh leis an bhfear chréachtnaithe tiach agus gunna an tsáirsint mhairbh a bhreith leis ó ionad an eadarnaí. Chuaigh sé in airde ar a rothar agus chuir an

193

bóthar de chomh tiubh géar in Éirinn is a thiocfadh leis. Stad ná cónaí ní dhearna sé gur bhain sé amach áit dídin i dtábhairne le fear darbh ainm Ó Donnchadha timpeall míle go leith ón áit inar tugadh fúthu. Gabhadh Mícheál de Búrca an 8ú lá de Lúnasa a bhí chugainn agus fuaradh uathghunna an Chonstábla Ó Maoldhomhnaigh ina sheilbh. Ba dheimhin le lucht a ghabhála ansan go raibh baint aige leis an ionsaí a rinneadh ar an bpatról, murab é féin a bhí i gceannas na bhfear a rinne an t-ionsaí sin. Thugadar fíor-dhrochíde air, agus tá sé ráite go raibh driuch millteach air nuair a ráinig sé carcair Chorcaighe, é briste brúite agus a aghaidh ar fad ata, dubh. Cuireadh imeasc na bpríosúnach neamhchúisithe é agus thug sé tamall maith ina measc agus é ag feitheamh lena thriail ar chúis dhúnmharfa. Dá dtabharfaí i láthair armchúirte é an uair sin is beagnach cinnte go ndaorfaí chun a lámhaithe é. Bhí sé d'ádh ar Mhícheál, ámh, nár cuireadh triail air an uair sin.

D'fhan Mícheál ina Oifigeach Ceannais ar na príosúnaigh neamhchúisithe go dtí deireadh na stailce. Nócha lá ar fad a mhair an stailc uafásach san agus d'éag dís Óglach dá dheasca, .i. Mícheál Mac Gearailt ó Mhainistir Fhearmuighe agus Seosamh Ó Murchadha ó Chorcaigh. Bhí Mícheál de Búrca féin ar tí a chaillte nuair d'ordaigh an tUachtarán Ionaid (Art Ó Gríofa) deireadh a chur leis an stailc tar éis bás an Cheannfoirt Traolach Mac Suibhne, Ard-Mhaor Chorcaighe.

Maidir leis na fir a haistríodh ó Chorcaigh go Sasana, thugadar beagnach ocht n-uaire déag a chloig ar bord na loinge úd ar an aistear ó Chorcaigh go Pembroke agus oiread agus braon uisce ní fhuaireadar leis an linn sin. Bhí na príosúnaigh ar stailc ocrais, ar ndóigh, agus bhí cuid acu chomh lag lúbach san nuair a ghaibh an long cuan is calafort gurbh éigean iad d'iompar chun na traenach ar shínteáin. Traen speisialta a bhí curtha in áirithe do na príosúnaigh, agus d'fhág an traen san stáisiún Pembroke timpeall a 7.o. p.m.. Bhí na príosúnaigh fé choimhdeacht láidir mhíleata an uair sin agus coinníodh súil ghéar orthu le linn an aistir nó gur rángadar ceann scríbe i bpríosún Winchester. Rinne an traen moill fhada ag Reading mar ar thug sí suas le trí huaire a chloig i dtaobhlach iarnróid, ach níor ligeadh do na príosúnaigh teacht amach as na carráistí an fhaid a bhíodar ann. Bhaineadar Winchester amach fé dheoidh timpeall a deich a chlog maidin an lae dár gceann. Trí seachtaine a thug na Gaeil i Winchester, agus rinne na Sasanaigh iarracht ar bhia a chur siar orthu le foréigean, ach chuir na príosúnaigh chomh láidir sin ina gcoinne gurbh éigean dóibh éirí as an iarracht sa deireadh. Is dócha gur tugadh scéala do lucht an cheannárais in Éirinn fé staid na nGael i Winchester, mar níorbh fhada ann dóibh gur cuireadh ordú chucu ó Bhaile Áth Cliath deireadh a chur leis an stailc, rud a rinneadar láithreach bonn. Níor chian dá éis sin gur haistríodh ar ais go Corcaigh iad.

Ar fhilleadh go Corcaigh do na príosúnaigh cuireadh armchúirt ar a lán acu. Ba ghnáth leis na Sasanaigh le linn na tréimhse buartha san na daoine a cúisíodh a chur go príosún éigin in Éirinn nuair ba lú ná tréimhse trí blian an phianbhreith a tugadh orthu. I gcás na bhfear a mbeadh trí bliana nó níos mó le tabhairt acu i bpríosún bhí de bhéas ag na Gaill iad a chur anonn go Sasana nó go hAlbain. Na príosúnaigh a cuirtí go Sasana nó go hAlbain ar an gcuma san ní áirítí iad ina bpríosúnaigh pholaiticiúla, ná ina bpríosúnaigh chogaidh, ach ina gcóirpigh, rud a thug orthu diantroid a dhéanamh in aghaidh lucht ceannais na bpríosún, d'éileamh

na gcearta polaiticiúla a baineadh díobh.   Ó bhí na príosúin
á líonadh go tiubh le " méirligh " agus le " lucht ceannairce "
mar thugadh na Gaill ar na hÓglaigh agus ar a lucht leanúna,
agus cuid de na príosúin ag cur tharstu cheana féin leis na
daoine sin, b'éigean don Rialtas Gallda tuilleadh slí a dhéanamh
do na mílte a bhí ag teacht isteach i líon na Sasanach, agus
go mór do na daoine a gabhadh gan éinní a bheith déanta
acu ina bhfeádfaí iad a chúisiú, agus do na daoine nár theastaigh
ón Rialtas cúirt a chur orthu.   Bheartaigh na húdaráis mhíl-
eata agus lucht ceannais na nGall in Éirinn, dá bhrí sin, ar
champaí géibhinn a bhunú thall is abhus ar fuaid na tíre.
Ba iad na príomhchampaí géibhinn a cuireadh ar bun ná
Campa Bhaile Cainnléara gairid do Dhún Phádraig i gContae
an Dúin, Campa an Churraigh ar Churrach Chill Dara, an
campa ar Oileán Béarra agus an campa ar Inis Píce i gCuan
Chorcaighe.

Ba ghearr go raibh cuid de na fir a haistríodh ó Chorcaigh
go Winchester ar dtúis, agus ansan ó Winchester go Corcaigh,
á n-aistriú arís ó Chorcaigh go Sasana.   Ar na fir a cuireadh
anonn go Sasana don tarna huair bhí Muiris Mac Conchradha.
Is amhlaidh a gearradh trí bliana de phian-tseirbhís air nuair
a tugadh i láthair armchúirte é i gCorcaigh.   Cuireadh thar
sáile go príosún Wormwood Scrubbs ar dtúis é agus ansan
go príosún Parkhurst in Oileán Wight.   Ceapadh ina O/C
ar na príosúnaigh Éireannacha é agus is é an tAthair Doiminic
O.F.M. Cap. a bhí ina Leas-O/C aige.   Bhí an sagart dílis
sin ina shéiplíneach d'Ard-Mhaor Chorcaighe ón uair a
rinneadh Ard-Mhaor de go dtí gur cailleadh é i gcarcair
Brixton agus é ar stailc ocrais.   Gabhadh an sagart ina dhiaidh
san ar chúis cheannairce agus gearradh téarma de dhaor-
phríosúnacht air.   Ní dhearna na Sasanaigh aon idirdhealú

idir an sagart mín modhúil sin agus na príosúnaigh eile, ach chuireadar éide ghránna an chiontaigh air agus cuireadh d'fhiacha air dul amach ag obair.

Tuairim is dachad príosúnach de lucht na Poblachta a bhí i bpríosún Parkhurst an uair sin, agus ina dteannta san bhí dream beag eile de Ghaeil nach raibh aon bhaint acu le hArm na Poblachta ná le gluaiseacht Sinn Féin—go deimhin bhí tréimhse tabhartha acu in arm Shasana, cé nár lúide a dteasghrá d'Éirinn iad a bheith tráth i seirbhís a namhad. Iarshaighdiúirí de Reisimint Éireannach in arm Shasana a bhí iontu .i. na Connaught Rangers. Bhí an reisimint sin ar stáisiún san Ind le linn do na Dubhchrónaigh a bheith ag ciapadh na tíre seo, agus nuair a leath scéala chomh fada leis an Ind i dtaobh na troda a bhí á dhéanamh in Éirinn in aghaidh tíorántacht na nGall, agus tuairisc fén réim imeagla a bhí ar siúl ina dtír dhúchais, d'éirigh na Gaeil sin a raibh éide Shasana umpu agus a bhí lonnaithe an uair sin i ndúnfort Solon sna Himalays, d'éiríodar amach agus d'fhógraíodar dá n-oifigigh gur Óglaigh d'Arm Poblachta Éireann feasta iad. D'ardaíodar bratach na Poblachta os ceann an dúnfoirt agus d'ionsaíodar an phúdarlann. Theip orthu í a ghabháil, ámh. Maraíodh beirt agus goineadh a lán acu, ach b'éigean dóibh géilleadh sa deireadh. Daoradh a gceannaire—Séamas Sheosaimh Ó Dálaigh—agus ochtar eile chun báis, agus gearradh daorphríosúnacht ar an gcuid eile acu. Cuireadh breith an bháis ar ceal i gcás an ochtair eile, ach básaíodh an Dálach Lá Fhéile na Marbh, 1920. Iarmhar na bhfear san a bhí i bpríosún Parkhurst in Oileán Wight le linn do na príosúnaigh Phoblachtánacha a bheith ag cur troda ar lucht ceannais an phríosúin sin.

Bheartaigh na Gaeil fé dheoidh ar éirí amach in aghaidh

197

lucht rialuithe an phríosúin agus ar a gcearta polaiticiúla d'éileamh go dolba dána. Maidin áirithe le linn do na príosúnaigh uile a bheith ag siúl timpeall i gcearcal sa bhfáinne freachnaimh i gclós na carcrach tugadh comhartha réamhshocraithe do na príosúnaigh Phoblachtánacha. Ní túisce an comhartha tabhartha ná siúd ar aghaidh leo d'aon iarracht gur shiúladar glan amach as an bhfáinne agus iad uile ag liúirigh is ag béicigh in éineacht in ard a gcinn is a ngutha go dtí go raibh an áit go léir ina cíorthuathail. Dhiúltaíodar i láthair a raibh ann caidreamh ná comhluadar a dhéanamh feasta leis na coirpigh. Ghaibh ionadh is alltacht na coimeádaithe, agus bhí mearbhall orthu ar feadh tamaillín.Ansan lingeadar chun na nGael agus chromadar ar bheith ag gabháil de bhaitíní orthu. Nuair a hordaíodh do na Gaeil na cillíní a thabhairt orthu féin ní chuirfidís cor ná car astu agus b'éigean don lucht coimeádta iad a stracadh isteach go foréigneach. Níor thúisce fé ghlas sna cillíní iad, ámh, ná mar chaitheadar díobh na héidí príosúin a bhí umpu. Tugadh fúthu arís ansan gur feistíodh iad go fórsúil in éide gharbh ar a nglaoití éide chanbháis. Daingníodh strapa leathair aniar thar dhrom gach phríosúnaigh agus ceanglaíodh a lámh den strapa san le glasa lámh.

Is ansan d'éirigh an rí-rá agus an ruaille buaille i ndáiríre go raibh an príosún ar fad ina bhrúion chaorthainn. Sos ná suaimhneas níor thug na Gaeil don lucht ceannais ach iad á mbodhradh is á mbuaireamh de ló is d'oíche go raibh na cillíní pionóis lán de phríosúnaigh i ndeireadh báire agus gan slí iontu dá thuilleadh. Rinne na coiméadaithe tréaniarracht ar na Gaeil a thabhairt amach chun clós an fhreachnaimh i dteannta na bpríosúnach eile ; ach nuair ná bogfadh na Gaeil as na cillíní ní raibh de rogha ag an lucht coimeádta ach iad d'fhágaint mar an raibh acu, nó neachtar acu iad a stracadh amach i ndiaidh a gcos nó a gcinn agus iad a stracadh isteach arís ansan ar an gcuma chéanna. Ba ghairid go raibh na húdaráis sách bréan den obair sin, agus tar éis don phríosún bheith ina chíorthuathail ar feadh coicíse, agus nuair ba bhaol leo go rachadh drochshampla na nGael i bhfeidhm ar na cuirpigh agus go dtógfaidís-sean ceannairc freisin, dhealaíodar na hÉireannaigh ó na ciontaigh eile agus chuireadar na Poblachtánaigh uile isteach leo féin in aon sciathán amháin den phríosún. As san amach théadh na Gaeil go léir in éineacht chun clós an fhreachnaimh agus ní bhíodh páirt ná baint acu leis na príosúnaigh eile. Gheibhidís a gcuid bídh dóibh féin i dtigh an chócaire agus thugaidís leo i gciseán é chun a roinne féin den phríosún. Cuirtí uimhreacha fé leith ar na boscaí agus ar na ciseáin éagsúla ; ní uimhreacha a bhí breacaithe ar chiseán na nGael, ámh, ach na cinnlitreacha " S.F." á chur in iúl gur leis na " Sinn Féinithe " an ciseán san.

Coinníodh na príosúnaigh Phoblachtánacha fé ghlas i gcarcair Parkhurst go dtí an 14ú Eanáir, 1922. Seacht lá roimhe sin d'aontaigh Dáil Éireann leis an gConradh a rinneadh le Sasana. Dhá lá ina dhiaidh san (an 9ú Eanáir) d'éirigh Éamon de Valéra as an Uachtaránacht agus an lá ina dhiaidh san arís toghadh Art Ó Griofa ina ionad. An 14ú Eanáir is ea a bunaíodh an Rialtas Sealadach agus is í sin uair agus aimsir a scaoileadh saor na Gaeil a bhí i bpríosún. Is ar éigin a bhíodar tagtha amach as Parkhurst nuair a chuir na hiarphríosúnaigh telegram chun an Uachtaráin nua á iarraidh air eadarghabháil a dhéanamh le Rialtas na Breataine ar son na nGael a fágadh i bpríosún Parkhurst i ndiaidh na bPoblachtánach. Is iad a bhí i gceist acu ná na fir úd de na *Connaught Rangers* a d'éirigh amach in aghaidh na nGall san Ind. D'iarr-

adar air freisin réiteach a dhéananh dá mb'fhéidir é fé chas a
gcomrádaithe féin a gabhadh i Sasana agus in Albain agus
nár scaoileadh fós. Ba iad Muiris Mac Conchradha agus an
tAthair Doiminic a chuir a n-ainmneacha leis an telegram
san thar ceann a gcomhphríosúnach uile.

Le linn do na Gaeil a bheith i bpríosún Parkhurst thaispeáin
an tEaspag Mac Oitir, Easpag Caitliceach Portsmouth, go
raibh fíorshuim aige iontu agus combáidh aige leo sa chruachás
ina rabhadar. Tá a fhios ag an saol gur chuidigh an tEaspag
cineálta san le cúis na Poblachta, ní hamháin nuair a bhí rith
an ráis leis na Poblachtánaigh, ach fiú amháin sna blianta
dorcha a lean an Conradh le Sasana nuair a bhí athrú meoin
tar éis teacht ar mhórchuid de na daoine a bhí ina bPoblach-
tánaigh tráth. Ba mhian leis na príosúnaigh méid a mbuíoch-
ais agus a measa a chur in iúl don easpag agus ar an abhar san
thíolacadar díleagra maisithe dhó tar éis a bhfuascailte. Ag
so an díleagra :

" The officers and soldiers of the Army of the Irish
Republic imprisoned in Parkhurst Convict Prison, beg
to convey to your Lordship this expression of sincere
thanks for your gracious and paternal interest in their
welfare, and especially for your kindness in visiting them
in their prison cells, and for your generosity in placing
the hospitality of the Bishop's house at their acceptance.

" They are deeply sensible of your Lordship's heart-
felt love for his native land and your practical interest
in its welfare specially during the last few years of trial
and suffering. Nor are they unmindful of your noble
stand by the side of the heroic Primate of the Australian
Hierarchy against the frowns of the British Cabinet.

" Praying God to bless and guard all your ways,

" Signed on behalf of the I.R.A. Prisoners

  " Father Dominic
  " Maurice Crowe O/C of Prisoners."

Seachas na príosúnaigh ar tugadh pianbhreith orthu agus
a cuireadh i bpríosúin na hÉireann agus na Breataine Móire
bhí a lán Óglach agus a lán de lucht leanúna Sinn Féin nár
cuireadh triail orthu riamh ach a cuireadh fé ghlas dá ainneoin
sin. Sna campaí géibhinn dár thagramar cheana a cuireadh
na daoine sin. Meastar go raibh tuairim is dhá chéad go
leith Óglach de Bhriogáid Thiobrad Árann Theas sna campaí
géibhinn nuair a rinneadh an Sos Cogaidh, an 11ú Iúil, 1921.
Rinne na Sasanaigh gach cúram nach dtiocfadh le héinne
éalu as na campaí sin. Ina dhiaidh san is uile d'éalaigh a lán
de na príosúnaigh sin mar chífimid ar ball. Bhíodh claí
sreinge deilgní timpeall an champa ghéibhinn de ghnáth,
agus fiú amháin nuair a baintí feidhm as seanphríosún éigin
mar champa géibhinn ba ghnáth leis na Sasanaigh treanglam
de shreang dheilgneach a thógáil ar bharr falla aird an phríosúin
féin. Claí dúbalta sreinge a bhíodh timpeall cuid de na
campaí, sé sin le rá, dhá chlaí chomhthreormhara de shreang
dheilgneach agus spás eatorthu a mbíodh faireoirí armtha ar
post ann agus iad ag siúl síos suas de shíor i dtreo go bhféad-
faidís súil ghéar a choimeád ar na príosúnaigh agus smacht
a chur orthu dá mba ghá é. Fágtai riarachán inmheánach
an champa ghéibhinn fé na príosúnaigh féin, agus ba ghnáth
leosan coiste a thoghadh chun obair an riaracháin a dhéanamh.
An Chomhairle Phríosúnach a tugtaí ar an gcoiste sin. Cheap-
aidís ceannfoirt champa freisin agus fágtaí cúrsaí bainistíochta

201

an champa fúthusan.

Bhí cuid d'Óglaigh Thiobrad Árann Theas sa champa géibhinn ar Inis Píce. Orthusan bhí na príosúnaigh a bhí tar éis bheith ar stailc ocrais i gcarcair Chorcaighe ar feadh nócha lá agus a haistríodh chun an oiléain ina dhiaidh san. Seanphríosún a bhí sa champa géibhinn ar Inis Píce agus bhí na Fíníní fé ghlas ann tráth dá raibh. Fíordhaingean ab ea é. Bhí dhá fhalla arda cloch ina thimpeall tuairim is ocht dtroithe déag ar airde, agus leithead dathad troigh a bhí san eadarspás. An móta a tugtaí ar an spás san idir an dá fhalla. Ar bharr an dá fhalla san bhí treanglam de shreang dheilgneach agus bhí postanna faire ar an bhfalla ba shia isteach díobh mar a mbíodh faireoirí agus radharc acu ar an gcampa go léir ó na postanna san. Thiocfadh leis na faireoirí grinnbhreathnú a dhéanamh ar an gcampa i gcoim na hoíche féin leis na soilse mórchumhachta cuardaigh a bhí feistithe ag na hudaráis Ghallda ar bharr an fhalla. Ina theannta san bhí mótarlainse acu a raibh foireann armtha inti agus bhíodh an bád san ar patról sa mhuir timpeall an oiléain gach oíche. Tharla stailc mhór sa phríosún san tamall gairid tar éis do na príosúnaigh ó Chorcaigh teacht chun an oiléain. Bhí roinnt fear den Treas Briogáid a raibh baint acu leis an stailc sin agus orthusan bhí Mícheál de Búrca. Stracadar cláracha an urláir as a chéile sna cillíní agus chuireadar na leapacha agus na héadaí leapan trí thine d'éis a dtumtha i gcréasóid. Do haistríodh na príosúnaigh sin go Portláirge ina dhiaidh san ar bhád, agus cuireadh ar an traen iad i bPortláirge agus tugadh go Cill Choinnigh iad mar ar sáitheadh i gcarcair arís iad. Ní raibh seachtain caite acu sa phríosún nua san nuair éirigh le triúr is dathad de na fir éalú as trí thollán.

Maidir leis na fir a fágadh ar Inis Píce, tuairim is cúig

céad acu a bhí sa phríosún san nuair a fógraíodh an Sos Cogaidh
D'éirigh le mórsheisear de na fir sin na cosa a bhreith leo as
an bpríosún, bád d'aimsiú agus an mhórthír a bhaint amach.
Ar na daoine d'éalaigh ó na Sasanaigh an uair sin bhí Liam
Ó Cuirc de Bhríogáid Thiobrad Árann Theas a bhí an tráth
san ina Oifigeach Ceannais ar na príosúnaigh ; Muiris Ó
Tuama, Annraí Ó Mathúna, Risteard Bairéid, Pádraig Ó
Buachalla, Tomás de Crochtas agus Séan MacÉidigh (Eddy)
na fir eile. Is amhlaidh a rinneadar poll sa bhfalla ba shia
isteach den phríosún ar chúl foirgnimh "A" agus shroicheadar
an "móta" ar an gcuma san. Chuir a gcomrádaithe na
clocha thar n-ais ina n-ionad arís nuair a bhí an lucht éaluithe
sa mhóta. Bhí dréimire rópa leo ach níor ghnáthdhréimire
rópa é. Rongaí cathaoireacha a bhí acu i gcóir rongaí an
dréimire, agus sreanganna aibhléiseacha in ionad rópaí. Chuir-
eadar an dara falla suas díobh le cuidiú an dréimire sin agus
d'éirigh leo bád d'aimsiú ag an gcaladh i gan fhios do na
faireoirí agus an mhórthír a bhaint amach ar an gcuma san.
Bhí an t-ádh leo nár gabhadh iad.

Seachas na fir atá luaite againn cheana, bhí cuid mhaith
d'Óglaigh na Treas Briogáide i gcampa géibhinn Bhaile
Chainnléara i gCo. an Dúin. Ní raibh i ndán don mhór-
chuid de na hÓglaigh a bhí i bpríosún nó sa champa géibhinn
na cosa a bhreith leo, agus coinníodh greim docht daingean
orthu nó gur aontaigh Dáil Éireann leis an gConradh a rinn-
eadh idir Éire agus an Bhreatain an 6ú Nollaig, 1921. Ghlac
an Dáil leis an gConradh san an 7ú Eanáir, 1922, agus scaoil-
eadh na príosúnaigh uile go luath ina dhiaidh san. Nuair
a tharla ina chogadh idir lucht molta an tSaorstáit agus lucht
cosanta na Poblachta ina dhiaidh san, ámh, chuaigh mórchuid
de na príosúnaigh sin chun príosúin arís, maraon lena lán

lán eile nach raibh i bpríosún riamh roimhe sin ach a bhí ag troid i gcaitheamh na haimsire go léir a mhair an cogadh, is é sin le rá, go dtí Mí Iúil na bliana 1921.

CAIBIDIL XI

Bua agus Briseadh

Ní túisce a socraíodh ar sos cogaidh d'fhógairt ná mar d'fhoilsigh Éamon de Valéra forógra inar impigh sé ar gach Éireannach onóir an náisiúin a ghabháil air féin (9 Iúil). Chuir sé ar a súla dhóibh nár chóir dóibh deimhin a dhéanamh dá ndóigh, ach go gcaithfidís bheith ullamh chun troda arís dá mbainfí feidhm as an bhforneart athuair chun an náisiún a smachtú. Thosnaigh an tArmstad ar uair an mhéan lae an t-aonú lá déag d'Iúil, 1921. Maidin lá arna mhárach chuaigh toscaireacht go Londain fé threorú an Uachtaráin chun an scéal a phlé leis an Rialtas Gallda.

Le linn don Rialtas agus don Dáil bheith ag plé ceist na síochána bhí a mhalairt de chúram ar an arm. Bhunaigh na hÓglaigh campaí tréineála ar fuaid na tíre agus bhí a gcampaí féin ag saighdiúirí na Treas Briogáide i dTiobraid Árann. Cuireadh campa ar bun do na hoifigigh i gcaisleán Bhaile an Aird i gcomharsanacht Drangain. Bunaíodh campa tréineála eile i nGleann Phádraig i gContae Phortláirge fé cheannas an Cheannfoirt Pádraig Daltún a bhí an uair sin ina O/C. ar an gCuigiú Cathlán. Bunaíodh campaí eile ag Baile Grant gairid do bhaile Thiobrad Árann agus i gCaisleán na nGaibhlte tamall siar ó Chathair Dhún Iascaigh ; agus tugadh tréineáil speisialta do na hInnealltóirí i gcampa a cuireadh ar bun i mBaile an Róistigh fé cheannas Sheáin Uí

Chuana ó Chluain Meala.

Thug an sos cogaidh caoi do na hÓglaigh duine dá gcuid oifigeach d'adhlacadh go hurramach mar ba dhual do shaighdiúir. Tamall roimh an sos cogaidh maraíodh an Ceannfort Donnchadh Saidléir, an tOifigeach a bhí i gceannas an Cúigiú Cathláin. Duine de na hÓglaigh féin a mharaigh é de thaisme. B'éigean do na hÓglaigh an corp d'adhlacadh

Sochraid Dhonnchada Saidléir

os íseal i nGráinseach Mhoicléir mar ar fhan sé i gan fhios don tsaol go dtí tar éis an armstaid. Do haistríodh corp an Cheannfoirt ón uaigh sin agus do hadhlacadh i bhfochair a shinsir é i reilig Drangain an 11ú Lúnasa, 1921. Lá saoire ba ea an lá san ar fuaid an limistéir thoir-theas de Chontae Thiobrad Árann. Dúnadh na siopaí go léir i gCluain Meala, i gCarraig na Siúire, i bhFíodh Ard agus i gCathair Dhún Iascaigh agus fógaríodh an lá san ina lá bróin agus caointe.

An Ceannfort Donnchadh Saidléir

Canadh an tArd-Aifreann in eaglais an pharóiste i nGráinseach Mhoicléir agus bhí slua mór daoine i láthair idir chléir is tuath. Tháinig baill uile Bhardais Chluain Meala maraon leis an Maor, an Seanóir Proinsias Ó Druacháin, T.D.. Bhí na mílte daoine ag máirseáil sa tsochraid ón nGráinseach go dtí Drangan. Chuaigh réamhgharda de na hÓglaigh roimh an gcomhra amach agus bhí garda tionlacain d'oifigigh den Treas Briogáid ag máirseáil ar gach taobh den chomhra. I dtosach an mhórshiúil bhí píobairí Chill Choinnigh, agus bhí díormaí láidre de Chumann na mBan agus d'Fhianna Éireann ag máirseáil i ndiaidh na bpíobairí. Bhí gaolta an fhir mhairbh ag siúl i ndiaidh na comhrann agus na dhiadh san arís tháinig Bardas Chluain Meala. Tháinig na hÓglaigh ansan agus iad ag máirseáil in eagar míleata ; trí cathláin de Bhriogáid Thiobrad Árann Theas a bhí ann an lá san, iad roinnte ina gcomplachta agus ina ngasraí, agus gach complacht díobh fé cheannas a gcuid oifigeach féin. Bhí líne fhada de charra agus de ghluaisteáin ag teacht i ndiaidh na nÓglach, agus tá sé ráite gur bhain sé uair a chloig iomlán den tsochraid sin gabháil thar pointe áirithe.

Comóradh lá cuimhnithe Sheáin Uí Threasaigh (an 14ú Deireadh Fómhair) go hoifigiúil ag an arm agus ag an bpobal i dTiobraid Árann Theas. Lá saoire ba ea é ar fuaid an cheantair, agus níor oscail siopa ná monarcha an lá san. Canadh an tAifreann i gCluain Meala, i gCarraig na Siúire, i dTiobraid Árann, i gCathair Dhún Iascaigh agus i bhFíodh Ard ar son anam an taoisigh mhairbh, agus bhí aonaid den arm i láthair le linn an Aifrinn san uile bhaile dhíobh. Léadh Aifreann speisialta i gCill Fiacla agus cuireadh aonaid d'ocht gcatha na Treas Briogáide ar paráid roimh an Aifreann san agus ina dhiaidh. Ba é an Leas-Cheannfort Donnchadh de Lása a bhí i gceannas na paráide, agus bhí sé féin agus na Ceannasaithe Catha uile gléasta in éide airm. Chuaigh gach aonad ar paráid fé cheannas a gcuid oifigeach féin. Ba é an Ceannfort Diarmaid Ó Daimhín a bhí i gceannas an Chéad Chathláin agus bhí an Ceannfort Seán Ó Duanaigh i gceannas an Dara Cathláin, an Ceannfort Tadhg Ó Duibhir i gceannas an Treas Cathláin, an Ceannfort Brian Ó Seancháin i gceannas an Cheathrú Cathláin, an Ceannfort Pádraig Daltún i gceannas an Chuigiú Cathláin, an Ceannfort Seán Priondargást i gceannas an Séú Cathláin, an Ceannfort Seán Breathnach i gceannas an Seachtú Cathláin, agus an Ceannfort Séamas Mac Giolla Máirtín i gceannas an Ochtú Cathláin. Tar éis an Aifrinn cuireadh na hÓglaigh ar paráid sa reilig, agus dúradh an paidrín páirteach i nGaeilge os cionn na huaighe.

Nuair a fógraíodh an sos cogaidh ar dtúis ceapadh Oifigigh Liaison ar an dá thaobh agus is é Seán Mac Giolla Phádraig, Aidiúnach na Treas Briogáide, a ceapadh ina Oifigeach Liaison le haghaidh ceantar Thiobrad Árann Theas. Chloígh an dá thaobh le coinníollacha an armstaid ar feadh tamaill, ach de réir mar chuaigh caitheamh san aimsir d'éirigh daoine ar an dá thaobh míshuaimhneasach go leor agus rinneadh na coinníollacha a shárú. Bhíodh nithe beaga ag titim amach ar dtúis ach le himeacht aimsire chuaigh an scéal i ndonacht agus tosnaíodh ar choinníollacha an armstaid a shárú ar an mórgóir. Ní féidir a rá go raibh aon taobh saor ó mhilleán maidir leis na cionta san, agus uaireanta ba dheacair a rá cé acu den dá thaobh ba chiontach. Maraíodh fear darbh ainm Pádraig Ó Corbáin agus goineadh triúr, .i. Iníon Uí Thiarnaigh, an tÓglach Seosamh Ó Cathail d'Arm Poblachta Éireann agus saighdiúir singil darbh ainm Cooper d'Arm na Breataine (den Lincolnshire Regiment) an 28ú Meán Fómhair

209

14

i mbaile mór Thiobrad Árann. Dúirt na Gaeil gurbh amhlaidh a scaoil beirt Dubhchrónach leis na daoine gan chúis gan abhar, ach shéan na Gaill é sin agus dúradar gurbh amhlaidh a scaoil beirt Óglach fé na Dubhchrónaigh gan abhar gan fáth. Tháinig an Ceannfort Seoirse de Paor, a bhí an tráth san ina Oifigeach Liaison don cheantar, go Tiobraid Árann chun an cúiseamh d'imscrúdú. Tar éis an imscrúduithe sin d'fhill sé ar a cheantar briogáide féin (limistéar Chorcaighe Thuaidh) agus thug a thuarascáil don Cheannfort-Ghinearál Tomás de Barra a bhí an uair sin ina Phríomh-Oifigeach Liaison don Limistéar Dlí Airm. D'fhoilsigh an Príomh-Oifigeach Liaison ráiteas a chuir i dtuiscint go raibh an bheirt Dubhchrónach úd ciontach i ndúnmharú mar gur thosnaíodar ar lámhach gan chúis agus d'aontoisc. Rinne Oifigeach Liaison na nGall imscrúdú ar an gcúis leis, agus d'fhoilsigh na húdaráis Ghallda a thuarascáil-sean. De réir an ráitis sin ba iad na hÓglaigh ba bhun leis an lámhach an lá úd i dTiobraid Árann. Thugadar fén mbeirt chonstábla d'aontoisc agus iad beartaithe ar gach duine den bheirt a mharú. Ar na hÓglaigh a bhí páirteach san amas san bhí Seosamh Ó Cathail, duine de na daoine a goineadh. Ba é toradh an ráitis sin gur gabhadh Seosamh Ó Cathail gur cuireadh ar a thriail i láthair armchúirte i gcathair Phortláirge é. Ciontaíodh é, agus gearradh daorphríosúntacht feadh a bheo air, ach ó rinneadh an Conradh le Sasana idir an dá linn loghadh an bhreith sin agus ligeadh chun siúil é láithreach bonn.

I Mí na Samhna rinne Óglaigh na Treas Briogáide ruathar ar an gcampa míleata gairid do bhaile Thiobrad Árann agus sciobadar leo seachtó raidhfil, bosca de bhuamaí, roinnt armlóin agus dhá inneallghunna Lewis. Ní nárbh ionadh, chuir an ruathar san Rialtas Shasana le buile is le báiní agus rinneadar a ngearán go géar le Foireann Cheanncheathrú Arm na Poblachta, á rá gur sárú é ar an sos cogaidh. Bhí an ceart acu, ar ndóigh. Is fíor go raibh de cheart ag Arm na nGael (fé mar a bhí ag Arm Shasana) leanúint dá ngnáthchleachtadh saighdiúireachta agus tréineála le linn an armstaid, agus go raibh de cheart acu fiú amháin airm a sholáthar agus iad féin d'ullmhú don chéad dreas eile le Sasana dá dtarlódh go dteipfeadh ar na cainteanna síochána a bhí ar siúl idir Éire agus an Bhreatain Mhór san am. Ach dá ainneoin sin is uile, ní raibh de cheart acu an sos cogaidh a shárú, agus is cinnte gur shárú amach is amach gurbh ea an ruathar san ar champa míleata na nGall i dTiobraid Árann, bíodh go raibh cuid de na saighdiúirí Gallda féin páirteach sa ghnó. Chuir an gníomh san fearg ar lucht ceannais Arm na nGael freisin. Ghlaodar chucu an Ceannfort de Barra, Oifigeach Liaison Luimnighe, maraon le Ceannasaithe na mBriogáidí i dTiobraid Árann Theas agus i Luimnigh Thoir, ó bhí sé ráite go raibh an dá bhriogáid sin ag obair as lámha a chéile sa ghnó. Cuireadh oifigeach ó cheanncheathrú na nÓglach (Proinsias Ó Droighneáin) go Tiobraid Árann do dhéanamh imscrúduithe ar an gcúis, agus ba é toradh an imscrúduithe sin gur cruthaíodh go soiléir gurbh iad Óglaigh Thiobrad Árann Theas ba chiontach, cé go raibh Óglaigh Luimnighe Thoir, nó dream áirithe dhíobh, i bpáirt leo san obair. D'ordaigh Ceanncheathrú na nÓglach don Cheannasaí Briogáide i dTiobraid Árann Theas na raidhfleacha a thabhairt thar n-ais, ach ní dhéanfadh an Ceannasaí rud ar lucht an cheannárais, á rá nár ghníomh cogaidh an ruathar san agus nár shárú é ar an sos cogaidh dá bhrí sin.

Ní bhaineann scéal na gcainteanna síochána i Londain le stair na Treas Briogáide i dTiobraid Árann ach sa mhéid gur tharla easaontas san arm de bharr na gcainteanna san agus go raibh dlúthbhaint ag an easaontas san leis an míádh agus leis an tubaist a bhain don tír agus don arm ina dhiaidh san. Mar is eol don tsaol rinneadh socrú idir toscairí na hÉireann agus toscairí na Breataine an séú lá de Mhí na Nollag, 1921. De réir coinníollacha an réitigh sin bhí Éire le bheith ina Saorstát agus ina ball d'Impireacht na Breataine ar comhchéim le Canada. " Saorstat Éireann " nó " The Irish Free State " a tabharfaí mar theideal uirthi, agus bheadh Governor General nó Seanascal os ceann an stáit nua mar Fhear Ionaid don Rí. Bheadh ar na Teachtaí Dála mionn dílse a ghlacadh go mbeidís dílis do Bhunreacht an tSaorstáit agus do Rí na Breataine agus dá oidhrí ina dhiaidh. Bheadh de chead ag Sé Contaethe de chúige Uladh fanúint sa Ríocht Aontaithe gan spleáchas do Ghaeil, agus fágadh an chuid sin den fhearannas náisiúnta i seilbh an airm Ghallda. Bheadh farraigí teorann na hÉireann fé cheannas cabhlach na Breataine agus bheadh garastúin Ghallda i gcuid dá cuanta. In aimsir chogaidh bheadh de cheart ag na Sasanaigh feidhm a bhaint as cuanta na hÉireann agus pé áis d'oirfeadh dóibh i gcóir a gcabhlaigh agus a n-arm- shlua.

Ar an taobh eile dhe bheadh cánacha agus mál agus custam fé smacht Rialtas an tSaorstáit agus bheadh arm náisiúnta agus póilíní na hÉireann fé cheannas na Dála. D'imeodh an t-arm Gallda as na sé contaethe fichead ach amháin as na cuanta a luadh cheana. Ar a shon go dtugtar " conradh " de ghnáth ar an réiteach san ní conradh a bhí ann ar aon chor ach " Air- tiogail Chomhaontuithe le haghaidh Conartha." Ní bheadh ina chonradh go dtí go n-údródh na " baill phairliminte a toghadh le haghaidh na ndáilcheantar i nDeisceart Éireann " ar thaobh, agus Pairlimint Westminster ar an taobh eile, na hAirtiogail Chomhaontuithe ar chuireadar na toscairí a n-ainm leo i Londain. Ní miste a rá anso, b'fhéidir, ná raibh sé de chumhacht ag Dáil Éireann na hAirtiogail Chomhaontuithe sin d'údrú ar aon chor. De réir dlí na Poblachta ní raibh de chumhacht ag aon dream ach ag pobal na hÉireann amháin athrú a dhéanamh ar an gcóras rialtais agus a rogha saghas rialtais a bhunú. Ní thiocfadh le Dáil Éireann an Phoblacht a dhíbhunú, ach thiocfadh leis an Dáil an réiteach a mholadh do na daoine agus an scéal uile d'fhágaint fé bhráid an phobail ansan.

Ba é an chéad rud a tharla de bharr an tsocruithe a rinneadh i Londain ná Aireacht na Dála a scoilt ó bhun go barr ; ba é an dara rud a tharla dá bharr an tArm a scoilt ; agus ba é an tríú hiarsma a lean de ná muintir na hÉireann a chur in easaontas le chéile. Ó thaobh na hAireachta dhe bhí an tUachtarán, an tAire Cosanta agus an tAire Gnóthaí Dúiche go dian i gcoinne an tsocruithe, ach bhí glactha leis ag an gceathrar eile. Bhí Foireann Cheanncheathrú an Airm scoilte mar an gcéanna agus bhi gach cosúlacht ann go scoiltfí an tArm ar fad gan aon rómhoill. Nuair a tháinig Dáil Éireann i gceann a chéile chun ceist an Chonartha a phlé cuireadh tús le díospóireacht fhada a mhair ar feadh coicís. Ar na daoine a labhair i gcoinne an Chonartha bhí Séamas Mac Roibín, Oifigeach Ceannais Bhriogáid Thiobrad Árann Theas. Toghadh Ceannasaí na Treas Briogáide ina Theachta Dála don Dara Dáil Éireann le linn toghchán na bliana 1921. Ba mhian leis an gCoileánach go mbeadh tacaí maithe sa Dáil nua don Arm, agus d'fhéach se chuige go n-ainmneofaí roinnt mhaith oifigeach airm i gcóir na dtoghchán. Ba iad oifigigh na Treas Briogáide féin, áfach, a rinne rogha den Cheannasaí Briogáide chun bheith ina iarrthóir. Chuireadar toscaireacht chuige d'iarraidh

213

air dul ar aghaidh i gcóir Thiobrad Árann Thoir. Bhí sé ina Theachta Dála, mar sin, nuair a síníodh an Conradh agus bhí sé ar dhuine de na teachtaí is déine a chuir i gcoinne an Chonartha san.

Ag labhairt don Roibíneach le linn na díospóireachta (6ú Eanáir, 1922) dúirt sé gur dhóigh leis go raibh an Phoblacht féin ag brath ar an vóta san. Bhí sé ráite ag an Teachta

Óglaigh Le Linn an tSosa

Ó Maolchatha (Ceann Foirne an Airm) ná raibh de rogha acu ach glacadh leis an gConradh. Dar leis an Roibíneach bhí an dara rogha acu, ba é sin cloí leis an bPoblacht. " The Republic is at stake," ar seisean, " and I don't care a rap whose reputation is torn up for bandages." Lean sé air : " Is é seo (an Teachta Ó Maolchatha) an fear céanna adúirt liom go minic roimhe seo ná raibh aon bhaol ann go ndéanfaí comhréiteach." Dar leis an Roibíneach bhí beartaithe ag cuid de na cinnirí le fada an lá roimhe sin an comhréiteach san a dhéanamh. Dúirt sé ná tabharfadh an Conradh síocháin dóibh.

"I wish to state that this Treaty does not mean peace ; and I think that should be fairly obvious by this time. Chaos would be better by far than degradation . . . I say that chaos can be avoided and peace will be at least possible if those who have changed return to the Republic; if not we will have chaos and war."

Thrácht sé ansan ar chúrsaí airm agus dúirt go bhfuair sé litir ó oifigigh na Rannán Airm sa Deisceart á rá go rabhdarsan i gcoinne an Chonartha. D'iarr Éamon de Valéra air ansan gan cúrsaí airm a thabhairt isteach sa díospóireacht d'eagla go ndéanfaí díobháil do smacht an airm. Labhair Séamas Mac Roibín i bhfreagra air :

"The army has always been regarded as the army pure and simple. I submit that it is not so. If we had no political outlook we would not be soldiers at all. I think the Volunteers have been very badly treated. The Volunteers demand a veto on the change of our country's constitution. We are not a national army in the ordinary sense ; we are not a machine pure and simple ; we have political views as soldiers. For the purpose of the veto I here demand a general convention of the Volunteers who are not Truce Volunteers. The Volunteers never gave up their right to a general convention,—the Oath of Allegiance in this weak, in this changeable Dail was not sanctioned by the general convention. If this convention is granted I, with I am sure all Volunteers, would refrain from certain terrible action that will be necessary

215

if the Treaty is forced on us without our consent as an Army of Volunteers. There is no fear of the outcome of a renewal of war . . . ''

B'shin é an chéad fhocal a labhradh ar son na Treas Briogáide le linn na díospóireachta san agus thug sé le tuiscint go raibh Óglaigh na Treas Briogáide i gcoinne an Chonartha. Ba é an chéad fhocal leis a labhradh fé chomdháil ghinearálta de na hÓglaigh a thabhairt le chéile chun ceist an Chonartha a chur fé bhráid an airm, agus tugadh le tuiscint freisin gur bhaol go mbeadh ina chogadh arís mura ngéillfí do thoil na nÓglach. Tuar na tubaiste a bhí ag teacht an chaint sin. An lá céanna san ghlac an Dáil leis an gConradh : ceathrar teachtaí agus seasca a thug a vótaí ar a shon ; mórsheisear agus caoga a bhí ina choinne. Dhá lá ina dhiaidh san d'éirigh Éamon de Valéra agus an Aireacht as oifig agus toghadh Art Ó Gríofa ina Uachtarán ar Dháil Éireann agus ar an bPoblacht. Bhí lucht molta an Chonartha i gceannas na Poblachta ansan.

D'éirigh na teachtaí poblachtánacha agus roinnt de na hoifigigh airm imníoch fé staid an airm. Ba mhian leo bheith cinnte ná bainfí feidhm as an arm chun an Phoblacht a chur ar ceal an fhaid is a bheadh na cinnirí ag ligint orthu gur ag cosaint na Poblachta a bhíodar. Nuair a ceistíodh an tAire Cosanta nua (Risteard Ó Maolchatha) dhearbhaigh sé go sollamanta ná déanfaí aon athrú ar chóras ná ar *status* an airm ach go leanfadh sé mar bhí go n-uige sin fé cheannas a shean-oifigeach ina arm do Rialtas na Poblachta.

" The Army will remain occupying the same position with regard to this Government of the Republic, and occupying the same position with regard to the Minister of Defence, and under the same management, and in the same spirit as we have had up to the present." Agus chuir se tuilleadh leis sin : "It is suggested that I avoided saying the Army will continue to be the Army of the Irish Republic. If any assurance is required—the Army will remain the Army of the Irish Republic."

Bíodh go raibh easaontas ag fás is ag forbairt imeasc na ndaoine agus imeasc na nÓglach ón uair a síníodh an Conradh le Sasana, ghéill an dá dhream do cheannas na Dála. Ach ba ghearr gur tháinig athrú ar an scéal. Cuireadh "Rialtas Sealadach na hÉireann" ar bun de réir coinníollacha an Chonartha (14ú Eanáir) agus d'fhógair an Tiarna Tánaiste, Fear Ionaid an Rí, go raibh an Rialtas Sealadach san ar bun in ainm an Rí, agus d'ainmnigh sé baill an Rialtais sin sa bhforógra. Ba é Mícheál Ó Coileáin a hainmníodh ina cheann ar an Rialtas Sealadach agus bhí an uile dhuine den Rialtas ina chomhalta den Dáil agus cuid acu in Aireacht na Dála. Bhí ag imeacht d'údarás agus de cheannas na Dála ón lá a cuireadh an Rialtas Sealadach ar bun agus ag méadú go mór ar an easaontas imeasc lucht polaitíochta agus imeasc na nÓglach féin. Bhí an t-easaontas ag méadú san arm agus ní raibh baill na Foirne Ceanncheathrún ar aon aigne i dtaobh an Chonartha ach oiread is a bhí na Teachtaí Dála féin. Ba mhór ar fad comhairle an I.R.B. ar an bhFoireann Ghinearálta agus ba é Mícheál Ó Coileáin féin an duine ba mhó le rá ar an Ard-Chomhairle a bhí ag stiúrú an Bhráithreachais san am. Bhí cumhacht agus tionchar an Bhráithreachais ag obair ar thaobh an Chonartha mar sin. Ar an taobh eile dhe, bhí urmhór na ngnáthóglach agus tromlach na n-oifigeach sa Deisceart ag seasamh go daingean in aghaidh an Chonartha, agus dob fhollas do chách nach fada go mbeadh an t-arm scoilte ó bhun go barr mura ndéanfaí socrú idir an dá dhream.

Tionóladh comhdháil airm i dTeach an Ard-Mhaoir i

217

mBaile Átha Cliath (Eanáir 1922) fé cheannas an Aire Chosanta féin. Bhí baill uile na Ceanncheathrún i láthair maraon le hoifigigh as na ceithre harda. Sar ar scoir an chomhdháil gheall an tAire Cosanta ná bainfí leis an arm ach go leanfadh sé de bheith ag feidhmiú don Phoblacht fé mar bhí go dtí san. Theastaigh ó na hoifigigh a bhí in aghaidh an Chonartha an t-arm a chur fé cheannas Ard-Chomhairle agus ceart a bheith ag an Ard-Chomhairle sin Bunreacht nua a cheapadh don arm. Theastaigh uathu fairis sin go gcuirfí iachall ar na hÓglaigh a ndílse don Phoblacht d'athdhearbhú. Uime sin d'iarradar ar an Aire Cosanta (11ú Eanáir) Comhdháil Ghinearálta den arm a thionól. Dhiúltaigh an tAire dá n-achainí agus chuir sé ar a súla dhóibh go raibh an t-arm fé smacht na Dála agus gurbh í an Dáil amháin d'fhéadfadh athrú a dhéanamh ar Bhunreacht na nÓglach.

Ní séanta, ámh, fé mar a thaispeáin Séamas Mac Roibín sa Dáil tamall roimhe sin, go raibh de cheart ag na hÓglaigh de réir a mBunreachta Comhdháil Ghinearálta a thionól, agus nuair a cuireadh fé cheannas na Dála iad sa bhliain 1919 ba í Ard-Chomhairle na nÓglach, fé cheannas an Aire Chosanta, a bhí in ainm bheith i gceannas an airm i gcónaí. De réir an Bhunreachta a ceapadh an uair sin bhí na hÓglaigh le teacht i gceann a chéile gach bliain ; bheidís fé smacht na Dála agus bheadh orthu móid dílse a ghlacadh do Phoblacht na hÉireann. Cuireadh fé smacht na Dála iad agus ghlacadar an mhóid bíodh nár thángadar le chéile i gComdháil Ghinearálta riamh toisc an cogadh bheith ar siúl san am, agus, uime sin, níor thug na hÓglaigh a mbreith ar an mBunreacht nua ar aon chor. Ba í Dáil Éireann Rialtas na Poblachta, ámh, agus ón uair a ghlac an Dáil cúram an airm uirthi féin bhí na hÓglaigh fé cheannas na Dála agus ní raibh de cheart

218

acu feasta, dar leis an Aire Cosanta, dul in easumhlacht ar an Dáil.

Chuaigh an Rialtas Sealadach i gcúram a bhfeadhmannais an 16ú Eanáir agus tháinig Caisleán Bhaile Átha Cliath fé cheannas na nGael don chéad uair riamh, Thosnaigh na saighdiúirí Gallda ag ullmhú chun imeacht agus chuaigh buíon d'Arm na Poblachta i seilbh Beggars Bush Barracks i mBaile Átha Cliath (31ú Eanáir) mar ar bunaíodh ceann-cheathrú Arm na Poblachta fé cheannas Eoin Uí Dhubhthaigh. Cé go raibh an t-arm san in ainm bheith fé cheannas na Dála is ag an Rialtas Sealadach a bhí ceannas an airm i gceart mar d'admhaigh Mr. Churchill ina dhiaidh san i dTeach na Pairliminte i Londain, agus b'shin é an fáth gurbh é an t-aon duine amháin a bhí ina Aire Cosanta sa Rialtas Sealadach agus sa Dáil. Um an am so bhí na Gaill ag imeacht as na dúnfoirt ar fuaid na Sé Contaethe Fichead agus bhí na hÓglaigh ag dul i seilbh na ndúnfort san. In ainm an Rialtais Sealadaigh a glacadh seilbh na ndúnfort bíodh ná raibh Arm na Poblachta fé cheannas an Rialtais sin ar aon chor. Is amhlaidh a bhí dhá arm ar leith á dhéanamh d'Arm na Poblachta diaidh ar ndiaidh, agus an dá dhream á dhearbhú gurbh iad féin amháin Arm na Poblachta ó cheart agus ná raibh sa dream eile ach méirligh. Bhí urmhór na nÓglach sa Deisceart agus san Iarthar míshásta leis an gConradh agus bhí socraithe acu ina n-aigne gan géilleadh don tSaorstát a bhí le bunú dá bhárr. Ó tharla na hÓglaigh sin i seilbh na ndúnfort ar fuaid an Deiscirt agus an Iarthair scanraigh na polaiticeoirí i Sasana agus rinneadar gearán leis an Rialtas ansan.

Mhínigh Mr. Churchill do na feisirí i Westminster cad chuige don Rialtas i Sasana ligint d'Arm na Pobachta dul i seilbh na ndúnfort agus a fhios ag an Rialtas gur theastaigh uathu an Conradh a chur ar leataoibh. Dúirt sé go raibh Arm Poblachta Éireann fé cheannas an Rialtais Sealadaigh as san amach, agus gurbh é an t-aon duine amháin a bhí ina Aire Cosanta sa Rialtas Sealadach agus sa Dáil agus gur tríd an duine sin a cuireadh gach údarás i bhfeidhm in Arm na Poblachta. De dheasca na cainte a rinne Mr. Churchill an uair sin is ea d'fhiafraigh Cathal Brugha den Aire Cosanta (1 Márta) : (1) An raibh aon arm in Éirinn fé cheannas Gael seachas Arm na Poblachta (2) an raibh aon cheannas ag an Rialtas Sealadach go díreach nó go hindíreach ar Arm na Poblachta agus (3) an raibh aon bhaint ag an Rialtas Sealadach le hArm na Poblachta go díreach nó go hindíreach. Freagra séantach a thug an tAire ar an dá cheist thosaigh. Maidir leis an tríú ceist dúirt sé go raibh socrú déanta idir Rialtas na Poblachta agus an Rialtas Sealadach go rachadh Arm na Poblachta i seilbh na ndúnfort ar costas an Rialtais Sealadaigh, ach thug sé deimhniú uaidh ná cuirfeadh lucht an airm isteach ar cheart na ndaoine chun toghchán a dhéanamh ná ar a saorthoil le linn na dtoghchán, agus ná díreoidís a ngunnaí ar aon Rialtas a thoghfadh muintir na hÉireann. Ag tagairt d'Arm na Poblachta sa Deisceart a bhí an Maol-chathach, b'fhéidir, agus na focail deiridh sin á rá aige, mar bhí gach dealramh ar an scéal go raibh na hÓglaigh ansan ag ullmhú chun a dtoil féin a chur i bhfeidhm ar mhuintir na hÉireann agus chun cur i gcoinne aon Rialtais a dhéanfadh iarracht ar an Saorstát nua a chur ar bun. Is follas san as ar tharla i dTiobraid Árann Theas.

Thosnaigh na saighdiúirí agus na póilíní Gallda ar imeacht as ceantar Thiobrad Árann Theas i ndeireadh Mí Eanáir, 1922. Ba ghairid go raibh seilbh ag Arm na Poblachta ar na dúnfoirt póilíní uile ach Cluain Meala agus Tiobraid Árann féin.

Chruinnigh na póilíní isteach san dá bheairic sin agus iad ag feitheamh le díshlógadh na Constáblachta. D'imigh na saighdiúirí Gallda as Cloichín an Mhargaidh an 25ú Eanáir, agus d'fhág an 42ú Briogáid den R.F.A. dúnfort Chathair Dhún Iascaigh ceithre lá ina dhiaidh san. Ba é an dúnfort san an chéad dún mór de chuid an airm Ghallda i dTiobraid Árann Theas a tugadh suas do na Gaeil. Ní túisce d'imigh na Sasanaigh ná mar a chuaigh complachta den Séú Cathlán i seilbh an dúnfoirt agus rinneadh amhlaidh i gCloichín an Mhargaidh freisin. Níorbh fhada ina dhiaidh san gur imigh na Sasanaigh as dúnfort Fíodh Aird, ach sar ar fhágadar an dún san rinne Óglaigh na Treas Briogáide ruathar oíche air gur sciobadar leo stór mór d'armlón agus dhá inneallghunna. Sárú amach is amach ar choinníollacha an tSosa Chogaidh ba ea an gníomh san agus níor mhóide clú ná cáil na Briogáide é.

Nuair d'imigh an tArm Gallda as dúnfort Chluain Meala chuaigh Óglaigh an Chúigiú Cathláin i seilbh an dúin sin fé cheannas an Cheannfoirt Pádraig Daltún. Cuireadh Ceanncheathrú na Treas Briogáide ar bun sa dúnfort láithreach, agus tamall dá éis sin do haistríodh Ceanncheathrú an Dara Rannáin Theas chun an dúnfoirt sin freisin. D'fhógair lucht ceannais na Treas Briogáide go rabhadar i gcoinne an Chonartha a síníodh i Londain agus ghlaodar ar mhuintir na hÉireann teacht i gcabhair ar an bPoblacht, á cosaint agus á caomhnadh ar a naimhde. Nuair a tugadh an forógra d'eagarthóir an *Nationalist* dhiúltaigh sé é d'fhoilsiú. Chuir lucht ceannais na Briogáide ar a shúla dhó ansan go gcaithfeadh sé é d'fhoilsiú nó neachtar acu go gcuirfí an nuachtán fé chois. Rinne an t-eagarthóir a ghearán leis an Aire Cosanta agus dúirt an tAire go dtabharfaí gach caomhnadh don eagarthóir agus nach ligfí d'éinne cur isteach ar an nuachtán. Fé mar a tharla, ámh, cruthaíodh nach raibh cumhacht ná ceannas ag an Aire Cosanta ar Óglaigh Thiobrad Árann Theas. Go deimhin bhí na hÓglaigh tar éis cur suas d'údarás na Dála agus d'údarás na Ceanncheathrún i mBaile Átha Cliath, agus in ainneoin an deimhniú a thug an tAire Cosanta d'eagarthóir an *Nationalist* cuireadh an nuachtán san fé chois. Níorbh fhada go raibh curtha suas d'údarás na Dála agus Ceanncheathrún na nÓglach ní hamháin ag Óglaigh Thiobrad Árann Theas ach ag Óglaigh uile an Dara Rannáin Theas taobh amuigh d'Óglaigh Luimnighe Thoir. Chuaigh an scéal in olcas gan mhoill agus fágadh cuid mhór den Deisceart gan dlí gan eagar.

Tosnaíodh ar dhaoine a robáil le lámh láidir, agus bíodh go ndearna Póilíní na Poblachta a ndícheall chun cosc a chur le hainghníomhartha den tsórt ní go rómhaith d'éirigh leo. In Eanáir na bliana 1922 dúnmharaíodh feirmeoir Protastúnach darbh ainm John Barrer i gcomharsanacht Dún Droma agus b'éigean d'Oifigeach Ceannais an Tríú Cathláin (Tadhg Ó Duibhir) an dúthaigh sin uile a chur fé dhlí airm. Fógraíodh go raibh paróistí Chnoc an Bhile, Áth na Cairte, Chluain Mhurchaidh, Ros Mhóir, Chluain Olltaigh agus cuid de pharóiste an Bhóthair Leathain fé dhlí airm. Coisceadh ar éinne airm tine a bheith ina sheilbh gan cead ó Oifigeach Ceannais an cheantair sin i bpéin báis. Cuireadh d'iachall ar lucht tábhairne na tithe tábhairne a bheith dúnta acu idir a naoi a chlog um thráthnóna agus a seacht a chlog ar maidin. Coisceadh ar éinne bheith amuigh idir a deich a chlog um thráthnóna agus a seacht a chlog ar maidin. D'iarr an tOifigeach Ceannais ar mhuintir na tuaithe cuidiú leis chun an tóir a chur ar lucht robála agus dúnmharfa. Níorbh fhada gurbh

Le linn na díospóireachta a rinneadh de bharr na cainte sin thug cuid de na teachtaí aghaidh béil ar na hoifigigh sin, á rá gur chleas polaiticiúil a bhí ar siúl acu. Ba mhór an masla é, ar ndóigh, á chaitheamh le fir a rinne sárobair ar son na hÉireann agus a chuaigh i mbearna an bhaoil nuair ba cheart duine a bhí ag seasamh fóid i gcoinne na nGall. Cárbh ionadh má labhair an Ceannfort Seán Ó hÉigeartaigh go teasaí agus é ag séanadh an chúisimh sin :

> " Two members of this delegation were Dan Breen and Tom Hales. I will say that they, the one in Dublin and the other in Cork, were the first two men to start the fight, and I will say this, that the suggestion made here that this document which appeared in the papers is a political dodge is an infamous one and it should be withdrawn. This is an honest attempt to settle a situation that is drifting to disaster."

Cé gur theip ar an iarracht a rinne na hoifigigh airm, spreag dúthracht na n-oifigeach san lucht na Dála chun iarracht eile a dhéanamh. Bunaíodh Coimisiún chun an scéal a thaighdeadh ach theip ar an iarracht san freisin agus scoir an chomhdháil gan éinní a dhéanamh.

Idir an dá linn bhítheas ag troid i gCill Choinnigh agus nuair a tháinig scéala go Cluain Meala go raibh lucht na Poblachta agus lucht an tSaorstáit i gcochall a chéile cuireadh mótarcholún ó thuaidh fé cheannas Dhonnchadh de Lása. Tuairim is céad fear a bhí sa cholún san agus bhí an chuid ba mhó acu tar éis teacht thar n-ais go dúnfort Chluain Meala an lá roimhe sin ó bheairic Átha na Cairte mar a raibh gráscar beag idir dhá dhream de na hÓglaigh. Is amhlaidh a chuaigh roinnt de na hÓglaigh a bhí i bhfábhar an Chonartha, fé cheannas an Cheannfoirt Tomás Carrún. i seilbh beairice na bpóilíní ag Áth na Cairte. Chuireadar fiche fear ar garastún ann, ach is ar éigin a bhí na fir sin lonnaithe sa dúnfort nuair a chruinnigh na hÓglaigh a bhí in aghaidh an Chonartha timpeall orthu. Do hionsaíodh an bheairic oíche Dé Sathairn an 29ú Aibreán agus ghéill an garastún maidin lá arna mhárach. Goineadh an Ceannfort Tomas Carrún agus triúr eile. Cuireadh na fir a goineadh go dtí otharlann i mbaile Thiobrad Árann agus tugadh na príosúnaigh go dúnfort Chluain Meala, ach scaoileadh iad uile saor cúpla lá ina dhiaidh san.

Nuair a tháinig na hÓglaigh thar n-ais ó Áth na Cairte do hordaíodh dóibh dul go Cill Choinnigh. Ar shroichint na Gráinsí dhóibh, tamall ón gcathair, fuaireadar dream de Bhriogáid Átha Cliath fé cheannas Seosamh Lionard sa tslí rompu. Bhí an dream san gléasta in éide ghlasuaithne agus thuig na Poblachtánaigh láithreach gur dhream iad a bhí ag cuidiú leis an Rialtas Sealadach. Bhí an ceart acu. Thug Óglaigh an Rialtais Sealadaigh amas fé Óglaigh na Treas Briogáide agus leis an gcéad charca do haimsíodh inneallghunna réamhgharda na bPoblachtánach gur sciobadh an gunna as láimh an ghunnadóra ! Ní fada a mhair an troid sin. Leis an bhfírinne d'insint ní raibh aon rófhonn ar na hÓglaigh bheith in achrann ina chéile mar sin, agus ba mhór an faoiseamh dóibh é nuair a tháinig Domhnall Ó Braoin, Gearóid Ó Súilleabháin agus Seán Ó Maoláin ó Bhaile Átha Cliath d'fhonn síocháin a dhéanamh eatorthu. Bhí an triúr oifigeach san ag gabháil páirte sna cainteanna a bhí ar siúl i mBaile Átha Cliath an uair sin idir dhá thaobh an airm agus bhíodar ar a ndícheall d'iarraidh réiteach a dhéanamh. Rinneadh socrú i mBaile Átha Cliath ar dtúis, agus tháinig an triúr go Cill Choinnigh ansan chun coinníollacha an tsocruithe sin a chur fé bhráid an dá dhream i gCill Choinnigh. Bhí

228

An Toscaireacht Shíochána i bponc ar a slí go Cill Choinnigh

" Breá bog anois ——— " Tá Linn ! "

taoisigh na bPoblachtánach imithe as an gcathair fén am san, agus b'éigean don triúr oifigeach dul go Calainn mar ar bhuaileadar leo agus gur chuireadar na coinníollacha síochána féna mbráid. Bhí na Poblachtánaigh sásta leis na coinníollacha. De réir an tsocruithe a rinneadh, tugadh cuid de na posta míleata i gCill Choinnigh d'Óglaigh an Rialtais Sealadaigh agus tugadh cuid eile de na posta d'Óglaigh na hArd-Chomhairle. Bhí gach éinne sásta leis an réiteach san agus scaoileadh saor na príosúnaigh uile a bhí gafa ag an dá thaobh.

I dtaca le staid na tíre i gcoitinne ní hé amháin go raibh sí go holc ach bhí sí ag dul in ndonacht in aghaidh an lae. Bhí Óglaigh ag cur isteach ar chomhthionólta poiblí ar fuaid na hÉireann amhail is dá mbeadh beartaithe acu gan ligint do na daoine vóta a chaitheamh ná rogha a dhéanamh idir an Saorstát agus an Phoblacht. Theastaigh airgead go géar ó fhórsaí na hArd-Chomhairle ach ó tharla ciste an náisiúin fé chúram na Dála agus gan aon dul ag na hÓglaigh sin air, chinneadar ar airgead a sholáthar dóibh féin ar a mhalairt de shlí. Thugadar ruathair fé na bainc agus fé oifigí an phoist ar fuaid na tíre d'fhonn an t-airgead san a bhailiú. Ba rófhollas go raibh na hÓglaigh ag dul ó smacht agus nárbh fhada go mbeadh ainriail ar fuaid na hÉireann mura ndéanfaí socrú éigin idir lucht polaitíochta agus lucht ceannais an airm ar an dá thaobh. Sin mar a bhí an scéal nuair a tharla ní a chuir misneach agus meanmna i gcroí na nGael arís. Nuair a tionóladh Dáil Éireann an 20ú lá de Mhí na Bealtaine cuireadh in iúl do na teachtaí go raibh ceangal agus conradh caradais déanta idir Mícheál Ó Coileáin agus Éamon de Valéra. Chuir na teachtaí uile liú áthais agus comhgháirdeachais astu nuair a chualadar an dea-scéal san. Ba mhór an sásamh aigne do chách é mar níor theastaigh achrann ná easaontas ó éinne agus, go deimhin, ní raibh ó lucht an airm féin ach síocháin onórach a dhéanamh.

De réir conníollacha an tsocruithe (ar a dtugtar de ghnáth an *Collins-De Valéra Pact*) d'aontaigh an dá dhream gan aon athrú a dhéanamh ar chóras riaracháin na tíre go ceann leathbhliana; go ndéanfadh an dá dhream le chéile an tír a rialú mar Chomhrialtas idir an dá linn; go mbeadh Uachtarán, Aire Cosanta agus naonúr eile sa Rialtas; go dtoghfaí an tUachtarán agus cúigear eile ón tromlach, agus go dtoghfadh an tArm féin an tAire Cosanta; toghfaí an ceathrar eile ón mionlach; go mbeadh toghchán ann tar éis an comhrialtas a scaoileadh, agus go mbeadh vóta ag gach fear agus bean ag a raibh bliain agus fiche slán. Chuidigh an socrú san leis an dá dhream san arm a thabhairt le chéile arís. Bhunaigh na taoisigh airm " Comhchomhairle " a raibh oifigigh ón dá dhream páirteach inti chun an socrú a chur i bhfeidhm ó thaobh an airm de, agus nuair a dheimhnigh Ard-Fheis Sinn Féin an socrú ina dhiaidh san (23ú Bealtaine) ní raibh ach aon duine amháin de lucht na hArd-Fheise a chuir ina choinne. Ghlac Dáil Éireann leis an socrú d'aonghuth agus reachtaigh ina dhlí é. Thit an lug ar an lag ag na Gaill, ar ndóigh, mar níor mhian leosan go mbeadh aontacht agus caradas ar bun idir Éireannaigh ar aon chor. Thug Mr. Churchill go nimhneach fé Mhícheál Ó Coileáin i dTeach na bhFeisirí i Londain agus thóg na Sasanaigh clampar agus callán fén ngnó, á rá gur sárú é ar an gConradh. Tionóladh cruinniú speisialta den Aireacht ; d'ordaigh Churchill d'fhoireann stiúrtha an airm 30,000 saighdiúir a chur anonn go Cúige Uladh láithreach agus na saighdiúirí a bhí ann cheana d'ullmhú chun cogaidh. Cuireadh stad ar fad le himeacht an airm Ghallda as Deisceart na hÉireann agus dhiúltaigh Rialtas

Shasana a thuilleadh arm ná armlóin a thabhairt don Rialtas Sealadach. I mBaile Átha Cliath féin bhí gach ní ullamh chun cogadh d'fhearadh arís ar Ghaeil. Chuir an Ginearál Mac Riada na saighdiúirí Gallda in eagar agus cuireadh an t-ordanás i gcóir chun an chathair d'ionsaí. Cheap lucht ceannais an airm Ghallda forógra inar chuireadar ar a súla do na Gaeil, agus go háirithe do mhuintir Átha Cliath, go ndéanfaí an chathair a bhombardáil dá mba ghá é, agus fógraíodh d'oifigigh a raibh cónaí orthu lasmuigh de limistéar áirithe bheith ullamh chun troda laistigh d'uair a chloig nuair a glaofaí orthu. Ní dearnadh éinní, ámh, ach fios a chur ar an gCoileánach agus ar an nGríofach go Londain.

Pé rud a tharla idir an Coileánach agus Mr. Churchill tháinig Mícheál Ó Coileáin thar n-ais ó Londain agus a mhalairt de phort aige. Bhí an toghchán le bheith ann an 16ú Meitheamh. Bhí an Coileánach tar éis bheith ina sheasamh guala ar ghuala le De Valéra ar an aon ardán i mBaile Átha Cliath agus iad beirt á iarraidh ar na daoine cuidiú le polasaí Sinn Féin agus a vótaí a thabhairt do na comhrialtóirí. Cúpla lá ina dhiaidh san, ámh, tar éis don Choileánach filleadh ó Londain shéan sé an socrú os comhair an tslua i gCorcaigh, agus mhol dá lucht éisteachta gan bacaint leis na comhrialtóirí ach a rogha teachta a chur isteach ó dhream ar bith. Maidin an toghcháin foilsíodh *Bunreacht* an tSaorstáit nua, bunreacht nach bhfaca an chuid ba mhó de na daoine go raibh an toghchán thart. Thit an lug ar an lag ag na Poblachtánaigh nuair a chonaiceadar an bunreacht san. D'ainneoin na geallúna a bhí tugtha ag an gCoileánach go gceapfaí bunreacht a bhféadfadh gach Poblachtánach glacadh leis gan dochar dá chuid prinsiobal, is beag de rian na Poblachta a bhí le feiscint ar an gceann so. Bhí údarás agus ceannas Rí Shasana ar Éirinn á

234

dheimhniú i ngach alt agus airtiogal de.

"The English victory is plain," arsan *Sunday Times* ag cur síos dó ar an mBunreacht nua. "Everything which left the question of the Imperial connection in doubt in the Irish draft has been positively and success-fully restored."

Dheimhnigh toradh an toghcháin go raibh an tír ar thaobh na gComhrialtóirí agus gur mhian leis na daoine go leanfaí den réiteach a rinneadh idir an Coileánach agus De Valéra, óir d'éirigh leis na Comhrialtóirí 94 suíocháin a bhuachaint as 128. Ach dheimhnigh sé fairis sin go raibh tromlach na ndaoine i bhfábhar an Chonartha ; d'éirigh le lucht molta an Chonartha 58 teachtaí a chur isteach sa Dáil nua cé nár éirigh leis na Poblachtánaigh ach 36 teachtaí a chur isteach. Mhaígh an dá thaobh, dá bhrí sin, gur acu a bhí an bua ! Bhí deireadh leis an réiteach idir an Coileánach agus De Valéra ón uair a fuair lucht molta an tSaorstáit tromlach na vótaí sa toghchán. Is é rud adúradarsan ná go raibh muintir na hÉireann tar éis a dtoil a chur i dtuiscint go soiléir agus go raibh glactha acu leis an gConradh. Uime sin thugadar le tuiscint ná beadh aon comhrialtas ann agus go rabhadar beartaithe ar an bPairlimint Sealadach a thionól agus dlí a dhéanamh den Bhunreacht nua.

Ba é an chéad rud a tharla de dheasca an toghcháin ná an dá sciathán den arm a chur i gcochall a chéile arís. Ba mhian le mórán de na hoifigigh sna Ceithre Cúirteanna deireadh a chur leis an armstad láithreach agus cogadh d'fhógairt ar na Sasanaigh. Shíleadar go dtiocfadh leo an t-arm scoilte d'aontú arís ar an gcuma san ! Chuir an Ceann Foirne (Liam Ó Loingsigh) agus Cathal Brugha ina choinne sin agus ba é críoch an scéil gur dhiúltaigh lucht na gCeithre Cúirteanna do cheannas an Loingsigh agus gur thoghadar Seosamh Mac Giolla Bhuí ina ionad. D'imigh an Loingseach as an áit agus cheap lucht an tSaorstáit ansan nár bhaol dóibh feasta an t-arm briste sin. B'shin mar bhí an scéal nuair a maraíodh an Marascal Sir Henry Wilson, Ard-Cheannaire Foirne Impiriúla Ginearálta an Airm Ghallda. Maraíodh é ag doras a thí féin i Londain, an 22ú Meitheamh, agus b'shiúd láithreach an barrach ar lasadh! Chuir na Sasanaigh an gníomh san i leith na nÓglach a raibh seilbh acu ar na Ceithre Cúirteanna agus d'fhógraíodar ar an toirt go gcaithfí na hÓglaigh a dhíbirt as na Ceithre Cúirteanna agus Arm Poblachta Éireann a chur fé chois ar fad. Shéan Ard-Chomhairle Arm na Poblachta go raibh aon bhaint acu le marú Wilson. Beirt Óglach a mharaigh é gan amhras—Raghnall Ó Duinn agus Seosamh Ó Súilleabháin—agus d'éagadar go cróga ar an gcroch ina dhiaidh san i ndíol an ghnímh. Ach ní ó dhream na gCeithre Cúirteanna ach ó dhream an Choileánaigh—agus b'fhéidir ón gCoileánach féin—a tháinig an t-ordú a thug orthu Wilson a mharú.

Ansan is ea d'ordaigh Rialtas Shasana don Rialtas Sealadach na hÓglaigh a ruagairt as na Ceithre Cúirteanna (22ú Meitheamh). D'ordaíodar don Ghinearál Mac Riada ar dtúis na Ceithre Cúirteanna d'ionsaí lena chuid saighdiúirí agus lena chuid ordanáis féin. Chuir Mac Riada go daingean in aghaidh an orduithe sin, á rá gur róbhaol dá ndéanfadh sé amhlaidh nach dtiocfadh dá bharr ach Saorstátaigh agus Poblachtánaigh a dhlúthú le chéile arís in aghaidh na nGall. Chomhairligh sé do Rialtas Shasana, dá bhíthin sin, gan feidhm a bhaint as Arm Shasana ar aon chor sa ghnó san, ach an Rialtas Sealadach d'éigniú chun an t-amas a dhéanamh lena sluaite féin, is é sin leis an gcuid sin d'Arm na Poblachta a bhí ag géilleadh

236

do cheannas na Dála. Ar an drochuair d'Éireannaigh d'aontaigh Rialtas Shasana leis an gcomhairle sin. Nuair a tionóladh Teach na bhFeisirí i Londain an 26ú Meitheamh labhair Mr. Churchill go bagarthach borb. Dúirt sé go raibh an Conradh sáraithe ag Arm na Poblachta agus go gcaithfeadh an Rialtas Sealadach " rialú nó imeacht." Dúirt sé fairis sin gur mhithid dóibh deireadh a chur le hArm na Poblachta agus thug sé le tuiscint do na feisirí go raibh Rialtas Shasana tar éis litir a chur chun an Rialtais Sealadaigh i dtaobh na ceiste sin.

Le linn do Mr. Churchill bheith ag cur síos ar cheist na hÉireann i dTeach na bhFeisirí bhí nithe tábhachtacha ag titim amach i mBaile Átha Cliath. Ghaibh saighdiúirí an Rialtais Sealadaigh oifigeach d'Arm na Poblachta mar gheall ar ruathar a dhéanamh ar gharáiste sa chathair agus sé gluaisteáin a thógaint le haghaidh Arm na Poblachta. Mar chúiteamh air sin ghaibh saighdiúirí na Poblachta an Ceannfort Ó Conaill, duine de thaoisigh airm an dream eile. Bhí an gníomh deiridh sin ina leithscéal ag an Rialtas Sealadach chun amas a thabhairt fé na Ceithre Cúirteanna. Dúirt lucht an Rialtais Sealadaigh ina dhiaidh san go raibh beartaithe acu na Ceithre Cúirteanna d'ionsaí sar a bhfuaireadar an litir ó Lloyd George ar aon chor. Pé scéal é, chruinnigh saighdiúirí de chuid na Dála—agus iad ag obair de réir orduithe an Rialtais Shealadaigh—timpeall ar na Ceithre Cúirteanna maidin an 28ú lá de Mheitheamh. Tugadh nóta do cheannasaí an gharastúin ar 3.40 a.m.. Do hordaíodh do sa nóta san na Ceithre Cúirteanna a thabhairt suas don Rialtas Sealadach roimh a ceathair a chlog. Idir an dá linn bhí saighdiúirí an Rialtais Sealadaigh tar éis dhá ghunna mhóra a chur in ionad. Fuaireadar na gunnaí sin ar iasacht ó na Sasanaigh, mar d'ordaigh Rialtas Shasana do cheannasaí an Airm Ghallda in Éirinn (Mac Riada) dhá ghunna mhóra a thabhairt don Rialtas Sealadach chun na Ceithre Cúirteanna d'ionsaí. Ní raibh eolas ag na hÓglaigh ar conas na gunnaí sin d'oibriú agus, ar an abhar san, chuaigh cuid de na Sasanaigh i mbun na ngunnaí sin agus éide Airm na hÉireann orthu. Laistigh de na Ceithre Cúirteanna bhí Óglaigh na hÉireann ag feitheamh agus a ngunnaí ina lámha acu. Ach bíodh gurab ait le rá é, ní gunnaí Éireannacha a bhí acu ach gunnaí a tháinig ó arm Shasana ! Lasmuigh de na Ceithre Cúirteanna bhí dream eile d'Óglaigh na hÉireann agus gunnaí ina lámha acu ; ó Arm Shasana a fuaireadarsan na gunnaí freisin ! Theip ar na Gaill na Gaeil a bhriseadh sa chogadh ; bhí na Gaeil féin ar tí iad fein a scriosadh anois le gunnaí a fuaireadar ó na Sasanaigh ! Tá fhios ag an saol cad a tharla ansan. Dhiúltaigh na Poblachtánaigh d'ordú an Rialtais Sealadaigh agus, seacht neomaití tar éis a ceathair tosnaíodh ar thuairgneáil na gCeithre Cúirteanna. Bhí tús curtha leis an gCogadh Cathartha.

CAIBIDIL XII

COGADH NA gCARAD

I

MAR is follas óna bhfuil ráite agam cheana, chloígh urmhór mór na nÓglach i dTiobraid Árann Theas le cúis na Poblachta san aighneas a lean an Conradh, agus nuair a thosnaigh an cogadh arís i Meitheamh na bliana 1922 ghaibh trodairí na Treas Briogáide sa chath láithreach bonn. Is fíor a rá go ndearna Óglaigh Thiobrad Árann Theas le linn an tSosa Chogaidh mórán nithe nach raibh róchiallmhar agus roinnt mhaith nithe nárbh inmholta ar aon chor iad. Tig linn a rá, ámh, gur dílse don Phoblacht a bhí á spreagadh i gcónaí, agus chruthaíodar ina dhiaidh san go rabhdar dílis go héag. Ní hé atá beartaithe agam scéal an Chogaidh Chathartha a ríomh sa leabhar so, ach cuntas achomair a thabhairt don léitheoir ar eachtraí agus imeachta Óglaigh na Treas Briogáide sa chomhrac mí-ámharach úd, mar go deimhin is mór an dochar agus an díobháil d'fhulaing na hÓglaigh dá dheasca, agus is mó san curadh cróga agus cathmhíleadh calma de chuid na Briogáide a thug a anam ar son na Poblachta sa tréimhse thubaisteach san.

Do hionsaíodh na Ceithre Cúirteanna maidin Dé Céadaoin, an 28ú Meitheamh, 1922, agus lá arna mhárach ghluais Colún Reatha as dúnfort Chluain Meala ag triall ar Bhaile Átha Cliath. Céad agus cúig saighdiúirí fichead a bhí sa mhótarcholún san agus ba é an Ceannfort Mícheál Ó Síocháin, Aidiúnach na Briogáide, a bhí ina gceannas. Bhí fir ann ón uile chathlán sa Bhriogáid. Ghaibh an colún trí Phortláirge, Ros Mhic Treoin agus Inis Córthaidh agus, tar éis dul i gcomhar le hÓglaigh an Oirthir fé cheannas Earnáin Uí Mháille, ghluais na colúin chomhaontaithe ó thuaidh feadh an chósta gur rángadar Cros Bhaile Choimín i gContae Chill Mhantáin mar ar theagmhaíodar le hÓglaigh Átha Cliath Theas. Bhí ordú faighte acusan ó Cheannasaí Bhriogáid Átha Cliath teagmháil le hÓglaigh Rannán an Oirthir agus an Deiscirt a bhí an uair sin ag déanamh ar an gcathair. Bhí na colúin uile le dul i gcabhair ar na hÓglaigh a bhí ag troid i mBaile Átha Cliath ansan.

Tháinig na Muimhnigh is na Laighnigh fé cheannas an Mháilligh, agus rinneadar comhar le hÓglaigh Átha Cliath Theas agus ghluais an slua uile fé dhéin na cathrach. Ach ní raibh imeall na cathrach bainte amach acu nuair a thángthas le scéala chucu go raibh an troid thart i mBaile Átha Cliath. D'fhilleadar ar Chros Bhaile Choimín, dá bhrí sin, agus tar éis sos a dhéanamh ann ar feadh tamaill ghluaiseadar leo as an mbaile sin. Rinneadh trí gasraí de cholún na Treas Briogáide roimh imeacht as an mbaile dhóibh. Ba é an Ceannfort Máirtín Ó Braoin (dá ngoirtí " Sparky " de ghnáth) a bhí i gceannas gasra dhíobh a ghluais d'ionsaí na cathrach arís. Gabhadh urmhór an cholúin sin gairid do Stáisiún *Droichead an Rí*. Bhí an Captaen Liam Tóibín i gceannas gasra eile. Thug an gasra san ruathar fé Nás na Rí gur ghabhadar beirt oifigeach agus gluaisteán de chuid an namhad. D'fhilleadar ar Chros Bhaile Choimín ansan mar ar ionsaigh lucht an tSaorstáit iad, agus tar éis bheith ag troid ar na sléibhte go dtí uair an mheán lae chúlaigh an colún trí Ghleann Dá Locha agus Tigh na hÉille go dtí Bun Clóidíghe i gCo. Loch Garman.

D'fhan an tríú gasra, fé cheannas Mhíchíl Uí Shíocháin, i bhfochair na Laighneach agus ghluaiseadar ó dheas go hInis Chórthaidh mar ar ghabhadar an Caisleán agus dúnfort na saighdiúirí a bhí an uair sin i seilbh lucht an tSaorstáit. Thugadar aghaidh ar Fearna ansan agus ghabhadar an dúnfort. Ghabhadar Buirgheas Ó nDróna ina dhiaidh san agus chuireadar buíon Óglach mar gharastún i mBun Clóidíghe. Fuaireadar 66 raidhfleacha, 47 gunnaí fiaigh, 13 gunnáin, 87 lámhghránáidí, aon mheaisínghunna amháin agus breis is trí míle urchar d'armlón. Bhí an colún ansan ar feadh scathaimh nuair a hordaíodh dóibh filleadh ar chomharsanacht Phortláirge mar a raibh sluaite an tSaorstáit in inneall catha chun an chathair d'ionsaí. Bhí fórsaí fóirthne ag triall i dtreo na cathrach ó Chluain Meala agus bhí colúin Chill Choinnigh ag teacht ina gcomhdháil. Bhí beartaithe ag na ceannairí i gCluain Meala go dtiocfadh colún an Cheannfoirt Ó Síocháin i gcabhair ar na colúin eile, agus tar éis a neart a chur i gceann a chéile dhóibh go dtabharfaidís comhrac don namhaid. Lena linn sin bhí sluaite na Céad Roinne ag gluaiseacht fé dhéin na cathrach laisteas den tSiúir. Tháinig colún Uí Shíocháin thar n-ais, dá bhrí sin, gur ghabhadar Longfort ag Muileann an Bhata i gCo. Chill Choinnigh.

Idir an dá linn bhí colún eile de chuid na Treas Briogáide ar fianas i dTiobraid Árann agus i gCill Choinnigh. Mótarshlua a bhí sa cholún san freisin agus bhí isteach is amach le dhá chéad fear ann ar fad. Óglaigh den Treas Briogáid is mó a bhí ann ach bhí dathad fear ina measc de Bhriogáid Chorcaighe Thuaidh (an Dara Briogáid) agus iad fé cheannas a dTánaiste Briogáide féin .i. an Ceannfort Ó Riagáin. Cuir-

241

16

eadh an colún uile, idir Óglaigh Thiobrad Árann agus Óglaigh Chorcaighe, fé ardcheannas an Cheannfoirt Donnchadh de Lása, Ceannasaí Briogáide Thiobrad Árann Theas. Ghabhadar trí Chill Chuillinn agus trí Chalainn gur rángadar Cill Choinnigh. Bhí beartaithe ag an gCeannasaí ionsaí a dhéanamh ar an gcathair sin agus chuir sé na hÓglaigh ina n-ionaid chatha, ach níor ionsaigh sé an chathair ina dhiaidh san. Is amhlaidh a tuigeadh dó nárbh acmhainn do na hÓglaigh Cill Choinnigh a ghabháil, agus uime sin, d'éirigh sé as an mbeartas agus thug a bhóthar air arís. A mhalairt sin de chúis a bhí leis an ngníomh san de réir cuntais eile .i. go bhfuair an Ceannasaí Colúin scéala go raibh arm an tSaorstáit ag déanamh ar Theampall Mór, agus gur thogair sé dul i gcabhair ar gharastún an bhaile sin.* Pé scéal é, d'fhág sé Cill Choinnigh ina dhiaidh agus thug a aghaidh ar Bhaile an Gharraí. Rinne sé sos beag ansan agus thug a bhóthar air arís go dtí Na Coimíní agus as san go Teampall Tuaithe mar ar chaith na hÓglaigh an oíche ar coinnmheadh le muintir an bhaile agus na dúthaí máguaird.

Cuireadh tionól is tiomsú ar an gcolún arís maidin an lae a bhí chugainn agus nuair a bhí gach ní fé réir chun gluaiste chuaigh na fir in airde ar na lorraithe agus siúd chun siúil iad ag déanamh ar Áth na nUrlainn. Níorbh fhada sa tslí dhóibh gur rángadar Bealach Longfoirt mar ar casadh díorma de lucht an tSaorstáit orthu. Bhí na Saorstátaigh ag cur an bhóthair díobh i mótarthrucail, agus an túisce a tugadh fé ndeara iad chuir foireann mheaisínghunna de chuid na bPobachtánach a ngunna i gcóir agus scaoileadar fúthu. Léimeadarsan anuas den mhótarthrucail agus theitheadar lena

*Cad chuige, más ea, nár chuaigh an colún go Teampall Mór ar aon chor ?

n-anam óir mheasadar, dé réir dealraimh, " gurbh fhearr
rith maith ná drochsheasamh." Rinneadh príosúnach de
dhuine acu agus gabhadh an mótarthrucail. D'ionsaigh na
hÓglaigh beairic na saighdiúirí ag Áth na nUrlainn an oíche
sin. Bhí an troid ar siúl ar feadh na hoíche ach ghéill an
garastún ar maidin. Goineadh cuid de na Saorstátaigh sa
troid. Gabhadh beirt fhear ar fhichid maille le hocht raidh-
fleacha déag, roinnt gunnán agus gránáidí agus a raibh d'armlón
sa bheairic. Nuair a bhí na hairm is an t-armlón slán sábhálta
ag na hÓglaigh thugadar tine don bheairic go ndearna luaith-
reach di.

D'fhág na hÓglaigh slán ag Áth na nUrlainn ansan agus
bhogadar chun bóthair arís. Siúd ar aghaidh iad go Bealach
Longfoirt mar a raibh slua de lucht an tSaorstáit in oirchill
ar a gceann gairid don droichead. Tugadh amas obann fén
gcolún nach raibh coinne ag éinne leis agus rug na príosúnaigh
uile na cosa leo sa ghleo d'éirigh dá bharr. Maraíodh Óglach
den Treas Briogáid* agus goineadh Óglach eile, agus b'éigean
don cholún lascadh leo sna fásca go Baile an Gharraí. Cuireadh
na hÓglaigh ar coinnmheadh i mBaile an Gharraí agus i
gCill Donáil agus sa cheantar máguaird go dtí gur hordaíodh
dóibh gluaiseacht i dtreo Dhurlas Éile chun an baile sin a
ghabháil ó lucht an tSaorstáit. Tháinig na colúin, ní hamháin
ó Thiobraid Árann ach fiú amháin ó Chorcaigh agus ó Chiarr-
aighe, d'ionsaí an bhaile, ach theip orthu é ghabháil. Leis
an bhfírinne a rá rinneadar praiseach den ghnó, agus níor
mhóide cáil ná clú na nÓglach imeachta an lae sin. Chúlaigh
na colúin go Caiseal Mumhan ansan agus an namhaid ar a
dtóir. Níorbh fhada go raibh na Saorstátaigh ag teannadh
ar Chaiseal agus tháinig scéala chun an Cheannfoirt Ó Riagáin

*Pádraig Inglis ón Réidhchoill, Complacht "K" den Séú Cath.

a bhí i gceannas an gharastúin á rá leis go raibh Gabhailín gafa ag an namhaid.   Chinn an Riagánach ar fhórsa fóirthne a chur amach ó Chaiseal Mumhan agus athsheilbh a ghabháil ar Ghabhailín.   Ar mhí-ámharaí an tsaoil fuair lucht an tSaorstáit leid fén scéal agus chuireadar iad féin in inneall catha le hionsaí a dhéanamh ar na Poblachtánaigh an túisce a thiocfaidís i raon urchair.

Ghluais na Poblachtánaigh as Caiseal amach mar a bhí beartaithe acu.   Chóiríodar iad féin ina gcolúin chatha tamall ó Ghabhailín.   Trí colúin a bhí ann ar fad, an chéad cholún díobh fé cheannas an Cheannfoirt Pádraig Mac Donnchadha, an dara colún fé cheannas an Cheannfoirt Seán Ó Cillín agus an treas colún fé cheannas an Riagánaigh féin.   Thriallfadh an chéad cholún ar bhóthar Charraig an Tobair; ghabhfadh an dara colún an bóthar ó Thiobraid Árann, agus ghluaisfeadh an treas colún ar aghaidh ar an mbóthar ó Chaiseal Mumhan.   Bhí beartaithe ag an gCeannasaí go dtiocfadh na trí colúin isteach sa bhaile in éineacht ach de mhalairt bóthair.   Níor éirigh leis an mbeartas.   Bhí an dara colún agus an treas colún rómhall sa tsiúl i dtreo gur tháinig an chéad cholún isteach ina aonar agus carr iarnaithe (Lancia) ina urthosach.   Scaoil na Saorstátaigh fúthu le meaisínghunnaí agus cuireadh an Lancia as feidhm sa chás gurbh éigean dá fhoireann é thréigint.   Cuireadh maidhm agus briseadh ar an gcolún agus chúlaigh na hÓglaigh in aon treanglam amháin.   Go deimhin, is ar ró-éigean d'éirigh leo áit dídin a bhaint amach, agus maraíodh beirt acu .i. Séamas Ó Coirc den Tríú Cath agus Tomás Ó Cinnéide den Ochtú Cath.

Is ansan a tháinig colún an Riagánaigh i láthair an chatha. Rinne an colún san botún uafásach de dheasca iomraill aithne.

Ar theacht do láthair an chatha dhóibh ghabhadar isteach i gceartlár na Saorstátach toisc gur shíleadar gurbh iad na Poblachtánaigh a bhí ann. "Tar éis a tuigtear gach beart." Ba thubaisteach an tuathal a bhí déanta acu agus bhí cion a ndearmaid orthu. Mheasadar teitheadh le luas a gcos ach bhí sé ródhéanach acu. Ling na Saorstátaigh isteach ina measc agus rinneadar príosúnaigh dá n-urmhór. D'éirigh leis an gCeannasaí féin éalú uathu : chaith sé a raidhfil uaidh agus bhuail an t-oifigeach a bhí ar tí a ghabhála, léim thar claí agus tháinig slán mar sin. Ach gabhadh seisear fear is fiche de dheasca an bhotúin mhí-ámharaigh sin. Maidir leis na hÓglaigh, chúlaíodar má luaithe go Caiseal Mumhan agus an lá ina dhiaidh san d'imíodar as an mbaile sin ar fad agus fuair lucht an tSaorstáit seilbh Chaisil gan buille gan urchar.

Idir an dá linn bhí cathair Phortláirge tar éis titim. Tháinig na colúin ó Chill Choinnigh agus ó Thiobraid Árann go Muileann an Bhata mar a ndearnadar foslongfort. Bhí beartaithe acu ionsaí a dhéanamh ar na Saorstátaigh ó chúl, ach chuadarsan thar an Siúir anonn i mbáid gur thángadar gan choinne ar na hÓglaigh i bPortláirge agus gur ghabhadar seiblh na cathrach amhlaidh. Chúlaigh na Poblachtánaigh go Baile an Phoill ansan agus cuireadh de dhualgas ar cholún Uí Shíocháin sciath thar lorg a dhéanamh agus moill a chur ar thúschoimeádaithe an namhad an fhaid a bhí Cluain Meala agus Carraig na Siúire á gcur i dtreo a gcosanta. Tháinig arm an tSaorstáit ar aghaidh go mall ach bhí gnaoi na ndaoine orthu agus bhí na sluaite dubha ag gabháil san arm san. Bhí gach dea-ghléas catha agus gach cóir chogaidh acu agus de réir mar a bhíodar ag gluaiseacht ó bhaile go baile agus ó cheantar go chéile bhí a n-arm ag fás is ag forbairt ó lá go lá. A mhalairt sin de scéal a bhí ag Arm na Poblachta, ámh. Ní raibh na gunnaí móra acu ná na carbaid chogaidh ná na sluaite líonmhara fé mar bhí ag an dream eile agus, fairíor géar, ní raibh na daoine ina bpáirt.

Is féidir líon na bPoblachtánach a mheas ón ordú a tugadh do Dhonnchadh de Lása nuair a ceapadh ina Ardcheannasaí é os ceann na nÓglach uile a bhí ag troid sna colúin éagsúla i gCill Choinnigh Theas an uair sin. De réir na bhfigiúirí atá le fáil san ordú san, ní raibh ag na hÓglaigh i gCarraig na Siúire an uair sin ach 36 fear ; ní raibh acu i gCluain Meala ach 45 fear ; 30 fear a bhí acu i gCathair Dhún Iascaigh (agus na fir a tháinig as baile Thiobrad Árann d'áireamh) ; timpeall 60 fear a bhí acu i gCaiseal Mumhan agus i bhFíodh Ard agus 30 i gCill Donáil. Bhí isteach is amach le 100 fear fé cheannas an Cheannfoirt Domhnall Ó Braoin, agus is cinnte nach raibh níos mó ná 150 fear ar fad sna colúin eile a bhí ag troid sa cheantar san fé cheannas Mhichíl Uí Shíocháin, Sheáin Uí Chillín agus an Chinnéidigh. Go deimhin, is féidir nach raibh fiú an méid sin féin iontu.

Ar na hábhair sin uile mheas cinnirí Arm na Poblachta gur díomhaoin dóibh bheith ag cur in aghaidh na Saorstátach d'iarraidh na mbailte a chosaint orthu. Dar leo gurbh é a leas bailiú leo as na bailte amach agus dul i muinín na treall-chogaíochta arís. Ní dhearnadar aithris ar Óglaigh Bhaile Átha Cliath, mar sin, agus cogadh d'fhearadh ó theach go teach i sráideanna na mbailte móra, ach is amhlaidh a chuiridís go dian in aghaidh arm an tSaorstáit go dtí go mbíodh an baile a bhí mar cheann sprice ag an arm san bainte amach aige agus ansan thréigeadh na hÓglaigh an baile tar éis an dúnfort a chur trí thine ar dtúis, agus ligidís don arm eile an baile a ghabháil gan buille a bhualadh.

D'fhearadar na hÓglaigh comhrac cruaidh gur throideadar an uile throigh den tslí, mar adéarfá, ó chathair Phortláirge go Carraig na Siúire. Ach nuair a ráinig an t-arm eile imeall na Carraige thréig na hÓglaigh an baile agus chúlaíodar i dtreo Chluain Meala. Tar éis sos beag a dhéanamh i gCarraig na Siúire bhog na Saorstátaigh chun bóthair arís agus níor cuireadh ina gcoinne gur rángadar Cill Cais mar a raibh urthacaithe d'Arm na Poblachta ag fuireach leo. Chrom an dá arm ar a chéile ansan agus bhí an troid ar siúl gan stad gan staonadh nó gur bhain na Saorstátaigh imeall Chluain Meala amach.

B'fhada roimhe sin d'imigh ceanncheathrú Arm na Poblachta as an mbaile sin, ach más ea, fágadh ceanncheathrú an Dara Rannáin Theas sa bhaile i gcónaí fé cheannas Shéamais Mhic Roibín. Tamall roimhe sin tháinig Éamon de Valéra chun an Deiscirt agus tugadh post dó mar Aidiúnach don Cheannfort-Ghinearál Seán Ó Maoláin a bhí an uair sin ina Oifigeach Oibríocht. Nuair d'fhág an Fhoireann Cheann-cheathrún Cluain Meala gur chuireadar fúthu i Mainistir Fhearmuighe chuaigh De Valéra in éineacht leo, ach tar éis machnamh a dhéanamh ar an scéal tuigeadh dó ná fuair an Roibíneach cothrom na féinne, agus gur mhór an náire é d'fhágaint i gCluain Meala agus an fhreagracht uile i dtreorú an chogaidh sa chath-éadan san a bheith curtha air. Ar an ábhar san d'iarr De Valéra cead dul ar ais go Cluain Meala agus fuair. Ar Shéamas Mac Roibín a bhí an fhreagracht cosaint a dhéanamh ní hamháin ar Chluain Meala ach ar an gcath-éadan leathan lastuaidh den tSiúir ó Phortláirge go Cathair Dhún Iascaigh agus fiú go baile Thiobrad Árann ; agus ní hé Tiobrad Árann Theas amháin a bhí féna cheannas aige ach Cill Choinnigh chomh maith.

247

Nuair a bhain Arm an tSaorstáit imeall Chluain Meala amach scaip sluaite na Poblachta sa cheantar san agus d'fhill gach aonad fianais ar a dhúthaigh féin. Chuir an garastún an dá dhúnfort trí thine sar ar thréigeadar Cluain Meala agus shíobadar na droichid. Bhí Tiobraid Árann féin i seilbh na Saorstátach cheana agus bhí na hÓglaigh imithe as Cathair agus as Fíodh Ard. Ghaibh arm an tSaorstáit ceannáras na Poblachta i bpríomhbhaile Thiobrad Árann idir a naoi agus a deich a chlog um thráthnóna an 9ú lá de Lúnasa, 1922. Féadaimid a rá go raibh deireadh le ceannas na Poblachta i dTiobraid Árann Theas as san amach. Ach ní raibh deireadh leis an gcogadh.

II

Tar éis Cluain Meala a thréigint luigh Óglaigh na Treas Briogáide isteach arís ar an bhfochogaíocht ba thaitheach leo le linn an chogaidh le Gaill. Cuireadh atheagar ar na colúin reatha agus bíodh gur bunaíodh Aonad Fianais san uile cheantar chatha cuireadh dhá cholún briogáide ar bun ina dteannta san. Tig linn a rá go raibh an dá mhórcholún san ag freagairt don dá cholún reatha a bhí ar bun i dTiobraid Árann Theas le linn cogadh na nDubhchrónach. Ba iad Seán Ó Cillín agus Máirtín Ó Braoin a bhí i gceannas an dá cholún briogáide ar dtúis. Fir ón gCúigiú agus ón Séú Cath a bhí i gColún an Chillínígh; fir ón gceathrú agus ón Triú Cath is mó a bhí i gColún an Bhraonaigh ar a shon go raibh fir ann ón uile chath sa Bhriogáid taobh amuigh den Chúigiú agus den Séú Cath.

Chuaigh Colún an Chillínígh in eadarnaí ar dhíorma d'arm an tSaorstát Dé Céadaoin, an 16ú lá de Lúnasa, 1922. Is amhlaidh a ghaibh arm an tSaorstáit seilbh ar Chathair Dhún Iascaigh dhá lá roimhe sin agus cuireadh breis saighdiúirí ó Chluain Meala d'fhonn an garastún a neartú. Bhí na saighdiúirí ag taisteal i lorraithe, agus an Captaen Ó Maoileánaigh a bhí ina gceannas. Tugadh fios an fheachtais sin do na hÓglaigh agus thogair an Ceannasaí Colúin dul in eadarnaí ar a gceann timpeall leathbhealaigh idir Cluain Meala agus an Chathair—i bparóiste Dearg-Rátha. Cuireadh na hÓglaigh ina n-ionaid chatha ar chúl clúide ar mhullach cnoic a raibh teach feirmeora ar a bharr. Tá fobhóthar ag géagadh amach ón mbóthar mór ag bun an chnoic agus ascall ag dul isteach ón bhfobhóthar go dtí an teach feirme sin. San ascall a bhí urmhór na nÓglach agus radharc breá acu ar an mbealach mór fúthu thíos. Anonn uathu bhí fearannas fairsing Coirleasa ar a dtugtar Woodrooff de ghnáth. Tá eaglais bheag thuaithe ina seasamh i mothar crann i bhfogas do gheata an fhearannais agus bhí na hÓglaigh uile ag faire go féigh ar an ngeata san agus iad ag baint lán a súl as na lorraithe a bhí ag teacht amach tríd an ngeata agus as na saighdiúirí a bhí ag siúl ina ndiaidh. Bhí coinne ag an gCillíneach go dtiocfadh na Saorstátaigh an treo san. D'ordaigh sé dá chuid fear baracas a thógáil ar an mbóthar mór chun na saighdiúirí a thoirmeasc, le súil go rachaidís-sean trí fhearannas Woodrooff chun an baracas a sheachaint. Rinneadar amhlaidh. Ghabhadar an timpeall tríd an bhfearannas agus an túisce d'fhágadar an bóthar d'ordaigh an Captaen dóibh tuirling de na trucail agus dul in eagras oscailte ina ndiaidh, ar eagla a n-ionsaithe is dócha. Ar an gcumasan ghluaiseadar tríd an bhfearannas gur rángadar an bealach mór arís.

Bhí na saighdiúirí ag dul suas ar na lorraithe nuair a thug an Ceannasaí Colúin an t-ordú "lámhach." Scaoil na raidhfleoirí uile in éineacht agus thosnaigh an bualadh láithreach. Bhí dhá mheaisínghunna ag na hÓglaigh agus iad ar séirse ag rúscadh piléar leis an namhaid. Bhíodar san in aon treanglam amháin timpeall an gheata gan ord gan eagar orthu, ag brú is ag sáitheadh a chéile le neart uamhain agus alltachta agus iad ar lorg clúide. Cá hionadh san agus a obainne a hionsaíodh iad agus a laghad coinne a bhí acu leis an ionsaí sin tar éis teacht amach ar an mbóthar slán sábhálta. Baineadh as a gcleachtadh ar fad iad, agus ba ea méid a mearbhaill is a mearuithe ag an amas obann gur ghaibh sceimhle iad ar dtúis. Nuair a chuireadar a n-uamhan díobh, ámh, gur thángadar chucu féin, b'shiúd ag dul fé chlúid an chlaí iad gur thugadar comaoin a n-ionsaithe do na hÓglaigh. D'fhoráil an Ceannasaí Colúin orthu géilleadh, ach aird níor thugadar air. Arís agus arís dhiúltaíodar d'á fhoráil agus beann ní raibh acu ar an mbaol ina rabhdar ná ar an mbás a bhí ag bagairt orthu. Mhair an troid ar feadh uair a chloig agus d'éirigh na hÓglaigh as ansan ar fhoráil an Cheannasaí. Maidir leis na Saorstátaigh, fágadh triúr acu marbh ar láthair an chatha agus goineadh naonúr eile. Cuireadh coirp na bhfear marbh sna lorraithe agus d'fhill an bhuíon ar Chluain Meala go dubhach dobrónach.

Dha lá ina dhiaidh san buaileadh cath eile ag Cill Fiacla nuair a hionsaíodh mótarshlua de chuid an tSaorstáit gairid don tseanmhóta. Bhí an mótarcholún san ag taisteal ó Thiobraid Árann go Durlas Éile, agus bhí trí gluaisteáin ann maraon le mótarthrucail Crossley agus carr iarnaithe Lancia. Ba é Colún an Bhraonaigh a rinne an luíochán ach bhí an Ceannasaí Briogáide féin i láthair agus is é a chuaigh i gceannas an cholúin le linn na troda. Níor thúisce an t-ionsaí tosnaithe ag na hÓglaigh ná mar a mhaolaigh ar luas na ngluaisteán agus léim na saighdiúirí anuas díobh ar lorg clúide. Chuadar ar scáth an chlaí ansan mar ar chuireadar eagar catha orthu féin gur thugadar fé na hÓglaigh go féigh fíochmhar. Bhí torann na raidhfleacha agus na meaisínghunnaí le clos ar fuaid na dúthaí máguaird de réir mar a chuaigh an cath i ndéine agus i ndúire. Goineadh triúr oifigeach de chuid an tSaorstáit, agus orthusan bhí an Captaen Mac Cormaic, Oifigeach Ceannais an gharastúin i nDurlas Éile. Cuireadh an uile ghluaisteán agus lorraí dá raibh i láthair an chatha as feidhm, agus níorbh fhada go raibh saighdiúirí an tSaorstáit in anchaoi agus iad nach mór timpeallaithe ag na Poblachtánaigh a bhí ag teannadh isteach orthu de gach leith.

Is ansan a tháinig dream úrnua i leas a bhfóirthne fé cheannas an Taoisigh Bhriogáide Diarmaid Ó Riain. Tháinig an dream nua san ó Ghabhailín agus d'ionsaigh na hÓglaigh de leith a gcúil. Ba bhaol do na hÓglaigh an dream nua san agus, uime sin, d'ordaigh Donnchadh de Lása dá chuid fear cúlú go ciúin ar eagla a sáinnithe ag an namhaid. Chúlaíodar, dá bhrí sin, le crónú na hoíche, agus d'éalaíodar ó láthair an chatha i gan fhios don arm eile. Lean an dá dhream de na Saorstátaigh den chomhrac ar feadh i bhfad óir ba dhearbh le gach dream díobh gurbh iad na Poblachtánaigh a bhí ag seasamh an fhóid ina n-aghaidh, agus thugadar tamall maith ag comhrac le chéile sar a raibh fios a ndearmaid acu.

Trí lá ina dhiaidh san chuaigh Colún an Chillínígh in eadarnaí ar bhuíon d'arm an tSaorstáit gairid do Chluain Meala. Maraíodh beirt saighdiúirí agus ba ea méid agus troime na gcréacht a tugadh don Chornal Proinsias Ó Draighneáin gur síleadh ar dtúis nach raibh sé inleighis, ach " thèarnaigh a chréachta is chneasaigh a chneácha " go bhfuil sé beathach beo go dtí an lá inniu. Níor éirigh chomh maith leis na hÓglaigh sa chéad chath eile a buaileadh. Bhí díorma d'Arm an tSaorstáit ag taisteal ó Thiobraid Árann go Caiseal Mumhan, an 29ú lá de Lúnasa, nuair d'ionsaigh na hÓglaigh iad. Chuaigh acu ar na hÓglaigh agus ghabhadh triúr den lucht ionsaithe. Ag filleadh ar Thiobraid Árann dóibh ní ba dhéanaí sa lá do hionsaíodh arís iad. Bhain na tiománaithe siar as na lorraithe an túisce a tugadh fúthu agus ling na saighdiúirí amach ar an mbóthar. Throid na Saorstátaigh go teann tiomanta in aghaidh lucht a n-ionsaithe gur ghabhadar á dtreascairt agus a dtréanbhualadh. B'éigean do na Poblachtánaigh cúlú rompu, agus nuair a bhraitheadar go raibh an cath ag dul ina gcoinne mheasadar teitheadh le luas a gcos, ach bhí sé ródhéanach. Bhí na Saortátaigh tar éis teacht timpeall orthu agus a slí chúluithe a bhaint díobh i dtreo ná raibh bealach éaluithe acu. B'éigean dóibh géilleadh, agus, ní nárbh ionadh, ba dhubhach a meanmna dá dheasca. D'fhill na Saorstátaigh go coscrach cathbhuach tar éis an colún uile a ghabháil maraon le dhá ghluaisteán, dhá mheaisínghunna, agus a raibh d'airm is d'armlón ina seilbh.

Timpeall an ama san tharla buíon bheag d'Arm an tSaorstáit ar an mbóthar ó Chluain Meala go Cathair Dhún Iascaigh nuair a chonaiceadar urthacaithe de chuid na bPoblachtánach i gceantar Dearg-Rátha i mbarr an chnoic úd ónar thugadar fobha fé na Saorstátaigh tamall roimhe sin, mar atá inste agam cheana. Mheas na Saorstátaigh gur chuid de Cholún an Chillínígh a bhí ann agus dhealraigh sé go rabhdar ag cur cóir catha orthu féin. Agus sin mar a bhí. Is amhlaidh a bhí coinne ag an gCillíneach go dtiocfaidís an treo san agus d'ordaigh sé do na hÓglaigh iad féin a chur i gcóir chun dul ina n-oirchill. De réir dealraimh thug scabhtaí agus urthacaithe an Chillínígh faillí ina ngnó. Níor thugadar na Saorstátaigh fé ndeara ar aon chor agus d'imíodar san sna feilmintí gur bhaineadar amach Cluain Meala arís mar ar thugadar fios agus faisnéis a bhfacadar do na cinnirí airm. Chuaigh cinnirí an airm i ndáil chomhairle agus is é rud a chinneadar de thoradh na comhairle sin ná teacht i gan fhios ar na hÓglaigh agus Colún an Chillínigh a chur den tsaol. Chuireadar teachtaireacht chun an gharastúin sa Chathair ansan á rá leo teacht amach ina gcoinne agus ina gcomhdháil chun dul i gcomhar leo san obair. Thángadar líon a slua go Dearg-Ráth. Ceithre lorraithe lán de shaigh-diúirí, mótarthrucail Crossley agus dhá charr iarnaithe d'fhág Cluain Meala. Níl aon fhaisnéis ar fáil i dtaobh na saighdiúirí a tháinig amach ón gCathair ach go raibh slua láidir díobh ann agus gasra meaisínghunna ina bhfochair. Thuirling tromlach na saighdiúirí de na lorraithe sar ar shroicheadar ionad an eadarnaí. Siúd anonn thar claí an bhóthair iad ar thóir na nÓglach agus fonn a mbasctha orthu. Chuireadar an tslí dhíobh go fáilthí, mar bhí beartaithe acu go dtiocfadh an chomplacht ó Chluain Meala de ruathar ar na Poblach-tánaigh ó thaobh, agus complacht na Cathrach ón taobh eile, ionas go mbainfí a slí chúluithe dhíobh amhlaidh. Is beag nár éirigh leis an mbeartas san. Baineadh na hÓglaigh as a gcleachtadh gan aon agó. Bhí a n-aire uile ar na lorraithe a bhí ag gabháil thar bráid ar an mbóthar mór agus níor thugadar fé ndeara go raibh carra iarnaithe an namhad ag cur an fhobhóthair díobh aníos, go dtí gur scaoil na meaisín-ghunnaí fúthu. Rinne na hÓglaigh botún mór—botún uafásach d'fhéadfaí a rá—nuair d'fhágadar an fobhóthar úd gan baracas gan starrabhac, rud a chuir ar chumas na Saor-státach teacht de leataoibh ar an gcolún agus slios-sháinniú a dhéanamh air.

253

Nuair a thuig an Ceannasaí Colúin conas mar a bhí an scéal d'ordaigh sé do na hÓglaigh cúlú roimh an namhaid. Is ansan a chualathas torann na ngunnaí ar chúl an cholúin agus thuig na hÓglaigh as san go raibh lucht an tSaorstáit thart timpeall orthu. Chúlaigh cuid de na hÓglaigh thar Cnoc na Caillí gur chuadar ar scáth falla i macha feirme. Bhí gasra meaisínghunna ina measc agus nuair a tháinig na Saorstátaigh de ruathar anuas orthu loisc na hÓglaigh leo lena raidhfleacha an fhaid a bhí an meaisínghunna ag stealladh piléar ina gceathanna leo. B'éigean don namhaid teitheadh ach fágadh fear acu mín marbh ar an machaire ina ndiaidh. D'fhág an díombuaidh sin bealach éaluithe ag na hÓglaigh agus d'éirigh leo tuilleadh troda a sheachaint agus áit dídin a bhaint amach i Lios na Muice gan bac gan bárthan. Tháinig an uile dhuine de na Poblachtánaigh slán as an gcath san gan chréacht gan chneá, ach maraíodh saighdiúir de chuid an tSaorstáit agus goineadh duine de na hoifigigh.

Cúpla seachtain ina dhiaidh san rugadh ar an gCeannfort Seán Ó Cillín agus é ag triall ar Chill Cais chun freastal ar Chomhairle Bhriogáide. Ba mhór an chailliúint é, agus bhraith na hÓglaigh a easnamh go mór ar dtúis. Cuireadh an Tánaiste Briogáide .i. Pádraig Daltún chucu chun bheith ina Cheannasaí Colúin go sealadach, agus is é a bhí i gceannas an Cholúin le linn an chéad chatha eile a chuireadar ar an namhaid, is é sin cath Chnocaigh nó an cath a buaileadh ag Crosaire Mollkisheen,* tuairim is trí míle slí

*Tá sé ráite gur focal Béarla é sin agus gur "Moll Cashin" (Casheen) nó "Moll Sheehan," b'fhéidir, an leagan ceart ; gurab amhlaidh a hainmníodh an crosaire ó bhean darbh ainm Máire (Moll) Ní Chaisín a raibh cónaí uirthi gairid don áit. De réir daoine eile is focal Gaeilge é .i. "Maolchoisín," ach ní dócha go bhfuil an ceart acu sa mhéid sin.

ó Chathair Dhún Iascaigh. Tharla an troid sin an dara lá
de Dheireadh Fómhair, 1922. Cuireadh in iúl do na hÓglaigh
go raibh beartaithe ag cinnirí airm an tSaorstáit a sluaite a
chur ina ndronga mórbhuíne go ceantar Araghleanna ar
theora na dtrí contae .i. Corcaigh, Tiobraid Árann agus
Portláirge. Bhí colún de Bhríogáid Chorcaighe Thuaidh ag
cur comhraic agus comhlainn ar arm an tSaorstáit sa cheantar
san agus bhí sé mar abhar maíte acu nach dtiocfadh leis na
Saorstátaigh an ruaig a chur orthu ná ceannas a bhaint amach
dóibh féin ar an dúthaigh sin. Tuigeadh do chinnirí na
Treas Briogáide go mbeadh sluabhuíon sách láidir ag triall
ó Chluain Meala go Cathair Dhún Iascaigh chun comhar a
dhéanamh le díorma eile ansan ionas go rachaidís uile siar
go hAraghleann mar a ngabhfaidís páirt leis na buíonta eile
a bhí ag dul ar thóir an cholúin úd agus fonn a dhianscriosta
agus a dhíscithe orthu.

Níor tháinig ach dream beag ó Chluain Meala tar éis an
tsaoil. Tháinig an lorraí ar aghaidh ar luas na gaoithe isteach
i gceartlár an luíocháin. Níor mhair an troid ach cúpla
neomat. Scaoil na raidhfleoirí agus lucht na meaisínghunnaí
fén mótarthrucail nuair a ráinig na Saorstátaigh an crosaire.
Goineadh an tOifigeach Ceannais agus an tiománaí, agus
chuaigh an gluaisteán dá stiúir gur sciorr ar fiarsceabha trasna
an bhóthair mar ar stad sé i lár an luíocháin. D'fhógair
an Captaen ar a chuid fear an trucail a thréigint agus dul fé
chlúid, agus bhí ag teacht amach as an lorraí lena linn sin nuair
d'aimsigh piléar é agus thug a bhás ar an láthair sin. Theilg
na saighdiúirí iad féin fé chlúid an chlaí ansan ach goineadh
a lán acu. Seisear saighdiúirí a goineadh de réir ráiteas
oifigiúil an tSaorstáit, agus d'éag beirt den tseisear ina dhiaidh
san de dheasca a gcréacht. Nuair a tháinig na hÓglaigh

amach ar an mbóthar fuaireadar an áit ina cosair chró rompu; na saighdiúirí gonta ina luí thall is abhus agus iad ag sileadh fola go féigh fíorfhuilteach. Níorbh fhada ina dhiaidh san gur ceapadh Ceannasaí nua don Cholún agus chuaigh an Ceannphort Pádraig Daltún ar ais chun a cheantair féin mar ar thug sé a anam ar son na Poblachta agus é ag comhrac go calma curata mar ba dhual do Ghael. Seo mar tharla :

Bhí an Daltúnach agus roinnt comrádaithe i dteach tábhairne i nDún Eochaille nuair a tháinig drong de shaighdiúirí an tSaorstáit isteach sa bhaile beag. Ar theacht isteach sa bhaile dhóibh thug an tOifigeach Ceannais ordú dá chuid fear agus léimeadar anuas den lorraí gur chuadar in eagras oscailte agus iad ag déanamh ar an teach chun é a thimpeallú. De réir dealraimh ní raibh aon choinne ag na hÓglaigh leo. Nuair a chonaiceadar na saighdiúirí ag déanamh ceann ar aghaidh ar an teach lingeadar amach chucu agus ghabhadar de philéir iontu le cuthach catha. Chuaigh an Daltúnach de scríb reatha isteach i gcró na mbó mar ar chrom sé ar scáth an fhalla agus é ag teannadh piléar leis an namhaid. Tar éis tamaill thréig sé an áit sin agus scinn trasna na hiothlainne gur chuir an claí dhe isteach sa pháirc ba ghaire dhó. Ach ní raibh sé i ndán dó teacht beo den chor san. Chuaigh piléar ina chorp a tholl an dá scámhóg aige gur thug créacht doleighis dó, agus thit sé i gceann a chos agus an fhuil ag brúchtadh amach ina caisí as an gcréacht gur scar anam le corp aige.

Cúis mhór bróin agus aiféala d'Óglaigh na Treas Briogáide bás an Daltúnaigh—" Páid Mór " mar a thugadh a chomrádaithe air. Saighdiúir calma ba ea é agus bhí dúchas an Ghaeil go láidir ann, agus ní miste a rá go bhfuair sé an bás ba rogha leis féin—bás ar son na hÉireann agus é ar fianas

Pádraig Mór Daltún

in Arm na Poblachta. Fear breá a bhí ann ó chorp agus ó aigne, fíordhuine uasail a raibh cion mór ag cách air. Ba mhór an chailliúint é. Chaith sé tamall maith ina Cheannasaí ar an gCúigiú Cath agus bhí sé ar feadh tamaill i gceannas na nÓglach i Luimnigh Thoir, agus ina dhiaidh san arís d'fhill sé ar Thiobraid Árann chun dul i gceannas ar an gCeathrú Cath. Bhí sé ina Thánaiste Briogáide an uair a maraíodh é. Ar dheis Dé go raibh a anam.

Idtosach Mí na Nollag cuireadh tionól agus tiomsú ar an dá cholún .i. Colún an Bhraonaigh agus Colún an tSaidléirigh,* agus ar na hAonaid Fianais d'ocht gCatha na Briogáide as gach áit agus gach ionad ina rabhdar san am, gur ghluaiseadar ina ndronga agus ina ndíormaí go teora thoir-theas an chontae mar ar cruinníodh i gceann a chéile iad ag bun Shliabh na mBan. Cuireadh i dtuiscint dóibh go rabhdar ag dul i láthair an chatha agus míníodh dóibh go beacht an obair a bhí le déanamh acu. Cuireadh ina luí orthu mar an gcéanna a riachtanaí a bhí sé na horduithe a tabharfaí dhóibh a chomhlíonadh go cruinn ciallmhar. Roinneadh ina ngasraí iad agus cuireadh in iúl do gach gasra fé leith an dualgas a bhí le comhlíonadh acu.

Is é a bhí beartaithe ag Arm na Poblachta ná dúnfort na saighdiúirí i gCarraig na Siúire a ghabháil agus a chur trí thine tar éis a raibh d'airm agus d'armlón agus de ghléasra cogaidh sa dúnfort a sciobadh leo ar dtúis. Ba é an Ceannfort-Ghinearál Tomás de Barra, Oifigeach Ceannais Oibrithe Míleata ar an bhFoireann Cheannárais a bhí i gceannas an ionsaithe sin. Roinneadh na hÓglaigh ina gceithre gasraí : an chéad ghasra fé cheannas an Bharraigh féin ; an dara gasra

*Chuaigh Tomás Saidléir i gceannas an cholúin sin i nDeireadh Fómhair.

fé cheannas an Tánaiste Bhriogáide, Liam Ó Cuirc;* an treas gasra fé cheannas an Cheannfoirt Mícheál Ó Síocháin, agus an ceathrú gasra fé cheannas Phiarais Tóibín. Cuireadh de dhualgas ar ghasra an Bharraigh an fear faire a shárú, teach an gharda a ghabháil agus an garda féin a chloí. Bhí an dara gasra le hionsaí a dhéanamh ar an bpríomháras agus an garastún a ghabháil, agus an fhaid a bheadh an obair sin ar siúl sa dúnfort ghluaisfeadh an treas gasra d'ionsaí na Carraige chun seilbh a ghabháil ar an mbaile agus chun príosúnaigh a dhéanamh d'aon tsaighdiúirí a mbéarfaí orthu sna sráideanna. Maidir leis an gceathrú gasra, cuireadh de dhualgas orthusan an bóthar ó Chluain Meala a chur ó chion agus baracas a thógáil ; agus do hordaíodh dóibh gan cath ná comhlann d'éimheadh dá dtiocfadh fórsa fóirthne ó Chluain Meala chun dul i gcabhair ar gharastún na Carraige, ach comhrac a thabhairt dóibh agus dícheall a dhéanamh chun cosc a chur leo.

D'éirigh go seoigh leis an mbeartas. Fuair na hÓglaigh seilbh na beairice gan urchar a chaitheamh. Ghabhadar an baile freisin agus rugadar ar na saighdiúirí a bhí ar na sráideanna. Chuir sáirsint ina gcoinne agus tharraing a ghunna, ach síneadh maol marbh ar an láthair sin é. Gabhadh an garastún ar fad agus d'ardaigh na hÓglaigh leo a raibh d'airm agus d'armlón, d'éide agus de ghléas cogaidh agus de threalamh catha sa dúnfort maraon le mótarthrucail Crossley. Chuireadar an bheairic fé bharr lasrach ansan agus d'imíodar leo as an mbaile amach ina gcipí catha agus ina gcolúin chomhdhlútha, agus is iad a bhí go lúcháireach lánmheanmnach ag filleadh ón gCarraig dóibh le bua coscair agus caithréime.

Níor chian, ámh, go ndearna cumha agus caoineadh den

*Ceapadh ina Thánaiste Briogáide é d'éis bás an Daltúnaigh.

chaithréim sin. Ar fháil faisnéise do na Saorstátaigh go raibh colúin chatha na Treas Briogáide ar coinnmheadh i gceantar Bhaile an Gharraí siúd leo amach ina gcoinne líon slua chun go gcuirfidís scaipeadh agus scaoileadh orthu den iarracht san. Bhrúchtadar go hobann ar na hÓglaigh agus, ar a shon go ndearnadarsan a ndícheall chun iad féin a chaomhnadh agus a chosaint ar an bhfobha fíochmhar a tugadh fúthu, is ar ró-éigean a tháinig leo éirí as an gcath agus ionad sábhálta a bhaint amach gan raon madhma a ghabháil chucu. Maraíodh an tÓglach Seán Ó Ríordáin, duine den Cheathrú Cath agus ball de Cholún an Bhraonaigh, agus gabhadh aon fhear déag de na hÓglaigh. D'agradar an briseadh san ar na Saorstátaigh, ámh. Cúpla lá ina dhiaidh san thugadar amas obann oíche ar thrí bailte i ndiaidh a chéile .i. Callainn, Baile Mhic Anndáin agus Muileann an Bhata i gCo. Chill Choinnigh, agus ghabhadar gach baile dhíobh agus rugadar leo a raibh d'airm is d'armlón sna dúnfoirt.

Chaill an Chéad Cholún a Cheannasaí go luath san athbhliain nuair a maraíodh an Ceannfort Máirtín Ó Braoin gairid do theach cónaithe a athar i dTiobraid Árann. Bhí sé tar éis bheith ar cuairt chun a athar nuair a casadh colún de na Saorstátaigh air. Bhí beirt chompánach leis agus chuadar a dtriúr ar chúl clúide nuair a chrom an namhaid ar iad d'ionsaí. Tharraing an Braonach a pharabellum ach níor fhéad sé urchar a scaoileadh; bhí an gunna pulcaithe. D'aimsigh piléar sa cheann é gur scaoil a inchinn trína chloigeann amach. Tugadh créachta marfacha don Chaptaen Donnchadh Ó Riain, ach ní fhuair sé bás go ceann leathbhliana ina dhiaidh san. Cuireadh go hotharlann mhíleata é mar ar fhan sé go dtí an samhradh, ach ní raibh sé inleighis agus d'éag sé fé dheoidh. Ghéill an tríú fear do na Saorstátaigh.

Ba thruach tuirseach iad Óglaigh na Treas Briogáide nuair a chualadar na scéala fé bhás an Bhraonaigh. Ógánach groí gealgháireach ba ea é agus meas mór ag cách air. Ba churadh coscrach é i gcath agus i gcomhlann agus ba chomhla catha d'Óglaigh an Cheathrú Catha é ón uair a chuaigh sé ina gceannas. Ach tháinig an bás go hobann á fhuadach i meán a bhrí agus a mhaitheasa.

Chuaigh an Ceannfort Mícheál Ó Síocháin i gceannas an Chéad Cholúin d'éis bás an Bhraonaigh. Tharla colún rothaíochta de chuid an tSaorstáit, maraon le dhá lorraí lán de shaighdiúirí agus dhá charr iarnaithe Lancia, go chomharsanacht Bhaile an Gharraí mar ar theagmhaíodar le Colún an tSiochánaigh, an 15ú lá d'Eanáir. Chrom an dá dhream ar a chéile láithreach bonn. Maraíodh duine de na saighdiúirí agus gabhadh beirt Óglach ina bpríosúnaigh. Tharla comhrac eile gairid do Chill Chuilinn (Teach na Naoi Míle) tráthnóna an lae a bhí chugainn. Mhair an troid go deireadh an lae nuair d'éirigh an colún as an gcath gur éalaíodar leo sa dorchadas gan fuiliú gan fordheargadh ar éinne acu, cé gur maraíodh saighdiúir de chuid an tSaorstáit. Cúpla lá tar éis an chatha i gCill Chuilinn tharla an dá cholún reatha i dteannta a chéile ag Cill Fiacla mar ar chuadar in eadarnaí ar bhuíon bheag de shaighdiúirí an tSaorstáit—" Gardaí Átha Cliath "—a bhí ag taisteal go Tiobraid Árann. Maraíodh Leifteanant agus sáirsint agus gabhadh an Ceannfort Ó Conchubhair agus a fhear friotháilte. Loisceadh an gluaisteán ina rabhadar ag taisteal agus rinneadh luaithreach de. Tráthnóna an lae dár gceann d'ionsaigh mórbhuíon den namhaid an dá cholún i bhfogas don Ghráinseach agus d'agradar eadarnaí an lae roimhe sin ar na hÓglaigh. D'éalaigh an Ceannfort Ó Conchubhair i lár an ghleo is an ghleithearáin. Goineadh

Seán Mac Conchradha, fear an mheaisínghunna i gColún a hAon agus gabhadh ina phríosúnach é. Rinneadh criathrach de leathlámh leis gurbh éigean do na máinleá í bhaint de. D'éirigh leis na hÓglaigh éalú den iarracht san cé gurbh ar éigin báis é, agus goineadh cuid mhaith acu sa troid.

Scaip an dá cholún tar éis an chatha san agus d'fhill urmhór an Dara Colúin ar a ndúthaigh féin. Chúlaíodar thar Sliabh na Muc agus trí Ghleann Eatharla gur chuireadar Sliabh gCrot anonn díobh agus gur bhaineadar amach Uí Fathaigh fé dheoidh. Chuaigh díorma dhíobh i dteannta Óglaigh an Chéad Cholúin go ceantar na gcnoc timpeall ar Chluain Mhurchaidh mar ar gabhadh mórán acu cúpla lá ina dhiaidh san.

Bhí an cogadh ag dul i gcoinne na bPoblachtánach, agus bhí na hoifigigh ab éifeachtúla á ngabháil nó á marú, ionas gurbh fhollas do chách nárbh fhada uathu deireadh an chogaidh. Ba thrombhuille ar an Treas Briogáid i dTiobraid Árann bás an Cheannphoirt de Lása. Maraíodh an Ceannasaí Briogáide agus an Leas-Cheannfort, Pádraig Mac Donnchadha agus iad ar sheirbhís chogaidh i nGleann Eatharla, maidin Dé Domhnaigh, an 18ú lá d'Fheabhra, 1923. D'ionsaigh an namhaid an teach ina rabhadar ar coinnmheadh, agus cé go raibh na saighdiúirí tar éis iad a thimpeallú agus gur leonadh an Leas-Cheannfort Mac Donnchadha sa leis gur thit sé i gcróilí fola ar urlár an tí, chinn an triúr oifigeach .i. an Lásach, an Leas-Cheannfort Mac Donnchadha agus an Captaen Ó hAilín, ar ruathar obann a thabhairt fén namhaid le súil go mbainfidís as a chleachtadh iad agus go mbéarfaidís na cosa leo amhlaidh. Amach leo de ruathar as an teach gur thugadar sí santach sárnimhneach ar na saighdiúirí agus gur chuireadar scaipeadh is scaoileadh orthu le hobainne agus le fíochmhaire a n-amais. Ach chruinníodarsan a neart arís agus chaitheadar leis na fir a bhí ag éalú uathu gur thit an Leas-Cheannfort Mac Donnchadha agus créacht marfach ann. Chuir an Ceannfort de Lása an claí dhe agus ghaibh lán a dhá bhonn den fhód féarach sa pháirc ba ghaire dhó. Thit a ghunnán ar an talamh agus bhí sé ag cromadh fé chun é d'fháil nuair d'fhógair na saighdiúirí air " lámha in airde. " Rug sé ar a ghunna, d'ardaigh é agus scaoil leis an namhaid. Lena linn sin chualathas torann tréan na raidhfleacha agus síneadh Donnchadh de Lása marbh ar an machaire agus piléar ina cheann. Ba dhúr agus ba dhoiligh le hÓglaigh na Treas Briogáide bás a gCeannasaí mearchalma. Ba dhubhach leo a meanmna dá éis agus as san amach bhí ag dul dá neart agus dá ndóchas in aghaidh an lae an fhaid a bhí a naimhde ag fás agus ag forbairt i gcumhacht is i gcumas gur chuireadar maidhm agus mórbhriseadh agus míchoscar orthu i ndeireadh báire go dtí go raibh na hÓglaigh á ndianscrios agus á ndíbirt, á scaipeadh agus á scoiltréabadh ar fuaid na tíre, ionas gurbh éigean dá gcinnirí teacht i gceann a chéile fé dheoidh d'iarraidh sosa agus síochána.

Is ansan a maraíodh Liam Ó Loingsigh, Ceann Foirne na nÓglach, ar learg na sléibhte i dTiobraid Árann Theas, agus nuair a tuigeadh do chinnirí Arm na Poblachta agus d'Airí an Rialtais nárbh fhonn le cinnirí Arm an tSaorstáit ná le hAirí an tSaorstáit síocháin a dhéanamh leo mura ngéillfidís gan chomha ar dtúis, d'ordaigh an tUachtarán de Valéra do na hÓglaigh éirí as an gcogadh agus a gcuid arm a chur i dtaisce. Rinneadh rud air. Bhí Arm na Poblachta sáraithe ag an namhaid tar éis diantroid a dhéanamh ar feadh tréimhse fada. Tháinig lá a dtreascartha fé dheoidh agus ní raibh de rogha acu ach éirí as an troid. Maidir le

Liam Ó Lionsigh Ar Luí Stáit

hÓglaigh na Treas Briogáide, ní miste a rá gurbh iad ba chomhla catha do lucht na Poblachta i rith na mblianta anuas ó 1919. Ba iad a chuir tús leis an dreas ba dheireanaí de Chogadh na Saoirse sa bhliain 1919 agus ba iad ná raibh sásta an tsíocháin a cheannach ar an easonóir, ná an tsaoirse a ligint uathu ar ghrá an tsuaimhnis gur dá dheasca a chuadar i mbearna an bhaoil arís bíodh gur dhóiche de a mbás ná a mbeatha a theacht de. Agus bhí a rian san orthu. Thug beirt fhear agus ochtó d'Óglaigh na Treas Briogáide a n-anam ar son na hÉireann sa tréimhse chorraithe úd 1919-1923. Go mba fada buan a gcuimhne inár measc agus

" Ná déanaimís dearmhad ar na tréinfhir úd
Thug saor sinn ar uair na práinne ;
Nár thréig an chúis dá mhéid a nguais
Ach d'éag gan gruaim ina dtáinte.
I gcoinne na nGall do sheasaigh go teann
Ag troid le fonn ar son Ghráinne ;
Is tógfaimid ar ball a leacht os a gceann—
Trodairí na Treas Briogáide."

AGUISÍN I (a)

Eagar agus Líon na Briogáide

Ocht gCatha a bhí sa Bhriogáid agus iad roinnte ina gComplachta mar leanas :

An Chéad Chath

    4 Complachta :   A Ros Gréine

                                        B Fíodh Ard

                                        C Baile Mhoirtéalaigh

                                        D An Séipéal Nua

Cuireadh complacht eile leis an gcath le linn an tSosa Chogaidh .i. Cúil Maighín (Complacht E). Bhí gasra fear ag gabháil leis an gCeannáras Briogáide a toghadh ó Chomplacht A agus a dtugtaí an Complacht Ceannárais orthu. Cuireadh an Complacht Ceannárais ar bun i mí Feabhra na bliana 1921 agus cuireadh deireadh leis nuair a thosnaigh an Cogadh Cathartha, Iúil, 1922.

An Dara Cath

    5 Complachta :   A Caiseal Mumhan

                                          B Loch Ceann

                                          C An Gabhailín

                                          D Dubh-Alla

                                          E Cill Fiacla

An Treas Cath

    5 Complachta :   A Dún Droma

B Áth na Cairte
C Cluain Mhurchaidh
D Ros Mór
E Crosaire an Ghúlaigh

An Ceathrú Cath
10 Complachta :

A⎫
B⎭Baile Thiobrad Árann

C Dún Eochaille
D Dún na Sciath
E Sulchóid
F Brughas
G Eatharla
H An Bháinseach
I Cill Ros
K Leathtoinn

Nuair a cuireadh eagar ar an Treas Briogáid ar dtúis cuireadh Imleach Iubhair le Briogáid Luimnighe Thoir. Do haistríodh thar n-ais chun na Treas Briogáide i dTiobraid Árann é, áfach, timpeall aimsir an tSosa Chogaidh go ndearna complacht den Cheathrú Cath dhe. (Nóta ó Sheán Mac Giolla Pádraig.)

An Cúigiú Cath
7 gComplachta :

A Cluain Meala
B Cill Síoláin
C An Ghráinseach
D An Caisleán Nua
E Baile an Phaoraigh
F Baile an Ruiséalaigh
G Cill Cais

267

Cuireadh Complacht H (Doire an Láir) ar bun timpeall Mí Iúil, 1922 agus ba chuid den Chúigiú Cath é. Tá Baile an Ruiséalaigh agus Doire an Láir i gCo. Phortláirge. Sar ar cuireadh eagar ar Bhriogáid Phortláirge Thiar ghaibh cinnirí na Treas Briogáide i dTiobraid Árann stráice mór de thuaisceart agus d'iarthar-thuaisceart Phortláirge gur chuireadar eagar air agus go ndearnadar a roinnt idir an Cúigiú agus an tOchtú Cath de Bhriogáid Thiobrad Árann Theas. Bhí an dúthaigh ó dheas go Baile Mhic Cairbre i seilbh na Treas Briogáide go dtí gur cuireadh eagar ar Bhriogáid Phortláirge Thiar. Ba é an dála chéanna ag Cumann na mBan é. Bhain Baile Mhic Chairbre leis an eagraíocht i dTiobraid Árann (Briogáid Thiobrad Árann Theas de Chumann na mBan) go dtí Meitheamh na bliana 1921 nuair a baineadh an dúthaigh sin d'Óglaigh (agus de mhná) Thiobrad Árann gur cuireadh fé cheannas Óglaigh (agus mná) Phortláirge Thiar í. Fágadh Baile an Ruiséalaigh agus Doire an Láir i mBriogáid Thiobrad Árann Theas i gcónaí, ámh, maraon leis an gcuid sin de pharóiste Chluain Meala atá suite i gCo. Phortláirge agus na dúthaí fairsinge a bhain leis an Ochtú Cath de Bhriogáid Thiobrad Árann Theas laisteas den tSiúir.

An Seisiú Cath
  9 gComplachta :

A	Tigh an Churraigh
B	Baile Uí Phéacáin
C	Gráig
D	Sceichín an Rince
E	An Garraí Mór
F	Béal Atha Póirín
G	An Chúirt Dóite
H	Cathair Dhún Iascaigh

K   An Réidh-Choill.

An Seachtú Cath
  7 gComplachta :   A Drangan
                             B Baile an Gharraí
                             C Cluainín
                             D Cill Osta
                             E Magh Ghlas
                             F Laffan's Bridge
                             G Cill Donáil

An tOchtú Cath
  9 gComplachta :   A Carraig na Siúire
                             B Faichín
                             C Gráinseach Moicléir
                             D Maothal
                             E Cluain Fhia Paorach
                             F Rath Ó gCormaic
                             G Bearna na Gaoithe
                             H Baile Uí Néill
                             K Coill Ó nDeirigh

    Mar adúradh cheana bhí limistéir fhairsinge ag an Ochtú Cath i gCo. Phortláirge, eadhon, Maothal, Cluain Fhia Paorach, Rath Ó gCormaic agus Bearna na Gaoithe (Complachta D, E, F agus G). Taispeánann an léarscáil an chuid den Chath a bhí suite i gCo. Phortláirge chomh maith leis an gcuid a bhí i gContae Thiobrad Árann.

3,146 fear a bhí ar rolla na Treas Briogáide nuair a fógraíodh an Sos Cogaidh.

Cath I	300	(Foireann : 9 ;	Óglaigh 291).
Cath II	296	(Foireann : 7 ;	Óglaigh 289).
Cath III	362	(Foireann : 8 ;	Óglaigh 354).
Cath IV	639	(Foireann : 8 ;	Óglaigh 631).
Cath V	420	(Foireann : 6 ;	Óglaigh 414).
Cath VI	401	(Foireann : 8 ;	Óglaigh 393).
Cath VII	298	(Foireann : 6 ;	Óglaigh 292).
Cath VIII	422	(Foireann : 7 ;	Óglaigh 415).

Foireann Bhriogáide : 8
An tIomlán : 3,146

Na Colúin Reatha :
An Chéad Cholún : Donnchadh de Lása, Ceannasaí Colúin.
An 1ú Cath ; Seán Ó Maolmhuire, Risteard Mac Aodha,
Pádraig Ó Riain 3
An 2ú Cath : Tomás Táilliúir, Pádraig Ó Céin, Pádraig Ó Dubhshláine, Mícheál Ó Murchadha, Seán Ó Dúnadhaigh, Máirtín Ó Caoinleáin. Seán Ó Caoinleáin, Peadar Mac Giolla Phóil, Tadhg Saidléir, Tadhg Ó Céirín 10
An 3ú Cath : Pádraig Ó Duibhir, Séamas Ó Riain, Séamas Ó Gormáin, Domhnall Ó Caoimh, Ruaidhrí Ó hAinlighe, Pádraig Inglis, Seán Ó Riain (An Máistir), Pádraig Ó Riain, Seán Mac Giolla Phádraig, Séamas Ó Gliasáin, Conn Ó Caoimh 11

An 4ú Cath : Máirtín (" Sparkie ") Ó Briain, Pádraig Mór Daltún, Diarmaid Ó Cadhla, Pádraig Mac Donnchadha, Pádraig Ó Maoldhomhnaigh, Mícheál Mac Giolla Phádraig, Liam Óg Ó hAilín, Tomás Ó Loingsigh, Aindrias Ó Cinnéide, Pádraig Ó Cathail, Tomás Beilliú, Seán Mac Giolla Phádraig, Maitiú Barlow, Brian Ó Seanacháin, Pádraig Ó Riain, Tadhg Mac Conchradha, Séamus Mac Giolla Mháirtín, Séamus Ó Dochartaigh, Éamon Ó Duibhir, Seán Harding, Seán Ó Cuinn, Diarmaid Mac Giolla Phádraig, Seán Mac Conchradha, Pol Ó Muireagáin, Mícheál Ó Riain 25

An 5ú Cath : Seán Ó Cinnéide 1

An 7ú Cath : Seosamh Ó Fearghail, Mícheál Saidléir. 2

An 8ú Cath : Peadar Tóibín, Pádraig de Buitléar, Éamon de Buitléar, Séamas de Buitléar, Éamon Gleandún, Ó Lonnargáin, Séamus Norais, Parthalón Ó Muirgheasa, Tomás Ó Cinnéide, Roibeard Ó Síocháin, Tomás Ó Cochláin, Seán Ó Raghallaigh, Pádraig Bálduing, Liam Ó Lonnargáin .. 14

Cath na nGaibhlte (An Gall-bhaile) : Seán Sheosaimh Ó Briain, Liam Ó Freachair, Seán Ó Loingsigh

3

—

An tIomlán 70

Bhíodh na hOifigigh Bhriogáide agus na hOifigigh Chatha seo leanas ar fianas leis an gColún ó am go ham freisin:

271

Domhnall Ó Braoin, Seán Ó Meadhra, Seán Ó hAodha, Tomás Ó Fathaigh, Muiris Mac Craith, Tadhg Ó Duibhir, Séamas Mac Giolla Easpaig, Conn Ó Briain, Liamín Ó Dochartaigh, Seán Ó Cillín, agus Pádraig Ó Braonáin.

272

Líon na nÓglach a bhí ar ghnáthsheirbhís chogaidh
(tuairim)   350
Líon na nÓglach a bhí i bpríosún nó i gcampa ghéibinn
(tuairim)   250

Is mian liom mo bhuíochas a ghabháil go ró-speisialta le Seán Mac Giolla Phádraig, Rúnaí Lucht Cuata na hÉireann, a thug dom an t-eolas go léir atá curtha sios anso fé eagar agus líon na Briogáide.

AGUISÍN I (b)
FOIREANN NA BRIOGÁIDE AGUS FOIRNE NA GCATHLÁN
mar bhíodar an uair a fógraíodh an Sos Cogaidh
11 Iúil, 1921.

FOIREANN BHRIOGÁIDE :
> Séamas Mac Roibín, O.C. na Briogáide.
> Donnchadh de Lása, Leas-O.C. na Briogáide agus
> O.C. an Cholúin Reatha.
> Seán Mac Giolla Phádraig, Aidiúnach.
> Mícheál Ó Síocháin, Ceathrúnach.
> Seán Ó hÓgáin O.C. Colúin a Dó.
> Tomás de Carrún, O. Faisnéise.

NA FOIRNE CATHA :
> *An Chéad Chathlán* :
> Diarmaid Ó Daimhín, O.C.
> Séamas Céitinn, Leas-O.C.
> Séamas Ó Dulchonta, Aidiúnach,

273

18

Seán Puirséal, Ceathrúnach.
Seán Ó Dulchonta, O.F.
Mícheál de Nunnseann, O.C. Innealltóirí
Seán Déabhrús, O.C. Comharthaíochta.
Proinsias Ó Muirgheasa, O.C. Iompair.
An Dara Cathlán :
Seán Ó Duanaigh, O.C.
Pádraig Daltún, Leas-O.C.
D. Táilliúir, Aidiúnach.
Pádraig Ó Broin, Ceathrúnach.
Éamon Máirtín, O.F.
An Treas Cathlán :
Tadhg Ó Duibhir, O.C.
Éamon Ó Raghallaigh, Leas-O.C.
P. Mac Gearailt, Aidiúnach.
Seán C. Ó Riain, Ceathrúnach.
Seán de Búrca, O.F.
Donnchadh Ó Ceallaigh, O.C. Innealltóirí.
An Ceathrú Cathlán :
Seán Ó hAodha, O.C.
Art Barlow, Leas-O.C.
Séamas Ó Maoldhomhnaigh, Aidiúnach.
Tadhg Mac Conchradha, Ceathrúnach.
Tomás Ó Connmhaigh, O.F.
Maittiú Barlow, O.C. Innealltóirí.
Pól Ó Meirgín, O.C. Iompair.
An Cúigiú Cathlán :
Pádraig Daltún O.C.
Seán Ó Muirgheasa, Leas-O.C.
Seán Ó Cuirc, Aidiúnach.
Risteard Daltún Ceathrúnach.

274

Seán Ó Searcaigh, O.F.
Seán Ó Cuanaigh, O.C. Innealltóirí.
An Séú Cathlán :
  Seán Priondargás, O.C.
  Seán de Nógla, Leas-O.C.
  Tomás Ó Broin, Aidiúnach.
  Liam Ó Diomasaigh,Ceathrúnach.
  Tomás Ó Mathúna, O.F.
  Éamon Mac Conmara, O.C. Innealltóirí.
An Seachtú Cathlán :
  Seán Breathnach, O.C.
  Seán Ó hAodha, Leas-O.C.
  Tomás Ó Cearbhaill, Aidiúnach.
  Éinrí Bushe, Ceathrúnach.
An tOchtú Cathlán :
  Muiris Mac Craith, O.C.
  Tomás Ó Fathaigh, Leas-O.C.
  Proinsias Bairéid, Aidiúnach.
  Roibeárd Breathnach, Ceathrúnach.
  Dáithí de Paor, O.F.
  Tomás Ó Faoláin, O.C. Innealltoírí.

AGUISÍN II

Eagar agus Líon na nGall i gCo. Thiobrad Árann Theas

Tá na figiúirí seo leanas bunaithe ar :-
(a) Liosta de na haonaid airm a bhí lonnaithe i gCo. Thiobrad
Árann i mBealtaine na bliana 1921. An Ceannfort-Ghinearál

Tomás de Barra a thug an liosta dhom agus gabhaim mo bhuíochas leis ó chroí dá bharr. Baineadh an liosta as scríbhinn oifigiúil de chuid an airm Ghallda a bhfuil an dáta 17 Bealtaine 1921 air agus ainm an Mhaor-Ghinearáil Strickland, Ginearál-Oifigeach i gCeannas Roinne a Sé d'arm na Breataine in Éirinn, curtha leis. Tháinig an scríbhinn sin i seilbh na nÓglach le linn an chogaidh agus gheibhtear ann liosta de na haonaid mhíleata a bhí lonnaithe sa Liomatáiste Dlí Airm an uair sin. Ní miste a rá nach bhfuil an liosta san iomlán mar sin féin. Níl aon chur síos ann, cuir i gcás, ar na haonaid a bhí ar garastún i gCluain Meala ná ar aonaid áirithe eile is eol dúinn a bheith ar garastún i dTiobraid Árann san am.

(b) Tuarascála sna nuachtáin ina bhfuil tagairt d'aonaid airm na Breataine a bhí ar stáisiún i dTiobrad Árann Theas.

(c) Fianaise Chomhaimseartha.

Tugtar ar dtúis neaslíon an airm Ghallda i dTiobraid Árann Theas maraon le himdháil na saighdiúirí ar fuaid an limistéir sin. Bíodh gurab é Cluain Meala príomhbhaile Thiobrad Árann Theas, ní sa bhaile sin ach i mbaile mór Thiobrad Árann a bhí ceanncheathrú an airm Ghallda sa limistéar.

Líon iomlán na dtrúpaí Gallda (tuairim)   4,400
agus iad arna n-imdháil mar leanas :-
Dúnfort na Saighdiúirí i dTiobraid Árann :
    1st Battalion Lincolnshire Regiment   800
    2nd Battalion Lincolnshire Regiment   800
    2nd Battalion Yorkshire Regiment
    (dá ngoirtear *Green Howards*)   800
    Aonaid neamhshonraithe den Oxford and
    Bucks Regiment   400 (?)
Baineann na figiúirí thuas romhainn leis na creascáin agus

leis an dúnfort sa bhaile sin.

Dúnfort na Saighdiúirí i gCathair Dhúin Iascaigh :

    42nd Brigade Royal Field Artillery   720

(Tháinig an t-Aonú Briogáid Triochad ina n-ionad níos déanaí)

Díorma de na Lancers nach eol dúinn a líon.

Dúnfort na Saighdiúirí i gCloichín an Mhargaidh :

    129th Battery, R.F.A.

Dúnfort na Saighdiúirí i bhFíodh Ard :

    136th Battery R.F.A.

Is dócha gur chompáirt den Bhriogáid a bhí ar garastún i gCathair Dhún Iascaigh na batairí seo agus áirítear iad mar sin leis an mBriogáid sna figiúirí a tugtar thuas romhainn (720)

Post Míleata Charraig na Siúire :

    1st Queen's Regiment   100 (?)

Dúnfort na Saighdiúirí i gCluain Meala :

    29th Battery Royal Field Artillery.

Is dócha gur chompáirt an bataire seo den Bhriogáid atá luaite cheana agus áirítear é dá bhrí sin fé na figiúirí a tugadh cheana.

    1st Battalion Devonshire Regiment   800

    (Tháinig an Yorks and Lancs Regiment ina n-ionad níos déanaí)

    Díorma den Royal Horse Artillery nach eol dúinn a líon.

Ba é Cluain Meala Iosta an Royal Irish Regiment ach is beag nár díscíodh an risimint sin sa chéad chogadh domhanda agus do haistríodh a raibh fágtha de na saighdiúirí go hOileán Iocht sa bhliain 1921. Bhí postanna míleata bunaithe ag na Gaill i nDún Droma, Baile na Cúirte, Gabhailín, Caiseal Mumhan, Muileann Uí Chuain agus Cill Donáil. Ón ngarastún i dTiobraid Árann a thángadarsan uile ach amháin na saighdiúirí a stáisiúnadh i gCill Donáil ; as dúnfort Teampaill Mhóir a thángadarsan.

Is iad so leanas na haonaid a luaitear sa scríbhinn Ghallda dá ndearnamar tagairt thuas romhainn :

Aonaid Choisithe i gCo. Thiobrad Árann ;
    1st Batt. Lincolns i mbaile Thiobrad Árann.
    2nd Batt. Lincolns i mbaile Thiobrad Árann.
    1st Batt. North Hants sa Teampall Mór.
Airtléire i gCo. Thiobrad Árann.
    31st Brigade R.F.A. sa Chathair.
    136th Battery R.F.A. ag Fíodh Ard.

Líon na bPóilíní i dTiobraid Árann Theas.

Níor éirigh liom liosta iomlán de na garastúin phóilíní a bhí i dTiobraid Árann Theas le linn Chogadh na Saoirse a chur le chéile. Do haslonnaíodh mórán de na beairicí beaga agus scrios na hÓglaigh na beairicí sin d'éis a n-aslonnuithe. Cúigear nó seisear fear a bhíodh de ghnáth sna beairicí beaga, ach méadaíodh líon na bpóilíní iontu le linn an chogaidh, agus rinneadh a lán de na beairicí d'athneartú le Dubhchrónaigh a chur isteach iontu. Ba ghnáth le lucht ceannais na nGall líon an gharastúin a lua sa tuarascáil oifigiúil a foilsítí go hiondual tar éis do na hÓglaigh amas a thabhairt fé bheairic, pé acu d'éirigh leo an bheairic sin a ghabháil nó nár éirigh. Ní móide gur méadú a déanfaí ar líon an gharastúin sa chuntas san ach a mhalairt, óir ba mhian leis na Sasanaigh, ar mhaithe lena gcúis féin, a oiread de bheag is dob fhéidir leo a dhéanamh de líon na bpóilíní. Bheirim don léitheoir anso liosta de na beairicí a bhí i seilbh na bpóilíní i dTiobraid Árann Theas, agus breacaim síos nuair is féidir é líon an gharastúin. Ciall-

aíonn comhartha ceiste nach bhfuil sa chás áirithe sin ach
buille fé thuairim á dhéanamh agam :
Cluain Meala 70-100 ; Tiobraid Árann 30 (?) ; Carraig na
Siúire 30 (?) ; An Charraig Bheag - ; Cathair Dhún Iascaigh - ;
Réidh Ardnóige (i dTiobraid Árann Láir) 40; Dún Droma 15;
Loch Ceann 12 ; Gabhailín 11 ; Cluain Mhurchaidh 12 ;
Caisleán Nua na Siúire - ; Cluain Olltaigh 11 ; Drangan 8 ;
Lios Ruaineach 7 ; Cill Mainchín 6 ; Cill Síoláin 11 ;
Gabhal Sulchóide 8 ; Cloichín an Mhargaidh 10 (?) ; Béal
Átha an Phóirín 10 (?) Gleann Bán 4 ; Fíodh Ard - ; Báin-
seach - ; Baile an Iubhair - ; Áth na Cairte - ; Baile Uí
Chléireacháin - ; Muileann Uí Chuain - ; Cill Donáile - ;
Crosaire an Ghúlaigh -; Béal Átha Lúbaigh -; Ard Fhionáin -;
Gleann Bodhar -.

Má cuirtear i gcás gur cúigear duine meánlíon na bpóilíní
sna beairicí beaga ná fuil aon staidreamh againn ina dtaobh,
bheadh breis agus 370 póilín i ndeisceart Thiobrad Árann.

Ní raibh aon Chúntóirí ar garastún i ndeisceart an Chontae
ach bhí Complacht " B " den fhórsa san lonnaithe sa Team-
pall Mór i dTiobraid Árann Thuaidh. Tuairim is céad agus
seasca fear a bhí sa chomplacht san agus, ar ndóigh, is minic
a bhídís ar oibríocht leis na saighdiúirí agus leis na póilíní
(is na Dubhchrónaigh) i ndeisceart an chontae chomh maith.

AGUISÍN III

Na Daoine ; Cumann na mBan ; Fianna Éireann

Ní féidir mórán a rá i leabhar den tsórt so fén bpáirt a
ghlac na gnáthdhaoine i gcogadh na saoirse. Mar sin féin ní

279

mór rud éigin a rá ina dtaobh san leis. Má bhí na hÓglaigh i ndeabhaidh lainne leis na Sasanaigh bhí airm acu chun iad féin a chosaint agus chun a bhfíoch d'agairt ar Ghaill, ach is féidir a rá gur mó ar chuma an misneach agus an mheanmna a thaispeáin na gnáthdhaoine ná raibh aon airm ar aon chor acu ná mar a thaispeáin na hÓglaigh féin. Dúirt Toirdhealbhach Mac Suibhne tráth nach dtiocfadh lena raibh d'airm ag impearachta na cruinne meanmna aon fhíor-fhir amháin a bhriseadh, ach go dtiocfadh leis an bhfíor-fhear aonair sin a bhua a bhreith orthu san go léir. Bhí an ceart aige go deimhin, agus bhí sin soiléir ó iompar muintir na hÉireann i gcaitheamh na tréimhse duairce sin. Óir dá mhéid dá raibh le fulaingt ag na hÓglaigh le linn an chogaidh is féidir a rá gur mó ná san a bhí le fulaingt ag na gnáthdhaoine nach raibh aon chóir chosanta acu ar ainghníomhartha agus ar thíorántacht na nGall. Ina theannta san ní foláir a admháil nach dtiocfadh leis na hÓglaigh a mbeartas a chur i bhfeidhm agus an bua a bhreith meireach na daoine a bheith ag neartú leo i gcónaí agus ag seasamh go dil dílis ar a gcúl ó thús deireadh. Dá mbeadh an fhírinne á canadh ag Lloyd George an uair a dúirt sé ná raibh sna hÓglaigh ach dream beag de dhúnmharfóirí a raibh a ndóchas go léir as beartas imeagla a chur i bhfeidhm ar an Rialtas agus a lucht leanúna, agus ar na daoine féin, is cinnte go mbeadh deireadh leo féin agus lena gcúis i bhfad roimhe sin. Ach b'éigean do Lloyd George féin géilleadh don fhírinne fé dheoidh. Nuair a bhuaigh na Poblachtóirí in olltoghchán na bliana 1921 ní raibh de rogha aige ach a adhmáil i bhfianaise chách go raibh urmhór na ndaoine ar thaobh na Poblachta. Agus rinne sé amhlaidh. " Two-thirds of the population of Ireland " ar seisean, " demand the setting up of an independent Republic in that island."

Is minic a déantaí trácht le linn an ollchogaidh dheireannaigh ar an " gcúigiú colún." Ní raibh an focal san i mbéal na ndaoine le linn cogadh na saoirse a bheith ar siúl sa tír seo ach bhí an rud féin ann. Ba iad na daoine féin an " cúigiú colún " sa tír seo, agus mura mbeadh iad is róbheag a thiocfadh leis na hÓglaigh a dhéanamh in aghaidh an airm Ghallda. Tá sé ráite gurbh é an córas taisceolaíochta nó faisnéise a chuir Mícheál Ó Coileáin ar bun, agus a bhí á oibriú féna stiúrú féin, a chuir deireadh le córas na nGall fé dheoidh. Más fíor san is fíor fairis sin go raibh an córas taisceolaíochta san ag braith cuid mhór ar chabhair agus ar chúnamh na ngnáth- dhaoine. Gheobhfaí an córas faisnéise nó taisceolaíochta a chur i gcosúlacht le nead an dubháin alla. Líonra a bhí ann a forleathnaíodh ar fuaid na tíre. Bhí a Oifigeach Faisnéise féin ag gach Cathlán chomh maith is a bhí ag gach Briogáid. Thugadh O.F. an Chathláin an t-eolas a gheibheadh sé don O.F. Briogáide agus chuireadh seisean a thuarascáil féin chun na Ceanncheathrún Faisnéise i mBaile Átha Cliath. Bíodh gur oifigigh airm na fir sin, ba bhéas leo caidreamh is comh- luadar a dhéanamh leis an gcoitiantacht, agus ó tharla na daoine a bheith ina leith bhailídís mórán eolais ar an gcuma san. Go deimhin, bhí a gcuid spíodóirí agus gníomhaithe acu san uile áit, fiú amháin sa Chaisleán féin. Níorbh iad na hÓglaigh amháin a bhíodh mar ghiollaí turais acu, mar is minic a dhéanadh comhaltaí de *Chumann na mBan* nó d'*Fhianna Éireann* obair den tsórt san dóibh, agus baintí feidhm freisin as lucht oibre na mbóithre iarainn—idir thiománaithe agus ghualadóirí, idir ghardaí agus fhir bhailithe na dticéad—as lucht oibre na long a bhíodh ag taisteal ar Muir Meann agus ar an Móraigéan Atlantach féin, agus fiú amháin as comhaltaí de Chonstáblacht Ríoga na hÉireann

Instear scéal i dtaobh obair faisnéise na nÓglach i gCluain Meala gur fiú é a chur síos anso. Ba é Seán Ó Searcaigh a bhí ina Oifigeach Faisnéise don Cúigiú Cathlán an uair sin (in earrach na bliana 1921). Bhí gníomhaireachta faisnéise ag Arm na Poblachta san uile áit an uair sin, agus imeasc na ngníomhaireacht san bhí ceann a rinne sárobair in Oifig an Phoist i gCluain Meala. Is féidir a rá go raibh foireann na hoifige sin an-dílis don Phoblacht agus nach raibh ach cúpla duine ina measc a raibh comáidh acu leis na Gaill. Bhí an chuid eile den fhoireann ag obair os íseal ar son na nÓglach. Ba é Pádraig Ó Conaill a bhí i gceannas faisnéise na nÓglach san oifig sin. Bhí sé de bhéas ag an R.I.C. feidhm a bhaint as an gcóras telegrafa chun cumarsáide, go mór mór nuair a bhíodh práinn lena ngnó. An túisce a thagadh ceann de na telegrama san chun na hoifige i gCluain Meala déantaí cóip de agus cuirtí an chóip ag triall ar an O.F. láithreach. Is minic a bhíodh cur síos sna telegrama san ar oibríochta míleata a bhí beartaithe ag na Gaill, agus thiocfadh leis an O.F. rabhadh a thabhairt do na hÓglaigh in am is i dtráth, agus go deimhin ní hannamh a bhíodh eolas na hoibríochta ag ceannasaithe na nÓglach fé bhíodh sé ag na ceannasaithe áitiúla Gallda.

Baintí feidhm as cód nó rúnscript speisialta i gcónaí i gcóir cumarsáide, ach bhí eochair an chóid ag ceannasaithe na nÓglach agus chuireadh an Cheanncheathrú Bhriogáide an eochair sin chun na nOifigeach Faisnéise sna ceantair éagsúla. Ba ghnáth leis an R.I.C. " Cód-Fhocal " a bheith acu chun an rúnscript teachtaireachta d'imscaoileadh. Nuair a dhéanaidís athrú ar an rúnscript chuiridís i dtuiscint do na póilíní ar fuaid na tíre go raibh an t-athrú san á dhéanamh acu, agus thugaidis an Cód-Fhocal nua dhóibh san am céanna. In

Aibreán na bliana 1921 is é an Cód-Fhocal a bhí ag na póilíní ná CUMBERLAND. Seo mar d'oibríodh an córas rúnscript.

C U M B E R L A N D F G H
Z Y Ó W V T S Q P O K I H

Is é sin le rá, scríobhtaí an Cód-Fhocal ar dtúis agus ansan leantaí den aibítir ach fágtaí ar lár an litir J agus na litreacha a mbaintí feidhm astu sa Chód-Fhocal féin. Ar an dtaobh eile dhe cuirtí an litir H isteach fé dhó. Chun an rúnscript sin a scríobh nó a léamh baintí feidhm as na litreacha ar an líne uachtair in ionad na litreacha ar an líne íochtair agus *vice versa*. Tugadh an telegram so leanas don Oifigeach Faisnéise lá :

April 1921. From Divisional Commissioner Clonmel to D.I. Limerick.

TVWVS LHQEV FVURD XQTZH ZDOVY
LVRHG LDPVGP KYRYT VMNTL

Ba chúis gháire go deimhin don Oifigeach Faisnéise an teachtaireacht a bhí ann nuair a scaoil sé an rúnscript le cabhair ón Eochair, óir is é adúirt an Coimisinéir :

REBELS HAVE KEY TO MARCH CODE. USE THIS ONE IN FUTURE. XPRS*

Rinneadh tagairt cheana do *Chumann na mBan* agus ní miste roinnt eolais a thabhairt don léitheoir anso ar eagraíocht agus ar obair an Chumainn sin i gceantar Thiobrad Árann Theas. Ba í Máire Ní Chuanaigh (nach maireann) a chuir eagar agus ord ar *Chumann na mBan* i gCluain Meala agus is í a rinne an eagraíocht freisin i nGleann na hUidhre agus i gceantar Bhaile Mhic Chairbre i gContae Phortláirge. Ba é Seán Ó Treasaigh féin d'iarr ar Mháire Ní Chuanaigh dul

*XPRS .i. an cód-fhocal nua.

i mbun na hoibre sin agus ceapadh ina hOifigeach Ceannais ar limistéar na Treas Briogáide ina dhiaidh san í. Roinneadh *Cumann na mBan* ina *Chomhairleacha Ceantair* ar comhréir leis na *Cathláin* in Arm na Poblachta agus bhí na *craobhacha* ar comhréir leis na *complachta*. I dtosach ama ní raibh ach an t-aon chomhairle cheantair amháin i ndeisceart Thiobrad Árann, is é sin Comhairle Cheanntair Chluain Meala. De réir mar a leath an eagraíocht amach, ámh, tosnaíodh ar chomhairleacha eile a bhunú, agus i ndeireadh báire bhí sé comhairleacha ceantair ar fad san eagraíocht i dTiobraid Árann Theas. Sa bhliain 1918 a chuaigh Máire Ní Chuanaigh i mbun na hoibre sin agus bhí sí i gceannas *Chumann na mBan* i gceantar na briogáide le linn cogadh na saoirse a bheith ar siúl. Is í a bhí i gceannas nuair a tháinig an sos cogaidh sa bhliain 1921, agus bhí an cheannasaíocht aici mar an gcéanna le linn an chogaidh chathartha. Baineadh ceantair Bhaile Mhic Chairbre agus Ghleann na hUidhre den Treas Briogáid i Meitheamh na bliana 1921 agus cuireadh le Briogáid Phort-láirge Thiar iad. Nuair a tháinig Donnchadh de Lása i gceannas na Treas Briogáide ba mhian leis go gcuirfí *Cumann na mBan* ar aon dul ar fad leis an Arm ó thaobh eagraíochta dhe, agus ar an abhar san rinneadh an Cumann d'atheagrú i dTiobraid Árann Theas go ndearnadh ocht gCeantair ann ar comhréir le hocht gCathláin na Treas Briogáide. Rinne mná agus cailiní an chumainn sin obair éifeachtach le linn chogadh na saoirse. Ar na gnóthaí airm a raibh baint acu leo bhí cumarsáid cholúin, solathrú arm, armlóin agus éadach do na hÓglaigh sna haonaid chomhraic agus sna buíonta reatha, agus bailiúchán arm is airgid. Riamh ó bunaíodh an eagraíocht i dTiobraid Árann cuireadh mar dhualgas róspeisialta ar na mná san cúram fé leith a dhéanamh de

284

chleithiúnaithe na nÓglach a maraíodh nó a tharla ar míthreoir de dheasca an chogaidh, agus de chleithiúnaithe na bhfear a cuireadh i bpríosún. Dhéanaidís socraithe freisin maidir le soláthairtí le haghaidh na bpríosúnach féin agus, ar ndóigh, dhéanaidís a scar féin—agus níos mó ná a scar féin uaireanta— d'obair fhaisnéise agus de sheirbhís giollaí turais.

Eagraíocht eile a raibh dlúthbhaint aige leis an Arm agus le Cumann na mBan um an am san ba ea *Fianna Éireann*. Ba í an Chúntaois Markievicz a bhunaigh an cumann san sa bhliain 1909. Ní fios dom conas ná cathain a tháinig an eagraíocht san go Tiobraid Árann, ach is eol dom go raibh sé sa cheantar go luath tar éis a bhunaithe óir luaitear slua Chluain Meala sa Chomhdháil a comóradh sa bhliain 1911. Baineann sé le dealramh, ámh, gur chuaigh na Fianna in éag sa cheantar san dá éis sin, mar nuair a chuaigh Liam Ó Maoilíosa i mbun a dhualgais mar Oifigeach Eagraíochta sa bhliain 1913 b'éigean dó an eagraíocht d'athbhunú i gCluain Meala. Cuireadh Doiminic Ó Macdha agus Pádraig Ó Raigne i gceannas na heagraíochta an uair sin agus tháinig neart nua sa tslua dá bharr. Bhí na fir sin ainmnithe as a ndílse do chúis na hÉireann agus na Poblachta i dtreo gur rugadh orthu tar éis éirí amach na Cásca sa bhliain 1916 agus gur sáitheadh isteach i bpríosún iad. Más ea leanadh d'obair na bhFianna, agus nuair a scaoileadh an bheirt fhear as an bpríosún fuaireadar go raibh an eagraíocht ní ba threise agus ní ba fhoirleathadaí na mar a bhí sí riamh roimhe sin. Is amhlaidh a chuaigh Liam Ó hUaithne i gceannas le linn don bheirt eile beith i bpríosún agus choinnigh obair na heagraíochta fé lántseol. Leath *Fianna Éireann* ar fuaid an chontae agus tháinig macra Thiobrad Árann isteach sna ranganna ina dtáinte. Le linn olltoghcháin na bliana

1918 bhí garsúin *Fianna Éireann* ag obair go dícheall-ach ar son *Sinn Féin,* ach ar bheith thart don ollthoghchán d'éiríodar as an obair pholaiticiúil agus luíodar isteach ar obair mhíleata. Dhearbhaíodar a ndílse don Phoblacht agus ghealladar go ndéanfaidís a ndícheall chun í a chosaint ar a naimhde i mbaile is i gcéin, agus gan cur suas dá saothar ar son na saoirse go dtí go n-aithneofaí Poblacht na hÉireann i gcúrsaí idirnáisiúnta. Chuaigh na garsúin ba shine isteach sna hÓglaigh agus tugadh tréineáil do na garsúin ab óige ionas go bhféadfaidís dul i mbun an ghunna nuair a thiocfadh an t-am. Láthair earcaíochta d'Arm na Poblachta ba ea *Fianna Éireann* feasta agus is as ranganna na bhFianna a tháinig a lán de na fir ab fhearr san arm ina dhiaidh san. Le himeacht aimsire rinneadh atheagraíocht ar chóras na bhFianna go raibh sé ar comhréir le córas na nÓglach féin. Bhí a gceann-áras féin ag *Fianna Éireann* ansan, agus roinneadh an eagraíocht ina Briogáidí, ina Cathláin agus ina Complachta ar nós an airm go dtí gur cuireadh fé rialú na hAireachta Cosanta i ndeireadh na dála í. Compáirt d'fhórsaí cosanta na Poblachta a bhí i *bhFianna Éireann* as san amach (1920), agus tamall ina dhiaidh san tugadh aithint oifigiúil don eagraíocht mar Chór Tréineála d'Oifigigh. Sa bhliain 1921 chuir an tArd-Aidiúnach ordú amach chun aonad uile na bhFianna agus san ordú san mhínigh sé agus léirigh sé céim agus dualgaisí na heagraíochta de réir an tsocruithe nua a bhí déanta ag an Aireacht Chosanta. Bheadh lucht na bhFianna fé cheannas a n-oifigeach féin i gcónaí, ach bheadh de dhualgas orthu cúnamh a thabhairt d'Óglaigh na hÉireann mar dob fhearr a thiocfadh leo. Chuige sin ceapadh Oifigigh Liaison a bheadh ina n-oifigigh cheangail idir na hÓglaigh agus na Fianna. De réir an eagrais nua roinneadh na Fianna ina

286

n-Ocht gCathláin i dTiobraid Árann Theas ar comhréir le cathláin an airm féin. Roinneadh na sluaite mar an gcéanna ar comhréir na gcomplacht. Bhí céim Cheannfoirt ag gach ceannasaí catha de chuid na bhFianna agus bhíodh dlúth-cheangal idir cathlán na bhFianna agus cathlán na nÓglach sa cheantar céanna. Ba ghnáth nuair a bhíodh an t-ochtú bliain déag slánaithe ag buachaill go ndéanfaí é d'aistriú go dtí na hÓglaigh mura mbeadh cúis fé leith ann lena choinneáil sna Fianna. Bhí obair thábhachtach le déanamh ag garsúin na bhFianna agus rinneadar an obair sin go dílis agus go dícheallach. Ba ghnáth leo bheith ina ngiollaí turais do na hÓglaigh agus bhíodh bród orthu de bharr go n-iarrtaí orthu a leithéid d'obair chontúrthach a dhéanamh. Dhéanaidís obair fhaisnéise freisin, agus gheibhidís tréineáil i gcúrsaí taisceolaíochta agus comharthaíochta agus i láimhseáil na raidhfle. An té a bhí sna Fianna maidin inniu bheadh sé san arm amárach agus is mó Óglach a thug a anam ar son na hÉireann le linn na mblianta corraithe sin a fuair a chéad-teagasc i gcúrsaí cogaíochta agus é ina bhall d'*Fhianna Éireann*.

AGUISÍN IV

OCHT gCATHLÁIN NA TREAS BRIOGÁIDE

Tugadh cúntas sa leabhar so ar eagrú agus ar bhunú ocht gCathlán na Treas Briogáide. Is é atá curtha romham san Aguisín seo ná roinnt nótaí staire a scríobh fé gach cathlán díobhsan i ndiaidh a chéile. Beidh cur síos sna nótaí sin ar nithe nach raibh slí agam dóibh i gcorp an leabhair.

An Chéad Chathlán (Cnocán an Teampaill, dá ngoirtear de ghnáth Ros Gréine).
I samhradh nó i bhfómhar na bliana 1920 is ea a bunaíodh an cathlán san. Baineadh roinnt complacht de na cathláin a bhí ar bun an uair sin i gceantar Chaisil agus i gceantar Drangain chun an cathlán nua san a dhéanamh. Nuair a cuireadh an cathlán nua ar bun tugadh Cathlán a hAon mar uimhir air agus do hathuimhríodh na cathláin eile as an nua. Ba é Diarmaid Ó Daimhín a ceapadh ina chead O.C. ar an gcathlán san.

I Lúnasa na bliana 1920 tháinig an Chomhairle Bhriogáide i gceann a chéile i seanscióból i mbaile Chnocáin an Teampaill. Cuireadh faireoirí armtha ar post sa bhaile féin agus ina thimpeall. B'fhéidir gurbh amhlaidh a rinneadarsan faillí ina ndualgas, ach, pé sceal é, d'éirigh le patról rothaithe de chuid na Sasanach teacht isteach sa bhaile i gan fhios do na faireoirí a bhí ar dualgas lasmuigh. Ar scáth an dorchadais a tháinig na Sasanaigh isteach sa bhaile, ach bíodh gur éirigh leo teacht isteach i gan fhios do na hÓglaigh, cuireadh cosc leo nuair a thángadar i ngiorracht don scióból, mar bhí an lucht faire ansúd san airdeall, agus ní túisce a thugadar fé ndeara na rothaithe ná mar a scaoileadar rúscadh piléar fúthu. B'éigean don Chomhairle Bhriogáide scaipeadh, agus an fhaid a bhíodar ag déanamh a slí as an áit tháinig Seán Ó Treasaigh ar aghaidh agus rinne iad a chlúdú. D'éirigh leis na hoifigigh uile na cosa a bhreith leo den chor san, ach más ea, ní raibh deireadh leis an gcomhrac go fóill. Ghaibh na Sasanaigh seilbh ar roinnt tithe sa bhaile beag mar ar amasaigh lucht Arm na Poblachta iad. Lean an comhrac san ar feadh fiche neomat nó mar sin agus goineadh triúr den namhaid, Ar na daoine a goineadh bhí duine dá gcuid oifigeach, agus níor bheag an

288

chréacht a tugadh dó. Níor goineadh éinne de na hÓglaigh ach ghaibh na Sasanaigh roinnt rothar a bhain leo.

Tharla an Chomhairle Bhriogáide i gceann a chéile ag an gCaisleán Dubh i dteach mhuintir Mheachair i Meán Fómhair na bliana céanna. Ba é Séamas Mac Roibín, an Ceannasaí Briogáide, a bhí ina cheann ar an tionól san. Óglaigh de Chomplacht "A" a toghadh chun bheith ina bhfaireoirí timpeall an tí, agus cuireadh dream eile ón gComplacht chéanna ar dualgas urphost. Deirtear gur thionól fíor-thábhachtach an tionól san den Chomhairle, agus bhí urmhór na n-oifigeach i láthair. Níorbh fhada dhóibh i gcionn a chéile nuair a tháinig buíon láidir de Lannairí—suas le céad acu—d'ionsaí an tí. Cuireadh cosc leo ag an ngeata agus d'éirigh leis na hÓglaigh na geataí a dhúnadh ina n-aghaidh, rud a thug deis do na hoifigigh a gcuid páipéirí agus scríbhinní a bhailiú agus éalú ó na Sasanaigh. Tá cúntas ar an eachtra san in áit eile.

Tugadh fé ndeara i mí na Féile Bríde, 1921, go raibh an namhaid an-ghníomhach i gcomharsanacht Fíodh Aird agus go raibh oibriú mór éigin á bheartú de réir gach cosúlachta. Ó tharla Colún a hAon ar coinmheadh gairid don bhaile san am, tuigeadh don Cheannasaí Bhriogáide go mb'fhéidir go raibh na Sasanaigh ar a dtóir, agus d'fhonn a n-aire a tharraingt ón gColún, bheartaigh sé ar amas bréige a thabhairt fé bheairic na bpóilíní ag Lios Ruaineach, ar an mbealach mór idir Cluain Meala agus Fíodh Ard. Trí dhuine dhéag de Chathlán a hAon a rinne an t-amas san ar bheairic Leasa Ruaineach. Nuair a chuala na Gaill torann na troda, tháng-adar amach as Fiodh Ard chun dul i gcabhair ar na póilíní ag Lios Ruaineach, agus níorbh fhada go raibh an dream beag Óglach i dtreis leis na saighdiúirí. Leanadh den chomhrac

289

19

ar feadh uair a chloig sar ar chúlaigh na hÓglaigh. Goineadh duine acu ach níor mhór le rá an chréacht a fuair sé, agus rinneadh damáiste do raidhfil le duine eile.

Ba ghnáth leis na hÓglaigh an uair sin ruathair a dhéanamh ar charra an phoist d'fhonn litreacha an namhad a ghabháil. Chuaigh buíon bheag Óglach den Chéad Chathlán in oirchill ar charr an phoist ag Drom Díle (*Market Hill*) in Aibreán na bliana 1921. Bhí na litreacha á dtógaint chun siúil acu nuair a chonaiceadar chuchu an gasra Gallda. Tuairim is fiche fear a bhí ann, agus chuaigh an dá dhream i dtreis lena chéile ar an láthair sin. Chúlaigh na hÓglaigh roimh na Gaill agus na málaí poist ar iompar acu. Lean na Sasanaigh iad ar feadh tamaill, ach i ndeireadh báire d'éiríodar as an tóir agus tháinig na hÓglaigh slán sábhálta agus na málaí poist ina seilbh.

Cé nárbh eol do na Sasanaigh go cruinn cén áit a raibh ceanncheathrú na Treas Briogáide, thuigeadar go maith gur i gceantar Chnocáin an Teampaill a bhí sé. Chromadar ar fhiosrúcháin a dhéanamh sa chomharsanacht san agus ba ghnáth leo, agus na fiosrúcháin sin á ndéanamh acu, bheith gléasta i ngnáthéadach fir tíre. Níor mhaith leo go n-aithneofaí orthu gur saighdiúirí Sasanacha iad. Nuair a chuala an Ceannasaí Catha, Diarmaid Ó Daimhín, i dtaobh na bhfear a bhíodh ag déanamh fiosrúchán ar an gcuma san chuir sé patróil ag taisteal na dúthaí sin agus orduithe acu aon fhear nó dream fear a gheobhfaí sa chomharsanacht a ghabháil agus a cheistiú. Tráthnóna Dé Domhnaigh, an 19ú Meitheamh, 1921, theagmhaigh patról d'Arm na Poblachta le triúr fear agus iad ag gabháil treasna páirceanna. Chuir na hÓglaigh forrán orthu, ach in ionad stad is amhlaidh a bhaineadar chun reatha. Scaoil na hÓglaigh fúthu láithreach agus goineadh duine acu. Thángadar ar ais ansan agus ghéilleadar. Nuair a ceistíodh iad ina dhiaidh san fuarthas amach gurbh oifigigh d'Arm na Breataine iad. Bhíodar tar éis teacht amach ó Fhíodh Ard mar a rabhadar ar garastún, agus bhíodar ag cur ceisteanna ar mhuintir na tuaithe fé Arm na Poblachta, agus iad ar lorg tochaltán. Thugadar a n-ainmneacha agus a sloinnte do na hÓglaigh—*Lieutenant W. G. Glossop, R.A.F., Lieutenant R. S. Battridge, R.F.A., agus 2nd Lieutenant A. H. C. Toogood,* 1st Battalion Lincoln Regiment. Ó tharla an Ceannasaí Roinne sa chomharsanacht an tráth san, tugadh ina láthair iad. Nuair a deimhníodh gurbh oifigeach den arm Gallda gach fear acu, dúradh leo go gcuirfí chun báis iad. Bhí na hÓglaigh a gabhadh ag na Sasanaigh á gcur chun báis an uair sin, in aghaidh an lae nach mór, agus bhí beartaithe ag lucht ceannais na Roinne roimhe sin go dtabharfaí an íde chéanna ar aon oifigeach de chuid na nGall a thiocfadh ina líon feasta. Maidin lá arna mhárach básaíodh an triúr fear ar thaobh an bhóthair ag Corr-Lios leathshlí idir Cluain Meala agus Cathair Dhún Iascaigh.

An Dara Cathlán (Caiseal Mumhan).

Is beag eolas d'éirigh liom d'fháil i dtaobh an chathláin seo. Bhí sé ar cheann de na trí cathláin ba thúisce a bunaíodh de Bhriogáid Thiobrad Árann Theas agus ba é Piaras Mac-Canna an chéad Cheannasaí a toghadh. Cúig complachta ar fad a bhí sa chathlán .i. Caiseal Mumhan, Loch Ceann, An Gabhailín, Dubh-Alla agus Cill Fiacla. Séamas Ó Néill ó Chluain Meala a toghadh ina Oifigeach Ceannais ar Chomplacht Chaisil. Rug na Gaill ar Shéamas an lú Eanáir, 1918, agus chuireadar fé ghlas é. Nior tháinig sé amach as an bpríosún arís go dtí 12ú Márta, 1919. Nuair a cuireadh

291

Séamas Ó Néill i bpríosún toghadh Pádraig Ó hÓgáin chun dul ina ionad sa cheannasaíocht. Ní raibh an cathlán ar bun an uair sin, ámh, cé go raibh na complachta in eagar maith. Nuair a bunaíodh an bhriogáid den chéad uair, in Aibreán na bliana 1918, bhíothas tar éis cathlán Chaisil a chur ar bun. Ba é Piaras MacCanna a bhí ina cheannas an uair sin ach gabhadh Piaras i mí na Bealtaine agus cuireadh thar sáile go Sasana é mar ar coinníodh é go bhfuair sé bás i bpríosún Gloucester an 6ú Marta, 1919. Toghadh ina theachta Dála é le linn dó bheith i bpríosún.

Níorbh fhada Cathlán Chaisil ar bun nuair a toghadh Pádraig Ó hÓgáin chun bheith ina Aidiúnach agus ceapadh Pádraig MacPhilib chun dul ina ionad mar Chaptaen ar Chomplacht Chaisil. Scaoileadh na príosúnaigh amach i mí an Mhárta, 1919, agus toghadh Séamas Ó Néill ina Cheannasaí ar Chathlán Chaisil. Ba é Éamon Ó Gruagáin a bhí ina Leas-Oifigeach Ceannais agus Pádraig Ó Cathasaigh ina Cheathrúnach. Nuair a cuireadh Séamas Ó Néill i bpríosún arís chuaigh Pádraig Ó hÓgáin ina ionad i gceannas an Chathláin agus chuaigh an Cathasach (an Ceathrúnach) ina ionadsan mar Aidiúnach. B'éigean do na hÓglaigh Ceathrúnach nua a thoghadh ansan agus ceapadh Pádraig Ó Lochnáin chun an phosta san.

I ndeireadh na bliana 1918 fuair na Sasanaigh ualach de chomhlaí cruaí chun a bpostanna i gCaiseal a chur i dtreo a gcosanta. Le linn do na comhlaí sin bheith i dtaisce i gcóir na nGall ag Stad na Traenach i gCaiseal Mumhan rinne na hÓglaigh ionsaí ar an stáisiún agus thugadar leo na comhlaí cruaí. Bhí Óglaigh an Treas Cathláin i gcomhar le hÓglaigh an Dara Cathláin san oibríocht seo. Tamall ina dhiaidh san baineadh preab as an saol Fódhlach nuair a hionsaíodh na póilíní ag Sulchóid Bheag agus gur maraíodh iad agus gur sciobadh an gheilignít chun siúil. Ní raibh aon bhaint ag Óglaigh an Dara Cathláin leis an oibríocht san, ar ndóigh, ach i nDeireadh Fómhair na bliana 1919 fuaireadar cuid den gheilignít chéanna. Roinneadh an gheilignít ar na cathláin éagsúla agus chuaigh dream d'Óglaigh Chaisil chun teagmhála le Ceathrúnach an Treas Cathláin, Seán Ó Riain, agus fuaireadar roinnt den gheilignít uaidh.

Baineadh geit as muintir Chaisil an 12ú Bealtaine, 1920, nuair a ghaibh Óglaigh an Dara Cathláin Teach na Cúirte sa bhaile sin gur chuireadar trí thine é. Chuir an gníomh cogaidh sin an oiread san feirge ar an Déan (Monsignor Innocent Ó Riain) gur cháin se na hÓglaigh go dian ina dhiaidh san, á rá go raibh peaca marfa déanta acu. Níor chuir na hÓglaigh suim sa chaint sin ach leanadar leo ag obair agus ag troid ar son na hÉireann fé threorú a gceannasaithe agus fé údarás na Dála. Thosnaigh an Réim Imeagla agus tugadh ainíde do thriúr Óglach den Dara Cathlán, .i. Séamas Ó Lúbaigh, Captaen Chomplachta " D," Lorcán Ó Lúbaigh (a dheartháir) a bhí an uair sin ina Aidiúnach, agus Liam Ó Dúshláine. Tá cuntas ar mharú na nÓglach san in áit eile (lch. 138).

Rinneadh ionsaí ar bheairic na bpóilíní ag Loch Ceann an 17ú Eanáir, 1921 agus tugadh amas ar bheairic na bpóilíní i nGabhailín an 20ú lá den mhí sin. Ós rud é go bhfuil cuntas tabhartha agam cheana (lgh. 141-42) ar na heachtraí sin ní gá a thuilleadh a rá ina dtaobh anso. Ba chailliúint mhór do chathlán Chaisil bás an Cheannasaí Chatha a maraíodh le Gaill an 3ú Márta, 1921 fé mar atá inste cheana (lch. 151-52). Chuaigh Seán Ó Duanaigh i gceannas an chathláin d'éis bás an Ógánaigh agus is é a bhí ina Oifigeach Ceannais nuair a fógraíodh an Sos Cogaidh. Bhí mórán athruithe tar éis teacht ar an bhfoireann Chathláin fén am san. Ba é Pádraig Daltún a bhí ina Leas-O/C., D. Táilliúir ina Aidiúnach, Pádraig Ó Broin ina Cheathrúnach agus Éamon Máirtín ina Oifigeach Faisnéise.

An Treas Cathlán (Coill na Manach nó Dún Droma). De réir cuntais údarásaigh a thug an Ceannasaí Catha uaidh roinnt bhlian ó shin agus atá deimhnithe aige ó shin is féidir oibríochta míleata an chathláin seo a roinnt ina n-oibríochta móra agus ina n-oibríochta beaga. Tá sé cinn déag de na mionoibríochta sin ar an liosta a fuarthas ón gCeannasaí Catha agus tá dhá cheann is fiche de na móroibríochta ar an liosta céanna. Maidir leis na mionoibríochta ní gá ach lomáireamh a dhéanamh orthu anso : ruathair a rinneadh d'fhonn armacha a ghabháil ag Drom Bán agus ag Baile Mhic Thomáis sa bhliain 1918 ; comhraic theagmhála leis na saighdiúirí Gallda ag Cill an Iubhair (Dún Droma) sa bhliain 1919, ag Cluain Uí Cheallaigh sa bhliain 1920 agus ag an mBaile Mór (Crosaire an Ghúlaigh) sa bhliain 1921 ; comhraic den tsórt céanna leis na póilíní ag Crosaire an Ghúlaigh sa bhliain 1919 agus ag Baile Uí Dhuinn sa bhliain 1920 ; ruathar ar Stad na Traenach i gCaiseal Mumhan i ndeireadh na bliana 1918 ; scartála droichead ag Ard Máile (Márta, 1921), Camas, Baile Uí Ghrifín agus Rath Ceanainn (Aibreán, 1921) ; naoscaireacht ar bheairicí Dhún Droma agus Átha na Cairte sa bhliain 1921 agus dó na beairice i gCluain Olltaigh.

Maidir leis na móroibríochta atá ar an liosta ní gá ach an méid seo a rá : Do hionsaíodh saighdiúirí den Arm Gallda ag Ard Máile agus ag Dún Droma sa bhliain 1917 agus sa bhliain 1918 agus gabhadh roinnt raidhfleacha dá bharr. Bhí Óglaigh den chathlán so páirteach san ionsaí a rinneadh ar na póilíní ag Sulchóid Bheag an 21ú Eanáir, 1919. Ghaibh tuilleadh acu páirt san ionsaí a thug an Dara Briogáid ar bheairic na bpóilíní ag Drom Bán, agus bhí roinnt Óglach den Treas Cathlán i láthair nuair d'ionsaigh Briogáid Luimnighe Thoir beairic an Dúin i mí an Mhárta, 1920. Cúpla lá ina dhiaidh san labhair an Canónach Ó Ceallaigh, sagart paróiste an Dúin, ón altóir agus thug aghaidh a bhéil ar na hÓglaigh mar gheall ar an ionsaí " coiriúil " a bhí déanta acu. " Criminal and futile " na focail a dúirt sé agus é ag cáineadh na n-ionsaithe sin ar na beairicí sa cheantar san agus sna ceantair máguaird a raibh páirt ag cuid d'Óglaigh an Tríú Cathláin ann. Bhí lámh acu san ionsaí a tugadh fé bheairic na bpóilíní i gCluain Mhurchaidh, ar ndóigh, agus bhíodar ar an láthair freisin nuair a hionsaíodh na beairicí i gCeapach na bhFaoiteach, (Meitheamh, 1920). i nDrangan (Meitheamh, 1920), i gCill Mocheallóg agus i Réidh Ardnóige (Iúil, 1920). Ghabhadar páirt sna headarnaithe a rinneadh ar na Sasanaigh ag Úlla (Lúnasa, 1920), Cúl a' Chosáin—ar an iarnród— (Meán Fómhair na bliana 1920), Baile Mhic Thomáis (Deireadh Fómhair na bliana san), Buirgheas Ó Luighdheach (Samhain, 1920), Cluain (Bealtaine, 1921), agus ar na póilíní ag Cluain Olltaigh (Bealtaine, 1920), Leac Mhór (Meitheamh, 1920) agus Ceapach na bhFaoiteach (Samhain, 1920). Ba é Tadhg Ó Duibhir a bhí ina Oifigeach Ceannais ar an gcathlán san ón uair a cuireadh ar bun é sa bhliain 1918 go dtí gur éirigh sé as an gceannasaíocht i Meán Fómhair na bliana 1922. In Aibreán na bliana 1918 is ea a bunaíodh an cathlán agus is iad so leanas na hoifigigh eile a toghadh an uair sin : Mícheál Ó Síocháin, Leas-Oifigeach Ceannais ; Pádraig MacGearailt,

Aidiúnach ; agus Seán Ó Riain, Ceathrúnach.

Chuaigh ceathrar Óglach in eadarnaí ar bheirt phoilíní a bhí ag filleadh ó Chrosaire an Ghúlaigh go dtí an bheairic i gCluain Olltaigh. Tháinig Éamon Ó Raghallaigh amach ar an mbóthar agus chuir forrán ar na póilíní á rá leo a lámha a chur in airde. Bhí raidhfil ar iompar aige féin agus ag an Óglach eile a tháinig amach ar an mbóthar mór ina fhochair. D'aithin duine de na póilíní (an Constábla Mícheál Ó hAodha) an fear san ; is é Seán Ó Riain a bhí ann ("An Máistir" mar a tugtaí air). D'fhan an dís Óglach eile sa bhóithrín a bhí ag teacht amach ar an bpríomhbhóthar ag an bpointe sin ; ní raidhfleacha a bhí ag na fir sin ach gunnáin. Gunnáin a bhí ar iompar ag na póilíní freisin, agus nuair a hordaíodh dóibh a lámha a chur in airde ní dhearnadar rud ar na hÓglaigh. Ghlaoigh Seán Ó Riain amach ansan (de réir an scéil d'inis an Constábla Ó hAodha ina dhiaidh san) "Dé'n chúis ná cuireann sibh bhur lámha in airde?" Thosnaigh na hÓglaigh ar an lámhach ansan agus scaoil na póilíní leo i bhfreagairt na n-urchar san, ach bhíodar san am céanna ag dul i muinín a gcos síos an bóthar. Stadaidís anois is arís agus d'iompaídís ar a sála chun urchair a rúscadh leis na hÓglaigh. Torchradh an Sáirsint Pádraig Mac Domhnaill ar lár agus créacht mharfach ann. D'éirigh leis an gConstábla an bheairic a bhaint amach slán. Bhain na hÓglaigh an gunnán agus an t-armlón den tSáirsint roimh imeacht dóibh as láthair na teagmhála.

Cuireadh Aonad Fianais ar bun sa chathlán d'fhonn an treallchogaíocht a chur chun cinn, agus chuaigh an t-aonad san in eadarnaí ar an namhaid ag Cúl a' Chosáin an 29ú Meán Fómhair, 1920. Is amhlaidh a tugadh eolas don Oifigeach Faisnéise Cathláin an tráthnóna roimhe sin go rabhthas chun ruathar a dhéanamh ar theach Shéamais de Carrún. Ba é a mhacsan, Tomás de Carrún, a bhí an uair sin ina Oifigeach Faisnéise Briogáide. Bhí an ruathar le déanamh go moch ar maidin. Tiomsaíodh a raibh ar fáil de lucht an Aonaid Fhianais agus cuireadh scabhtaí amach chun eolas d'fháil ar an mbealach a thabharfadh na Sasanaigh orthu féin agus iad ag filleadh ón ruathar. Bhí a rogha de thrí bóithre acu agus bhí an tAonad Fianais ag fuireach leo in áit as a bhféadfaidís teacht go luath lántapaidh, líon a slua, dá n-ionsaí de réir na gcomharthaí a thabharfadh na scabhtaí dhóibh. Nuair a tugadh na comharthaí dhóibh fé dheoidh fuaireadar amach go raibh an namha ag filleadh bealach nach raibh súil ar bith ag na hÓglaigh leo, is é sín, bealach an iarnróid. Ó bhí na hÓglaigh tuairim is trí céad slat ón mbóthar iarainn b'éigean dóibh scinneadh de shí reatha trasna na bpáirceanna, agus na clathacha a chur díobh de léim lúith chun an namha a thascradh, agus bhí na saighdiúirí is na póilíní ag gabháil thar bráid in ord leata nuair a ráinig na hÓglaigh an t-iarnród. Chrom na hÓglaigh ar lámhach in áit na mbonn, agus le prap na súl bhí na Gaill ag gabháil fé chlúid agus thosnaigh an troid ar an toirt. Mhair an comhrac go ceann leathuaire a chloig nó mar sin, agus goineadh an t-oifigeach a bhí i gceannas na nGall maraon le roinnt saighdiúirí.

I mí na Samhna rinneadh luíochán ar thrucail iarnaithe de chuid an airm Ghallda gairid do Bhuirgheas Ó Luighdheach. Is é a bhí beartaithe ag an lucht ionsaithe dul in eadarnaí ar roinnt mótarthrucailí de chuid na Sasanach a bhí le taisteal ó Bhuirgheas Ó Luighdheach go hAonach Urmhumhan. Sar ar tháinig na lorraithe ámh, tháinig an carr iarnaithe an treo eile gan aon choinne ag na hÓglaigh leis. Ina thaobh san is uile, dhíríodar a ngunnaí ar an namhaid láithreach agus cuireadh stad leis an gcarr iarnaithe. Ba ghairid an mhoill ar na Sasanaigh lámhach inneallghunna a dhíriú ar na hÓglaigh i gcomaoin na bpiléar a bhí á rúscadh acusan leis an dtrucail iarnaithe. Mhair an troid ar feadh tuairim is fiche neomat agus créachtnaíodh cuid de na Sasanaigh. Seachas na comhraic thuasluaite idir na hÓglaigh agus an t-arm Gallda rinneadh roinnt ionsaithe ar na póilíní. Bhí Óglaigh an Treas Cathláin i gcomhar le hÓglaigh an Dara Briogáid nuair a rinneadh eadarnaí ar na póilíní ag Leac Mhór mar ar maraíodh triúr póilíní. Seán Ó Riain ("An Máistir"), Séamas Ó Gormáin agus R. Ó hÁinle a chuidigh leis na fir ón Dara Briogáid an uair sin (Meitheamh, 1920).

Bualadh buille tubaisteach ar Chomplacht "A" den Tríú Cathlán in Aibreán na bliana 1921 nuair a tháinig dhá mhótarthrucail lán de shaighdiúirí Gallda ar chúigear de na hÓglaigh gan choinne dá laghad acu leo. Ba é An Captaen Liam Ó Duibhir, Ceannasaí Complachta "A" a bhí i gceannas na nÓglach agus is iad na fir a bhí ina fhochair ná an Leifteanant Mícheál Ó Dabhoireann, an tAidiúnach Máirtín Puirséal, an tÓglach Seán Mac Conchradha agus an tÓglach Pádraig Ó Meachair. Bhíodar ag gabháil trasna an bhóthair mhóir idir an Baile Mór agus Crosaire an Ghúlaigh nuair a thángthas orthu. Scaoil na Gaill leis na Gaeil láithreach bonn agus créachtnaíodh an Captaen Ó Duibhir go mór. Rugadh ar an Aidiúnach agus ar an Óglach Ó Meachair maraon leis an gcaptaen. D'éirigh leis an Leifteanant Ó Dabhoireann agus an tÓglach MacConchradha na cosa a bhreith leo. Maraíodh an tAidiúnach Máirtín Puirséal cúpla lá ina dhiaidh san agus é ina phríosúnach i ndúnfort na saighdiúirí i dTiobraid Árann.

An Ceathrú Cathlán (Clann Liam nó Tiobraid Árann).

Deich gcomplachta a bhí sa chathlán so Thiobrad Árann. Ba é an chéad chathlán a cuireadh ar bun é agus dá chomhartha san tugadh Cathlán a hAon air i dtosach aimsire fé mar atá inste in áit eile. Bhí dhá chomplacht ar bun i mbaile Thiobrad Árann féin (" A " agus " B "). Cuireadh atheagar ar chomplachta na nÓglach i mbaile Thiobrad Árann agus sa cheantar máguaird tar éis éirí amach na bliana 1916. Bhí seacht gcomplachta fé lántseol roimh deireadh na bliana 1917 : Tiobraid Árann (" A " agus " B "), Dún Eochaille, Dún na Sciath, Sulchóid, Brughas agus an Bháinseach. Is mór an chreidiúint atá ag dul do Bhein Ó hIceadha, óir is é a chuir eagar agus ord ar an gcomplacht so agus go deimhin bhí beartaithe aige níos mó ná san a dhéanamh. Bhí beartaithe aige cathlán a bhunú a dtabharfaí Cathlán an Mhachaire Mhéith air agus a shínfeadh thar an dúthaigh sin uile : dúthaigh Eatharla agus dúthaigh Árann—sean-Mhúscraí Uí Chuirc agus Múscraí Iarthair Feimhin agus Breoghain, agus is beagnach cinnte go n-éireodh leis a chuspóir a chur i gcrích mura mbeadh go bhfuair na Sasanaigh greim air agus gur sháitheadar i bpríosún é. An obair a bhí tosnaithe aigesean chuir daoine eile chun cinn í agus bunaíodh Cathlán Chlainne Liam ar a dtugadh ina dhiaidh san Cathlán Thiobrad Árann. Chuidigh Diarmaid agus Proinsias Ó Duibhir ó Bhaile Dháithí le Bein Ó hIceadha san obair sin. Cuireadh eagar ar an gcuid eile de na complachta in earrach agus i samhradh na bliana 1918. Ar na complachta a bunaíodh sa tréimhse sin bhí Eatharla, Cill Ros, Leathtoinn, Imleach Iubhair agus Cuileann Ó gCuanach. Do haistríodh Leathtoinn, Imleach, agus Cuileann Ó gCuanach go dtí Briogáid Luimnighe Thoir ina dhiaidh san. Bhain Cill Ros le Complacht an

Ghallbhaile de Chathlán na nGaibhlte go dtí fómhar na bliana 1918 nuair a haistríodh go dtí Briogáid Thiobrad Árann í agus gur cuireadh isteach leis an gCeathrú Cathlán í. Ba é an Ceathrú Cathlán " cnámh droma " na Treas Briogáide, agus is as an gcathlán san a tháinig na taoisigh ba mhó cáil ina dhiaidh san.

Complachta " A " agus " B " (Baile Thiobrad Árann) : Ruathair ar lorg armacha is mó a bhíodh á dhéanamh ag an dá chomplacht so sa bhliain 1919. Rinneadh a lán ruathar ar thithe cónaithe agus ceann ar Stad na Traenach i dTiobraid Árann. Rinneadh ruathar eile ar lucht-thraen ag Crosaire na Gráinsí agus sciobadh roinnt raidhfleacha agus armlóin as beairic na saighdiúirí i dTiobraid Árann. Bhí Óglaigh na gcomplacht san an-ghnóthach sa bhliain 1920. Ghaibh cuid acu páirt sa troid ag Cill Mocheallóg agus chuireadar na bóithre ó chion nuair a rinneadh ionsaithe ar na beairicí póilíní ag Baile an Lóndraigh, Ceapach na bhFaoiteach, Drangan, Cluain Mhurchaidh, Réidh Ardnóige agus Baile Uí Chléireacháin. Do hionsaíodh na Dubhchrónaigh sa tSráid Mhór le linn dóibh bheith ag cur áras gnótha trí thine. Chuidigh baill áirithe den Chomplacht le haonaid airm Bhriogáid Chorcaighe Thuaidh le linn an amais a tugadh ar dhúnfort na saighdiúirí i Malla, an uair d'éirigh leis na hÓglaigh a raibh d'airm is d'armlón sa bheairic sin a ghabháil. Bhí baill eile ar fianas i gColún an Lásaigh agus bhíodar i gcomhrac le Gaill ag Baile Mhic Thomáis agus ag Lios na nGall, agus bhí tuilleadh acu san scirmis a tharla idir an colún agus na Sasanaigh ag an mBaile Glas.

Complacht C (Dún Eochaille) : Sa bhliain 1914 a bunaíodh an Chomplacht so. Cuireadh atheagar uirthi sa bhliain 1917 nuair a tháinig na príosúnaigh abhaile. Throid duine de na hÓglaigh (Mícheál Ó Riain ón nGráinseach) ag Sulchóid Bheag agus chuidigh Óglaigh eile den Chomplacht leis an ngeilignít d'aistriú ina dhiaidh san. Ghaibh cuid de na hÓglaigh páirt san amas a rinneadh ar bheairic na bpóilíní i gCluain Mhurchaidh agus bhí dream eile imeasc na nÓglach d'ionsaigh na Gaill ag an nGráinseach. Bhí páirt ag an gComplacht so leis na ruathair a rinneadh ar na lucht-thraenacha ag an nGráinseach agus ag Pálás mar ar gabhadh stór mór d'earraí an namhad gur milleadh iad. Chuaigh díorma d'Óglaigh as an gComplacht ag comhrac leis na Gaill ag Úlla agus ag an mBóthar Dóite. Nuair a bunaíodh Dara Rannán an Deiscirt sa bhliain 1921 toghadh ceantar Dhún Eochaille le haghaidh ceanncheathrú an Rannáin agus b'éigean don Chomplacht uile bheith ar buanfhianas feasta. Tosnaíodh lena linn sin ar thochaltáin a dhéanamh sa limistéar, agus cuireadh "monarcha" armlóin ar bun.

Complacht D (Dún na Sciath) : Sa bhliain 1917 a bunaíodh an Chomplacht so. Ghaibh a lán de na hÓglaigh páirt sa troid ag Cluain Mhurchaidh agus bhí roinnt fear ó Chomplacht D ar na hÓglaigh a thug amas fé bheairic na bpóilíní i gCeapach na bhFaoiteach freisin. Chuidigh cuid de na hÓglaigh leis na fir a thug fé na saighdiúirí Gallda ag Úlla agus chuaigh roinnt fear sa Cholún ina dhiaidh san.

Complacht E (Sulchóid) : In earrach na bliana 1917 a bunaíodh an Chomplacht so. Nuair d'imigh na póilíní as beairic an Ghleanna Bháin thug na hÓglaigh tine don teach. Ghabhadar páirt le hÓglaigh Luimnighe Thoir san amas a tugadh fé bheairic na bpóilíní sa Dún ; rugadar ar mhálaí poist na nGall ag Gabhal Sulchóide agus rinne ruathar ar stad na traenach gur ghabhadar lucht-thraen a bhí ag iompar stórais mhíleata. Throid fir as an gComplacht in aghaidh na nGall ag an mBóthar Dóite agus ag Úlla, ag Ceapach na bhFaoiteach an uair a hionsaíodh an bheairic, agus ag Gabhal Sulchóide nuair a tugadh amas fé phatról den R.I.C. Chuidigh Complacht E leis na lucht-thraenacha a mhilleadh ag an mBóthar Dóite agus ag Baile an Aird (Leathtoinn).

Complacht F (Brús) : Bunaíodh an Chomplacht so sa bhliain 1917. Áirítear ar na hoibríochta mileata a raibh baint ag Complacht F leo na cinn seo leanas : Milleadh beairic na bpóilíní sa Ghleann Bán ; díothú dúnfort na bpóilíní ag Lios Fearnán ; milleadh traenach ag Leathtoinn ; naoscaireacht ar na posta míleata agus ar phosta na bpóilíní i mBaile na Cúirte, sa Ghallbhaile agus i dTiobraid Árann féin. Seachas na hoibríochta atá luaite thuas romhainn bhí mórchuid den Chomplacht ar fianas le linn na n-amas a rinneadh ar dhúnfoirt na nGall i mBaile an Londraigh, i gCill Mocheallóg, sa Dún agus i gCeapach na bhFaoiteach nuair ab éigean dóibh na bóithre a chur ó chion, droichid a mhilleadh agus urphostaí a chur ar stáisiún. Tharla diantroid idir dream de na hÓglaigh agus gasra measctha den arm Gallda agus de na Dubhchrónaigh gairid do Chill Ros. Is amhlaigh a tiomsaíodh Óglaigh Chill Ros agus Brúis chun amas a thabhairt fé thraen mhíleata ag Baile Roibín i gceantar Dún Eochaille. Tháinig na Sasanaigh orthu i gan fhios—dream de na Crónphoic agus dream den Yorkshire Regiment (na Green Howards)—gur baineadh na hÓglaigh as a gcleachtadh. Is ansan a ghabhadar ag díriú ar a chéile agus ba le linn an chomhraic sin a tháinig dream eile de na Gaill i láthair. Bhí an dream nua san (díorma den Lincolnshire Regiment) ag taisteal ó Thiobraid Árann go dtí an Gallbhaile san am. Maraíodh aon duine amháin de na hÓglaigh ar an láthair sin, is é sin Tomás Ó Lúbaigh ó Shruth, agus goineadh triúr eile, eadhon, Conn de Paor, Tadhg Ó Riain agus Seán Ó hAodha. Fuair Mac Uí Aodha bás go luath ina dhiaidh san de dheasca a chréacht agus rug na Gaill ar Chonn de Paor. Le linn do na hÓglaigh bheith ag gabháil raon madhma agus mórtheithmthe chucu féin is ea a tháinig dhá mhótarthrucail eile de na *Lincolns* ar an láthair chatha agus iad ag taisteal ar bhóthar Chill Ros. Más ea, d'éirigh leis na hÓglaigh na cosa a bhreith leo taobh amuigh den bheirt a maraíodh agus an duine aonair a gabhadh.

Complacht G (Eatharla) : Bunaíodh an Chomplacht so timpeall mí na Bealtaine, 1918. Is iad Muiris Mac Conchradha, Domhnall Ó Braoin, Conn Ó Maoldhomhnaigh agus Art Barlow is mó a chuir eagar uirthi agus a thug teagasc agus tréineáil do na fir. Ar na hoibríochta míleata a rinne an chomplacht áirítear na cinn seo leanas : Naoscaireacht ar dhúnfoirt na bpóilíní ag Lios Fearnán agus ar phost na saigh-diúirí i gCluain Bheag, mar aon le gnáthnaoscaireacht ar phatróil armtha den namhaid ; ruathair ar na carra poist ; scabhtaeracht do na colúin reatha agus na haonaid fhianais. Bhí roinnt fear ó Chomplacht G ag troid i gColún an Lásaigh ag Lios na nGall agus bhí cuid eile acu ag déanamh scabh-taerachta dhóibh.

Complacht H (An Bháinseach): Ba é Bein Ó hIceadha a bhunaigh an Chomplacht so i mbliain a 1917 agus chuidigh Éamon, Proinsias agus Diarmaid Ó Duibhir go fonnmhar agus go héifeachtúil leis. Féadfar athchoimre a dhéanamh anso ar oibríochta míleata na complachta : Teachtaireacht agus Litir-Sheirbhís Ghiollaí Turais ; naoscaireacht ar bheairící na bpóilíní sa cheantar ; gardaí armtha a sholáthar do na haonaid fhianais agus scabhtaeracht a dhéanamh dóibh ; ruathair ar thraenacha agus ar charra poist ; bóithre a chur ó chion nuair ba ghá é. Chuaigh roinnt fear ón gcomplacht so i gColún an Lásaigh agus throideadar in aghaidh na Sasanach ag Lios na nGall. Bhí díorma den chomplacht ar dualgas urphost le linn an eadarnaí sin agus bhí díorma eile, fé cheannas Dhiarmada Uí Dhuibhir, ina bhfórsa clúdaigh don Cholún nuair a bhí an Lásach agus a chuid fear ag imeacht ó ionad an chatha. Gabhadh ocht raidhfleacha, ocht ngunnáin agus roinnt mhaith armlóin agus gléasra cogaidh de bharr na hoirchille sin.

Complacht 1 (Cill Ros) : Ba chuid de Chomplacht Ghall-bhaile i gCathlán na nGaibhlte an chomplacht so ón mbliain 1914 go dtí fómhar na bliana 1918. Chuir Muiris Mac Conchradha agus Seán Ó Dubhthaigh atheagar uirthi ansan agus cheanglaíodar de Bhriogáid Thiobrad Árann Theas í. Chuidigh an chomplacht leis na complachta eile sna hoib-ríochta míleata atá luaite thuas romhainn, agus maraíodh dís dea-Óglach ag troid in aghaidh na nGall gairid do Chill Ros, eadhon, Tomás Ó Lúbaigh agus Seán Ó hAodha (féach Complacht F thuas).

Complacht K (Leathtoinn) : Conn Ó Maoldhomhnaigh agus Muiris Mac Conchradha a bhunaigh an Chomplacht so i mBealtaine na bliana 1918. Ba chuid de Chathlán na nGaibh-lte ar dtúis í agus cuireadh i mBriogáid Luimnighe Thoir í nuair a bunaíodh an Bhriogáid sin i samhradh na bliana 1918. Do haistríodh thar n-ais go Briogáid Thiobrad Árann Theas í in earrach na bliana 1920. Chuidigh Óglaigh Chomplachta K chun traen mhíleata a dhíthiú gairid do Leathtoinn, agus stadadar agus scriosadar traen eile ag droichead Baile an Aird. Ghabhadar ualach artola ag Gabhal Sulchóide agus chuireadar na bóithre ó chion le linn na n-amas a rinneadh ar na beairicí i gCeapach na bhFaoiteach, Baile an Londraigh, Dún, agus Cill Mocheallóg.

An Cúigiú Cathlán (Cluain Meala). Bunaíodh *Complacht* Chluain Meala sa bhliain 1914 agus rinneadh iarracht ar Chathlán a bhunú i Meán Fómhair na bliana san ach theip ar an iarracht de dheasca na scoilte a tharla imeasc na nÓglach an uair sin. Suas le cúig céad duine a bhí i gComplacht Chluain Meala nuair a scoilteadh na hÓglaigh. Ghaibh a n-urmhór leis an Réamonnach agus ní raibh fágtha dhíobh in Óglaigh na hÉireann ansan ach tuairim is dachad duine ! Ba é Proinsias Ó Druacháin a bhí i gceannas Complachta Chluain Meala an uair sin agus nuair a tháinig scéala an Éirí Amach chun an bhaile d'fhógair sé Ordú Slógaidh. Sar ar tháinig scéala an Éirí Amach ar aon chor, ar ndóigh, bhí beartaithe ag Óglaigh Chluain Meala dul sa chomhrac de réir na n-orduithe a bhí faighte acu roimhe sin. Tráthnóna Dé Sathairn, an 22ú Aibreán, tiomsaíodh Óglaigh Chluain Meala ag *Jackson's Cross* lasmuigh den bhaile. Suas le céad Óglach ar fad a bhí ann agus dúradh leo dul chun faoistine agus bheith ar paráid i gcionn ceithre huaire fichead. Do hordaíodh dóibh a raidhfleacha agus a gcuid armlóin, maraon lena gciondála machaire, a bhreith leo. Tháinig an Domhnach agus bhí na hÓglaigh ag fuaireach le tuilleadh eolais, ach cé go raibh ráflaí go leor ag gabháil thart níor tháinig aon orduithe chun na dtaoiseach, agus b'éigean dóibh na hÓglaigh a dhíslógadh. Tráthnóna Dé Luain bhí sé ina scéal reatha ar fuaid an bhaile go raibh na hÓglaigh ag troid i mBaile Átha Cliath. Lá arna mhárach deimhníodh an ráfla san agus bhí coinne ag na fir go nglaofaí amach iad.

Ba é Piaras Mac Canna a bhí ina Cheannfort ar Óglaigh Thiobrad Árann uile an uair sin. D'ordaigh sé do na hÓglaigh slógadh, agus do hordaíodh d'Óglaigh Chluain Meala teagmháil a dhéanamh le complachta eile a thiocfadh aduaidh

305

20

i dtreo an bhaile. Ar an abhar san cuireadh gairm slógaidh ar fheara an bhaile arís agus thiomsaíodar ag crosaire Ráth Rónáin Dé Céadaoin. Tar éis dóibh tamall a thabhairt ann ag fuireach le tuilleadh eolais tháinig giolla turais ó Chaiseal agus ordú aige d'Óglaigh Chluain Meala díshlógadh arís agus dul abhaile. Is amhlaidh a chuir Piaras Mac Canna an tOrdú Slógaidh ar ceal toisc gur thuig sé nach mbeadh aon chabhair ag teacht chuige ó Luimnigh ná ó Chorcaigh.

Ag so ainmneacha na bhfear a chuaigh amach chun dul sa chomhrac lá an tslógaidh : Proinsias Ó Druacháin, O.C. ; Liam Ó Maol Mhuire, Tomás Ó hAilpín, Donnchadh Ó Scéacháin, Tomás Ó Riagáin, Liam Ó Cléirigh, Mícheál Ó hAnracháin, Tomás Ó Donnabháin, Séamas Ó Néill, Seán Ó Néill, Seán Ó Teimhneáin, Doiminic Ó Macdha, Mícheál de Búrca, Seán Ó Muireasa, Séamas Ó Riain, Seathrún Ó Muireasa, Máirtín de Paor, Seán Ó Dubhthaigh, Seán Ó Cróinín, Seán Ó hAilín, Éamon Ó Maoldhomhnaigh, Liam Ó Broin, Mícheál de Faoite, Tomás Bairéad, Tomás Barún, Roibeárd Ó Druacháin, Séamas é Cinnéide, Éamon Ó Duibhir, Mícheál Ó Duibhir, Tadhg Ó Briain, Seán Ó Muireasa (an táilliúir), Seán Ó Macdha, Cathal Ó Baoighealláin, Seán Ó Muirthille, Séamas Forastal, Diarmaid Puirséal, Séamas Ó Diomasaigh, Mícheál Ó Druacháin, Pádraig Ó hIceadha, Maitiu Ó Teimhneáin.

Rinneadh Complacht Chluain Meala agus an complachta máguaird d'atheagrú sa bhliain 1918 agus bhí an obair sin fé lántseol i samhradh na bliana san. Ba é Cathlán Chluain Meala an ceathrú Cathlán a bunaíodh sa Bhriogáid : Cathlán Thiobrad Árann (ar ar tugadh Cathlán Chlanna Liam) a bunaíodh ar dtúis agus ansan Cathlán Chaisil agus Cathlán Dún Droma (nó Cill na Manach). Bunaíodh Cathlán

Chluain Meala ansan agus ceapadh Proinsias Ó Druacháin
ina Oifigeach Ceannais air. Go dtí an bhliain 1920 ní raibh
aon chathlán ar leith ar bun do cheantar Charraig na Siúire
agus bhí na complachta sa limistéar san i gCathlán Chluain
Meala, ach cuireadh críoch le h-eagrú na briogáide ar fad
i samhradh na bliana 1920 nuair a bunaíodh Cathlán Ros
Gréine (Cnocán an Teampaill) agus Cathlán Charraig na
Siúire. Rinneadh na cathláin d'áireamh as an nua agus
tugadh Cathlán a Cúig ar Chathlán Chluain Meala as san
amach. Seacht gComplachta a bhí sa chathlán go dtí Iúil
na bliana 1922 nuair a bunaíodh Complacht nua i nDoire an
Láir. Ba é Proinsias Ó Druacháin an chéad O.C. agus ba
é Seán Ó Muireasa an Leas-Oifigeach Ceannais. In Aibreán
na bliana 1920 chuaigh Liam Ó Maol Mhuire in áit Phroinsiais
Uí Dhruacháin agus bhí sé i gceannas an Chathláin go dtí
Márta na bliana 1921 nuair a ceapadh Donnchadh Saidléar
chun an phoist sin. Níorbh fhada dá éis sin, ámh, gur mar-
aíodh an Saidléarach de thaisme, agus gur chuaigh Pádraig
Daltún i gceannas an Chathláin. Is é Pádraig a bhí i gceannas
nuair a rinneadh an Sos Cogaidh agus is é a chuaigh i seilbh
dúnfort na saighdiúirí i gCluain Meala nuair d'imigh an
tArm Gallda as an 9ú Feabhra, 1922. Ghluais na Gaill chun
siúil, a gcuid bratacha ar folúin acu agus a n-armbhanna ag
seinm, agus ghluais saighdiúirí an Chúigiú Cathláin d'Arm
Poblacht na hÉireann isteach sa bheairic agus banna práis
rompu amach. Ceapadh an Daltúnach ina Thánaiste Briog-
áide in Aibreán na bliana san agus haistríodh ón gceannasaíocht
ar Chathlán a Cúig é tamall ina dhiaidh san agus ceapadh
Seán Ó Lonargáin ina O.C. ar an gCathlán. Bhí an Lonar-
gánach ina Cheannasaí ar Chomplacht C den Chathlán roimhe
sin. Ag seo an Fhoireann Chathláin nuair a thosnaigh an

Cogadh Cathartha : Seán Ó Lonargáin, O.C. ; Seán Ó Muireasa, Leas-O.C. ; Seán Ó Cuirc, Aidiúnach ; Risteard Daltún, Ceathrúnach ; Seán Ó Searcaigh, O.F. agus Seán Ó Cuanaigh O/C. Innealltóirí.

Complacht A (Cluain Meala) : Bunaíodh an Chomplacht so i mbliain a 1914. Nuair a tháinig an scoilt i bhfómhar na bliana san níor fhan sa Chomplacht ach tuairim is dathad fear. Ba é Proinsias Ó Druacháin a bhí ina Oifigeach Ceannais ar Chomplacht A nuair d'éirigh na hÓglaigh amach i 1916, agus bhí Seán Ó Muireasa ina Leas-Oifigeach Ceannais, Mícheál Ó hAnracháin ina Aidiúnach agus Séamas Ó Cinnéide ina Ceathrúnach. Nuair a rinneadh príosúnach de Phroinsias Ó Druacháin sa bhliain 1916 (tar éis Seachtain na Cásca) chuaigh Liam Ó Maol Mhuire ina ionad mar O.C. Gníomhach, agus ceapadh Donnchadh Ó Scéacháin ina Leas-O.C. Bunaíodh an cathlán den chéad uair i Márta na bliana 1918 ach ní raibh eagar air go dtí an samhradh. Ceapadh Proinsias Ó Druacháin i gceannas an Chathláin agus chuaigh Tomás Ó hAilpín i gceannas ar Chomplacht A. Bhí an tAilpíneach i gceannas na complachta go dtí Samhain na bliana 1920. Ceapadh Máirtín de Paor ina Oifigeach Ceannais ansan, ach ní raibh sé i bhfad ag gníomhú nuair a ceapadh Liam Tóibín chun bheith i gceannas. Bhí an Tóibíneach i gceannas Complachta A go dtí an Sos Cogaidh nuair a roinneadh an Chomplacht gur bunaíodh Complacht H (Doire an Láir) den chéad uair. Cuireadh an Captaen Liam Tóibin i gceannas na complachta nua agus chuaigh Pádraig Ó Braonáin i gceannas Complachta A. Is iad so leanas na príomh-oibríochta míleata a rinneadh le linn Cogadh na Saoirse :

In Eanáir na bliana 1918 rinneadh ruathar ar theach i Sráid Ó Néill i gCluain Meala agus gabhadh cúpla raidhfil ó shaighdiúir d'Arm na Breataine a bhí ar saoire ó láthair an chogaidh sa bhFrainc. Ba iad Críostóir Ó Ríordáin agus a dheartháir, Máirtín de Paor, Seán Ó Teimhneáin, Maitiú Ó Teimhneáin, Seán Ó Muireasa (an táilliúir), Mícheál Ó Súilleabháin agus Tomás Bairéad a rinne an ruathar. Gabhadh an bheirt Ríordánach agus coinníodh greim orthu ar feadh breis agus seachtain. Níor éirigh leis na póilíní aon fhianaise d'fháil a thaispeánfadh go raibh baint acu leis an ruathar agus scaoileadh saor arís iad mar sin.

Sa bhliain 1919 rinne Óglaigh na complachta so ruathair ar thithe éagsúla ar lorg arm agus armlóin. Bhí stóras arm fé chúram Sheáin Uí Chuanaigh agus bítí ag tabhairt arm agus armlóin go féiltiúil ó áras an Chuanaigh i gCluain Meala go dtí ceanncheathrú na Briogáide i gcomharsanacht Chnocáin an Teampaill. Ba iad Seán Ó Cuanaigh féin, Seán Ó Searcaigh, Risteard Daltún, Seán Ó Cuirc, Mícheál Mac Giolla Pheadair, Tomás Ó Riagáin, Pádraig Ó Briain, Lorcán Ó Dúshláine agus Pádraig Ó Riain ba mhó a rinne an obair seo. I Samhain na bliana so is ea a rinneadh ruathar ar Ostán Ormonde i gCluain Meala gur gabhadh roinnt raidhfleacha le hoifigigh den arm Gallda a bhí ar iostas san óstán. Sa bhliain 1920 rinne Óglaigh na complachta so, fé cheannas a gCaptaen Liam Tóibín, ruathar ar Oifig na cánach ioncaim agus scriosadar na cáipéisí agus na taifid uile. Nuair a bhítheas ag ullmhú le haghaidh an amais ar bheairic Drangain thug Tomás Ó Riagáin ualach raidhfleacha agus buamaí ó áras an Chuanaigh i gCluain Meala go dtí Ceanncheathrú na Briogáide. Rinneadh an Chomplacht uile a shlógadh (20ú-21ú Iúil) i gcóir an amais a bhí le tabhairt fé bheairic na bpóilíní i mBaile Uí Chléireacháin. Tógadh bloic bhóthair agus trinsíodh na bóithre timpeall an bhaile agus gearradh na

309

línte telegrafa ag Crann an Mhíle, Gleann Uí Chonchubhair, an Fásach agus Baile an Phaoraigh. Chuaigh Óglaigh Chomplachta A in ionaid oirchille ar an dá bhóthar ag Ráth Rónáin, agus teanntaíodh na fórsaí Gallda i gCluain Meala. Rinneadh roinnt ruathar ar na carra poist sa bhlian 1920 agus sa bhliain 1921, agus chuidíodh na hÓglaigh le Colún an Ógánaigh nuair a thagadh sé chun na comharsanachta. I mí na Nollag, 1920 chuaigh dream d'Óglaigh as Complacht A in oirchill ar an namhaid ag Ráth Rónáin. Is amhlaigh a bhí beirt de na hÓglaigh ag rothaíocht go Lios Ruaineach maidin Domhnaigh áirithe chun eagar a chur ar na hÓglaigh san áit sin nuair a casadh patról den R.I.C. orthu gairid d'Eaglais Phrotastúnach Ráth Rónáin. Bhí na póilíní ag dul go dtí an tseirbhís agus bhí raidhfleacha agus armlón á n-iompar acu. Fuair na hÓglaigh amach go mbíodh an patról san ar an mbóthar gach Domhnach agus chinneadar, dá bhrí sin, ar amas a dhéanamh ar na póilíní agus na raidhfleacha a ghabháil. Tar éis Aifreann na maidne an Domhnach a bhí chugainn chuaigh dream de na hÓglaigh amach ó Chluain Meala chun ionsaí a dhéanamh ar an bpatról. Deichniúr Óglach a bhí ann : Seán Ó Cuanaigh, Pádraig Ó Riain, Seán Ó Muireasa, Mícheál Mac Giolla Pheadair, Theo Inglis, Seán Ó Searcaigh, Seán (" Buddy ") Ó Donnchadha, Risteard Daltún, Criostóir Ó Ríordáin agus Éamon Daltún. Roimh imeacht as an mbaile dhóibh chuadar go dtí áras an Chuanaigh mar ar tugadh gunnáin dóibh. Chuadar in eadarnaí ar an bpatról mar a bhí beartaithe acu. Ceathrar póilíní a bhí ann fé cheannas an tSáirsint Cooper. Nuair a glaodh orthu a lámha a chur in airde do fhreagair an Sáirsint " I'm dammed if we do ! " agus scaoil sé urchar as a ghunna ar an láthair sin. Scaoil an bheirt Dubhchrónach a bhí taobh thiar den tSáirsint a ngunnaí leis na hÓglaigh, agus ansan d'iompaíodar ar a sála agus as go brách leo sna feilimintí reatha agus iad ag déanamh ar an mbeairic i Lios Ruaineach. Scaoil na hÓglaigh leo agus goineadh duine acu sa chois i dtreo gurbh éigean dó éirí as an teitheadh agus géilleadh do na hÓglaigh. Ghéill an Sáirsint agus an tríú póilíní freisin, ach níor stad an ceathrú póilín gur bhain sé amach an bheairic. Baineadh a ngunnaí agus a gcuid armlóin de na fir a gabhadh, agus rug na hÓglaigh leo iad go hionad sábhálta. Baineadh feidhm as na gunnaí a gabhadh an lá san nuair a bunaíodh Colún an Ógánaigh. *Complacht B* (Cill Síoláin) : Rinne an Chomplacht so na gnáthdhualgais a rinne na complachta eile le linn Cogadh na Saoirse. Tugadh amas fé bheairic na bpóilíní i gCill Síoláin in Iúil na bliana 1920. Amas bréige ba ea an t-amas san mar theastaigh ó na hÓglaigh na Gaill a mhealladh amach as Cluain Meala i dtreo nach dtiocfadh leo dul i gcabhair ar an ngarastún i mBaile Uí Chléireacháin. Bhí na hÓglaigh chun ionsaí a dhéanamh ar an mbeairic i mBaile Uí Chléireacháin an oíche sin, agus socraíodh go dtabharfaí amas bréige ar Chill Síoláin agus ar Chill Mhainchín le linn do bhaile Uí Chléireacháin bheith á ionsaí ag an gCeannasaí Briogáide agus a chuid fear. Tháinig na Dubhchrónaigh amach ó Chluain Meala an lá dá éis sin chun díoltas a dhéanamh ar mhuintir Chill Síoláin, ach an Sáirsint a bhí i gceannas na Constáblachta ansan d'áitigh sé orthu ná raibh baint ná páirt ag éinne de lucht na háite leis an ngnó, gur dhaoine i bhfad ó bhaile a rinne é. Nuair a bhí na Dubhchrónaigh imithe chuir an Sáirsint duine de na Constáblaí go dtí Captaen na nÓglach á rá leis bheith níos cúramaí an chéad uair eile. " Tabhair aire, a dhuine," arsa an constábla, " is beag nár mharaís an Sáirsint aréir." Chuidigh an Chomplacht le

311

Complacht Charraig na Siúire (an tOchtú Cathlán) chun traen a stad agus a chuardach ag Baile an Fhuaráin agus tugadh ruathair ar lorg arm is armlóin ag Baile Bó, Cúl Fhuaráin, Cill Urnaí, Baile Chnocáin agus Gráig.

Complacht C (An Ghráinseach) : Chuidíodh Óglaigh Chomplachta C le Colún an Lásaigh agus le Colún an Ógánaigh nuair ba ghá san, agus rinneadar na gnáthruathair ar lorg arm is armlóin. Thugadar amas bréige ar bheairic na bpóilíní i gCill Mhainchín oíche an 2oú Iúil fé mar atá luaite againn cheana i dtaobh Complachta Chill Síoláin. In earrach na bliana 1921 rinneadar tochaltáin agus chuadar i gcomhar le Colún an Lásaigh chun eadarnaí a dhéanamh ar an namhaid ag Bréagóg tamall beag siar ó Chluain Meala. Chuala an garastún, ámh, go raibh an Colún sa chomharsanacht agus níor tháinig na saighdiúirí amach as an mbaile ar aon chor an fhaid a bhí an colún ann. Bhí dream d'Óglaigh as an gcomplacht so páirteach san ionsaí a rinne Colún an Ógánaigh ar dhream den R.I.C. ag Cnoc Lochtaigh. Ghabhadar roinnt oifigeach de chuid na Breataine lasmuigh de Chluain Meala i mBealtaine na bliana 1921 agus bhaineadar 16 canna d'artola dhíobh. Scaoileadar na hoifigigh abhaile tar éis a ngluaisteán a chur trí thine. I mí an Mheithimh stadadar traen ag Baile Nioclás agus ghabhadar nó scriosadar a raibh ann de stóras míleata. Chuaigh roinnt fear ón gcomplacht so in eadarnaí ar an R.I.C. i dteannta Dhonnchadh de Lása agus a Cholún ag Ard Fhionáin. Is iad na fir ó Chomplacht C a bhí ann an lá san ná Seán Ó Lonargáin, P. Ó hAilche, Pádraig Ó Tuama, T. Ó Broin, Mícheál Mac Suibhne agus Éamon Ó Carragáin.

Complacht D (An Caisleán Nua) : Bhí páirt ag an gcomplacht so sna gnáthoibríochta míleata atá luaite cheana i dtaobh na

312

gcomplacht eile. Chuaigh cuid de na fir i bpáirt le fir Chomplachta C san amas a tugadh fé bheairic na bpóilíní i gCill Mhainchín. Dhéanaidís garda le linn do na colúin bheith sa chomharsanacht agus is fir na complachta so a rinne coiméad ar an gCigire Potter den R.I.C. nuair a tugadh isteach i gceantar an Chúigiú Cathláin é tar éis a ghabhála agus is iad a rug air nuair d'éirigh leis éalú ar na hÓglaigh. I Meitheamh na bliana 1921 chuir an chomplacht áras cónaithe an Chaptaen Perry trí thine de bharr orduithe a tháinig chucu ó Cheanncheathrú na nÓglach. Bhí sé beartaithe ag na Sasanaigh saighdiúirí a chur isteach ann agus post míleata a bhunú sa dúthaigh sin idir an tSiúir agus na sléibhte, dúthaigh inar ghnáth leis an gcolún a scíth a ligint.

Complacht E. (Baile an Phaoraigh) : Ní fhuaireas aon tuairisc ar an gcomplacht so.

Complacht F (Baile an Ruiséalaigh) : Na gnáthoibríochta : ruathair ar lorg arm is armlóin, etc, Scabhtaeracht agus litirsheirbhís le giollaí turais. I Lúnasa na bliana 1920 tosnaíodh ar thochaltáin a dhéanamh i mBaile an Ruiséalaigh agus i gCoill Domhnaigh Mhóir. Ghaibh duine de Chomplacht F páirt sa troid an uair d'ionsaigh Óglaigh an Seachtú Cathlán de Bhriogáid Phortláirge Thiar beairic na bpóilíní i gCill Mhainchín (22ú Eanáir, 1921). I mí Fheabhra d'ionsaigh Óglaigh na complachta so an bheairic sin fé cheannas a gcaptaen Seán de Bhál.

Complacht G (Cill Cais) : Ní fhuaireas aon tuairisc ar an gcomplacht so.

An Séú Cathlán (Cathair Dhún Iascaigh) : Bunaíodh an Cathlán so i samhradh na bliana 1918 agus is é Éamon Mac Craith a chuir eagar air. Toghadh Éamon Mac Craith ina Oifigeach Ceannais agus Tomás Ó Riain ina Leas-Oifigeach

313

Ceannais. Ba é Mícheál Ó Treasaigh an tAidiúnach ón uair a cuireadh an Cathlán ar bun go dtí go ndearnadh Leas-Oifigeach Ceannais de. Chaith sé tamall ina O.C. Gníomhach ach ghaibh na Gaill é i Nollaig na bliana 1920. Tháinig Liam Ó Cathasaigh ina ionad mar Aidiúnach agus nuair a gabhadh an Cathasach i Lúnasa na bliana 1920 agus gur sáitheadh i bpríosún é ceapadh Muiris Mac Craith ina ionad. Is é Liam Ó Diomasaigh a ceapadh ina Cheathrúnach ar an Séú Cathlán agus Tomás Ó Mathúna ina Oifigeach Faisnéise. Ceapadh Seán Priondargás ina Cheannasaí ar an gCathlán i Nollaig na bliana 1920 agus bhí sé i gceannas go dtí an bhliain 1923. Bhí beirt is fiche as an gCathlán so i dtreasa an Dara Colúin fé cheannas Sheáin Uí Ógáin. Chuidigh Óglaigh Chomplachta E leis an dá cholún nuair a chuathas in oirchill ar na Sasanaigh sa Gharraí Mór mar atá luaite againn in áit eile. Ag scríobh dó ina dhiaidh san ar an oirchill sin mhol an tAidiúnach Muiris Mac Craith go speisialta an obair a rinne an Ceannasaí Complachta, Tomás Ó Conchubhair, agus Pádraig Ó Connmhaigh, duine den Chomplacht, roimh an luíochán agus lena linn.

An Seachtú Cathlán (Drangan) : Seacht gComplachta a bhí sa Chathlán so. Bunaíodh an Cathlán sa bhliain 1918 agus bhí sé ar a bhonna go daingean agus eagar maith air nuair a tháinig oifigigh na gCathlán le chéile i mbaile Thiobrad Árann chun Ceannasaí nua Briogáide a thoghadh i nDeireadh Fómhair na bliana 1918. Bhí a lán Óglach dúthrachtach sa Chathlán so agus fuair seisear fear déag díobh bás ar son na hÉireann.

Complacht A (Drangan) : Ruathair ar lorg arm is armlóin ba mhó a bhí á dhéanamh ag an gComplacht so i dtosach báire, ach de réir mar ghéaraigh ar an gcogadh bhí mórán dualgaisí eile ar na hÓglaigh, go mór mór na bóithre a chur ó chion agus naoscaireacht a dhéanamh ar an namhaid. Bhí an Chomplacht páirteach san ionsaí a rinneadh ar bheairic na bpóilíní i nDrangan féin i Meitheamh na bliana 1920. I nDeireadh Fómhair na bliana san bunaíodh Aonad Fianais don Chathlán agus bhí roinnt mhaith fear ó Chomplacht A sa cholún san. Goineadh an Captaen Seán Ó Foghludha, Ceannasaí na Complachta, le linn an amais a tugadh ar bheairic Drangain. Ba dheacair leis an Aonad Fianais teagmháil leis an namhaid, agus i bhfómhar na bliana 1920 chuaigh na hÓglaigh in ionaid oirchille agus iad ag súil leis an namhaid i gcomharsanacht Mhuileann Uí Chuain, i gcomharsanacht Chruacháin agus i gcomharsanacht Drangain féin, ach níor tháinig an namhaid ar aon chor. Thí huaire a chuathas in oirchill ar an namhaid ag Drangan agus gan an namhaid a theacht an treo ina dhiaidh san. I ndeireadh na dála tháinig an tAonad Fianais isteach i gCill Donáil Oíche Shamhna. Ag gabháil an tsráid do na hÓglaigh rinneadar teagmháil leis na Gaill agus scaoil an dá thaobh lena chéile in éineacht. Goineadh ceannasaí an díorma Ghallda (an Leifteanant Hooten) agus sáirsint, ach maraíodh ceannasaí na nGael, an Ceannfort Tomás Ó Donnabháin, Oifigeach Ceannais an Seachtú Cathláin. Maraíodh an Leifteanant Pádraig Mac Fhlannchadha an lú Nollaig nuair a theagmhaigh patról rothaithe de chuid na Sasanach le dream d'Óglaigh na hÉireann i nDrangan. Baineadh dream de na hÓglaigh as a gcleachtadh an 6ú Márta, 1921 nuair a thimpeallaigh na Sasanaigh teach ina raibh comhdháil Chathláin ar siúl agus scaoileadar fúthu gan rabhadh le raidhfleacha agus inneallghunnaí. Tugadh créachta marfacha don Chaptaen Risteard Pléimeann, don Leifteanant Pádraig Haicéad agus don Aidiúnach Máirtín Mac Fhlannchadha—deartháir don Leifteanant Pádraig Mac Fhlannchadha a maraíodh an Nollaig roimhe sin. Créachtnaíodh beirt Óglach eile go trom. Caitheadh na fir ghonta isteach i mótarthrucail agus tugadh go Muileann Uí Chuain iad mar ar éag an Pléimeannach agus Mac Fhlannchadha. Tugadh an Haicéadach agus fear gonta eile darbh ainm Cróc go Corcaigh mar ar éag an Haicéadach go gairid ina dhiaidh san.

Bhí Colún an Lásaigh ag oibriú sa chomharsanacht i samhradh na bliana 1921 agus tháinig Colún an Ógánaigh isteach sa cheantar timpeall an ama chéanna. Chuaigh roinnt Óglach ó Chomplacht A ar fianas leis an colúin sin le linn dóibh bheith sa chomharsanacht, agus bhíodar leo nuair a hionsaíodh dream measctha de phóilíní agus den arm Gallda ag Cruachán. Ghaibh roinnt fear ón gcomplacht so páirt san eadarnaí a rinneadh ar na Gaill sna Coimíní freisin.

Complacht B (Baile an Gharraí) : Ar na hoibríochta míleata a rinne Óglaigh Chomplachta B áirítear na cinn seo leanas : Ruathar ar mhianaigh ghuail Shliabh Ardachaidh ar lorg pléascán. Rinneadh slógadh ar an gcomplacht roimh an amas ar bheairic Drangain agus shíob na hÓglaigh beairic Chnoc an Iarla (Earlshill) san aer. Dódh beairic Bhaile an Gharraí freisin d'éis a haslonnuithe ag an namhaid. Chuidigh aonaid den chomplacht le Colún an Ógánaigh ag Gleann Gall, Baile an tSagairt, agus áiteanna eile, agus rinneadar tionlacan ar an gcolun san nuair a bhí sé ag cúlú ó Thiobraid i gCo. Chill Choinnigh tar éis bheith i ngleic leis an namhaid.

Complacht C (Cluainín) : Bhí fir ón gcomplacht so ag troid i nDrangan an oíche a hionsaíodh beairic na bpóilíní sa bhaile sin, agus bhí fir ón gcomplacht i dteannta an Cheannfoirt Tomás Ó Donnabháin an oíche a maraíodh é i gCill Donáil. Thug Briogáid Chill Choinnigh fé na Sasanaigh i mí na Nollag, 1920 ag Garraí Ricín agus ag Cill Chuilinn (Teach na Naoi Míle) agus chuidigh Óglaigh an Seachtú Cathláin agus an Ochtú Cathláin de Bhriogáid Thiobrad Árann Theas leo sa troid. Ar na hÓglaigh a chuaigh i gcomhar le Briogáid Chill Choinnigh an lá san bhí roinnt fear ó Chomplacht C den Chathlán so. Bhí Óglaigh na complachta so páirteach freisin san amas a tugadh ar na Sasanaigh ag an gCnoc Rua i gComharsanacht Drangain.

Complacht D (Cill Osta) : Níor éirigh liom aon eolas a bhailiú fén gComplacht so.

Complacht E (Magh Glas) : Ní fhuaireas aon tuairisc ar chúrsaí na complachta so ach oiread.

Complacht F (Laffansbridge) : Chuaigh cuid d'Óglaigh na complachta so i gcomhrac leis na Gaill ag Drangan nuair a hionsaíodh an bheairic sa bhaile sin i mí an Mheithimh, 1920. Slógadh an chomplacht uile chun amas a thabhairt fé bheairic Chill Dhonáil. Bhí an Ceannfort Tomás Ó Donnabháin le bheith i gceannas an amais agus is é thug an tOrdú Slógaidh. Ar mhí-ámharaí an tsaoil, maraíodh an Ceannfort féin nuair a ráinig na hÓglaigh an baile agus níor tugadh fén mbeairic ar aon chor. Thug Óglaigh na Complachta fé dhíorma de shaighdiúirí Gallda a bhí ag déanamh ar Bhaile an Iubhair nuair a bhí amas á dhéanamh ar na póilíní sa bhaile beag san. Gairid do Laffansbridge a tugadh fé na Gaill. Cuireadh dualgais garda ar Óglaigh na complachta so nuair a bhí Colún an Ógánaigh ar coinnmheadh sa cheantar i mBealtaine na bliana 1921, agus i mí Meitheamh na bliana san cinneadh ar dhíorma den namhaid d'amasú gairid do Bhaile an Iubhair. Bhí na hÓglaigh in ionad agus na haonaid ina suíomh catha nuair a tháinig an namhaid i ganfhios orthu. Ní túisce a tháinig na saighdiúirí Gallda i láthair ná mar a thosnaíodar ar lámhach. Cé gur baineadh na hÓglaigh as a gcleachtadh toisc gur thángthas orthu gan coinne, chuadar ar scáth sceiche gur fhearadar comhlann agus comhrac go cróga agus ansan chúlaíodar fé threorú a gCeannasaí Chatha, Seán Breathnach, agus an Aidiúnaigh Éinrí Bushe, gur thángadar as an nguais sin gan dith gan dochar.

Complacht G (Cill Donáil) : Ruathair ar lorg arm is mó a bhí á dhéanamh ag Óglaigh na complachta so sa bhliain 1919. Ghaibh roinnt de na hÓglaigh sa troid nuair a hionsaíodh beairic na bpóilíní i nDrangan agus bhí tuilleadh acu i láthair an eadarnaí a rinneadh ar Ghaill ag Crosaire an Ghlaisín i Meán Fómhair na bliana 1920. Chuaigh roinnt de na hÓglaigh i dteannta an Cheannasaí Chatha Tomás Ó Donnabháin chun amas a thabhairt fé phost na saighdiúirí i gCill Donáil an oíche a maraíodh an Donnabhánach. Bhí an mhórchuid d'Óglaigh na complachta so ar dualgas sa bhliain 1921 ag cur na mbóithre ó chion, nó ag déanamh ruathar ar na carra poist, nó ar lorg arm, nó ag déanamh dualgais leis na colúin le linn dóibhsean bheith sa chomharsanacht. Bhí cuid de na hÓglaigh ag trínsiú bóthair i mBaile an Churraigh nuair a tháinig dream den arm Gallda orthu gan choinne. Ar ámharaí an tsaoil bhí garda postaithe ag na hÓglaigh agus chuadarsan i ngleic leis an namhaid an fhaid a bhí lucht briste an bhóthair ag éalú.

Gabhadh agus básaíodh roinnt spiairí i gceantar an Seachtú Cathláin agus bhí baint ag beagnach gach complacht sa chath le gabháil nó le bású na spiairí sin.

An tOchtú Cathlán (Carraig na Siúire) : Cé nár bunaíodh an Cathlán so go dtí earrach na bliana 1920 bhí na complachta as ar cumadh an cathlán ina dhiaidh san ar bun i bhfad roimhe sin. Tosnaíodh ar eagar a chur ar na complachta le súil go bhféadfaí cathlán láidir a dhéanamh sa cheantar thoir theas de Thiobraid Árann sa bhliain 1917 féin agus toghadh Tomás Ó hIceadha ina Chaptaen ar Chomplacht Charraig na Siúire an bhliain sin. Ba é Seán T. Ó Caoimh a bhí ina Leas-Chaptaen ; bhí Séamas Babington ina Aidiúnach, Roibeard Breathnach ina Cheathrúnach agus Pádraig de Paor ina Oifigeach Faisnéise. Rinneadh athrú ar an bhfoireann sa bhliain 1918 (i mí na Samhna) nuair a ceapadh Seán Ó Caoimh ina Chaptaen, Liam Ó Meára ina Leas-Chaptaen, Séamas Ó Caoimh ina Aidiúnach, agus Séamas Babington ina Cheannasaí Innealltóiri. In earrach na bliana 1920 rinne Seán Ó Treasaigh féin atheagar ar an gcomplacht agus bhunaigh sé an cathlán nua ar ar tugadh ina dhiaidh san an tOchtú Cathlán. Ba é Seán Thomáis Ó Caoimh a ceapadh ina Oifigeach Ceannais ar an gcathlán nua. Toghadh Liam Ó Meára ina Leas-Oifigeach Ceannais (.i. ina Thánaiste Catha), Seán Shéamais Ó Caoimh ina Aidiúnach, agus ní dearnadh aon athrú ar na hoifigigh eile is é sin le rá na fir eile a hainmníodh thuas romhainn ar fhoireann Chomplacht Charraig na Siúire gur glacadh leo arís ar fhoireann an Chathláin. Gabhadh an tAidiúnach Ó Caoimh sa bhliain 1920 agus ceapadh ina ionad Proinsias Bairéad a bhí an uair sin ina Aidiúnach ar Chomplacht A (Complacht na Carraige). Tar éis roinnt aimsire gabhadh an Ceannasaí Cathláin féin maraon leis an Oifigeach Faisnéise agus an Leas-Cheannasaí. Chuaigh Muiris Mac Craith ("The Bogman") i gceannas an Chathláin ansan agus ceapadh Tomás Ó Fathaigh ina Leas-Cheannfort agus Donnchadh de Paor in a Oifigeach Faisnéise. Timpeall an ama chéanna do haistríodh Séamas Babington ón bhFoireann Chathláin go dtí an Fhoireann Bhriogáide mar a ndearnadh

O.C. Innealltóirí dhe. Ceapadh Tomás Ó Faoláin ina O.C. Innealltóirí ar fhoireann an Ochtú Cathláin in ionad Shéamais Babington. Naoi gComplachta a bhí sa chathlán san agus bhí trí chinn de na complachta san suite i gCo. Phortláirge, eadhon, Complacht D (Maothal), Complacht E (Cluain Fhia Paorach) agus Complacht F (Rath Ó gCormaic).

Complacht A (Carraig na Siúire) : " Tiargálaithe Airm Phoblachta Éireann i dTiobraid Árann Thoir-Theas, i gCill Choinnigh Theas agus i bPortláirge Thoir-Thuaidh " a thugann Seamas Babington ar an gcomplacht so na Carraige. Nuair a bunaíodh an tOchtú Cathlán toghadh pearsanra na foirne as Complacht na Carraige mar atá ráite againn thuas romhainn. Toghadh oifigigh nua chun dul i gceannas Complachta na Carraige ansan. Toghadh Donnchadh Ó Drisceoil ina Chaptaen ar an gcomplacht, Séamas Ó Cléireacháin ina Leifteanant, Tomás Breathnach ina Dara Leifteanant agus Tomás Ó Maoláin ina Cheathrúnach. Ba í an chéad mhóroibríocht a rinne an Chomplacht ná an ruathar a tugadh fé stóras i gCarraig na Siúire Lá Fhéile Pádraig na bliana 1918 nuair a ghaibh na hÓglaigh 25 céadmheáchana de phléascáin. Ba iad Séamas Babington, S. Ó Caoimh, S. Ó Lonargáin, S. Breathnach, S. Ó Riada, S. Ó hOdhragáin, S. Ó Cearbhaill, T. Ó Faoláin agus D. de Paor a rinne an ruathar san agus bhí triúr Óglach den Cheathrú Cathlán ag Cuidiú leo, eadhon, Proinsias Ó Meára, Aindrias Ó hUallacháin agus Dáithí de Búrca. Ón mbliain 1919 amach ní raibh sos ar an gComplacht ach ag cuidiú leis an gcuid eile den Bhriogáid chun cogadh na saoirse d'fhearadh ar na Sasanaigh agus deireadh a chur lena réim sa tír seo. Ar na hoibríochta míleata a bhíodh ar siúl lena linn sin bhí na cinn seo leanas : ruathair á thabhairt ar bheairicí an namhad ; ruathair ar na carra poist d'fhonn málaí litreacha na nGall a ghabháil ; ruathar ar thraen mhíleata d'fhonn na hearraí a bhí inti a scrios—rud a rinneadh go héifeachtúil ; ruathair ar oifigí na cánach ioncaim d'fhonn na taifid a scrios ; naoscaireacht agus eadarnaithe ar dhíormaí agus ar phatróil an namhad idir shaighdiúirí agus póilíní, pé acu ar an mbóthar nó ar na bóithre iarainn a bhídís ag taisteal. Sa bhliain 1920 dódh mórán beairicí beaga d'éis a n-aslonnuithe ag Gaill. Ar na beairicí a scriosadh bhí Fíodh Dúin, Cluain Fhia Paorach, Carraig Bheag (an dá cheann san i gCo. Phortláirge), Áth Thine, Baile an Phoill, Teampall Fhórtham (an dá cheann deiridh sin i gCo. Chill Choinnigh). I Márta na bliana 1921 tugadh amais fé na Gaill sa Ghleann Bodhar, i mBaile Uí Dhuinn, Fíodh Ghlaise, Craig, Na Trí Droichid agus Páirc na bhFia. I mí an Mhárta cuireadh cosc le traen gairid do stáisiún na Carraige agus sciobadh chun siúil mórán trealaimh mhíleata. Tugadh fé dhíormaí de shaighdiúirí agus de phóilíní ag Ard Choluim, rinneadh naoscaireacht ar shaighdiúirí agus ar Dhubhchrónaigh i sráideanna na Carraige agus tugadh ruathair fé charr poist. Bhí an mhórchuid de na hÓglaigh ar fianas sa tréimhse Aibreán-Bealtaine 1921 ag cur na mbóithre ó chion agus ag naoscaireacht ar phatróil agus ar dhíormaí éagsúla den namhaid de ló is d'oíche. Bhí cuid de na hÓglaigh ar fianas leis na Colúin Bhriogáide nó le hAonaid Fianais an Chathláin féin. Tugadh fé mhiondreamanna den namhaid ag Gráinseach Mhóicléir, Cill Cais, Baile Phádraig, Áth Thine, Baile Uí Néill, Faichín, agus áiteanna eile.

Complacht B. (Faichín) : Ní fhuaireas aon tuairisc fén gcomplacht so.

Complacht C. (Gráinseach Mhóicléir) : Thug na hÓglaigh fé bheairic na bpóilíní sa Ghleann Bodhar i mí na Samhna,

321

1920, agus bhí trí dhuine dhéag de Chomplacht C páirteach san amas san. Thug Colún an Lásaigh fén mbeairic sin arís in Aibreán na bliana 1921 agus chuidigh roinnt Óglach ón gcomplacht so leis an gColún.

Complacht D .(Maothal) : Ba é Muiris Mac Craith (" The Bogman ") a bhí i gceannas na complachta so ar dtúis, ach do hardaíodh é ina dhiaidh san chun bheith ina Oifigeach Ceannais ar an gCathlán. Maraíodh de thaisme é le linn an tSosa Chogaidh nuair a scaoil duine de na hÓglaigh a raidhfil. In Aibreán na bliana 1920 thug an chomplacht tine do bheairic na bpóilíní i gCluain Fhia Paorach. I mí na Bealtaine tugadh tine do Theach na Cúirte agus do bheairic na bpóilíní i gCarraig Bheag agus i mí Meán Fómhair rinneadh ruathar ar stáisiún Fiodh Dúin mar a raibh lucht d'urchomhlaí cruach á seoladh chun beairic na bpóilíní i bPort Chládhach. Níor haistríodh ón stáisiún go dtí an bheairic iad, ámh, mar rug na hÓglaigh orthu agus theilgeadar isteach sa tSiúir iad. Ruathair ar lorg arm is armlóin, ruathair ar na carra poist agus naoscaireacht ar dhíormaí den namhaid is mó a bhí á dhéanamh ag an gcomplacht so.

Complacht E. (Cluain Fhia Paorach) : Tugadh fé bheairic na bpóilíní i gCluain Fhia (nó mar ba chóra a rá, b'fhéidir, rinneadh naoscaireacht ar an mbeairic) an 4ú Aibreán, 1920. Do haslonnaíodh an bheairic tamaillín dá éis sin agus ní túisce d'imigh na póilíní ná mar a tháinig na hÓglaigh agus gur dhódar an bheairic. Taréis a ghabhála ag na hÓglaigh tugadh an cigire Potter den R.I.C. isteach sa cheantar san mar ar coinníodh é gur cuireadh chun báis é an 23ú Aibreán. I mí na Bealtaine do hionsaíodh díorma rothaithe de chuid an namhad. Fiche saighdiúir agus aon phóilíní amháin a bhí sa díorma san. Tugadh fúthu i gCluain Fhia féin ach thángadar uile as go

322

sleamhain slán. I ndeireadh an Mheithimh thug dream beag Óglach den chomplacht so fé dhíorma saighdiúirí ach níor éirigh leo aon dochar a dhéanamh don namhaid.

Complacht F. (Ráth gCormaic) : Gabhadh trí dhuine dhéag de Chomplacht F agus iad ag déanamh tochaltáin ag Sean-Chill, i gcomharsanacht Ráth gCormaic. Tháinig sluaite na Coróine orthu gan choinne gur bhaineadar as a gcleachtadh iad. Tharla scirmis idir na Gaill agus na Gaeil an 19ú Meitheamh, 1921. Is amhlaidh a bhí an Tánaiste Cathláin (Tomás Ó Fathaigh) tar éis an chomplacht a chur ar paráid nuair a tháinig slua mór de shaighdiúirí Gallda gan choinne agus gur scaoileadar leis na hÓglaigh. Maraíodh fear tíre ná raibh aon bhaint aige le cúrsaí cogaidh agus goineadh beirt Óglach. Scaip an chomplacht ach gaibh na Sasanaigh ceathrar acu.

Complacht G. (Bearna na Gaoithe) : Thug Óglaigh na complachta so fé cheithre mótarthrucail de shaighdiúirí Gallda a bhí ag taisteal ó Chluain Meala go Carraig na Siúire ar thaobh Chontae Phortláirge den abhainn. Gairid do Chill Síoláin a rinneadh an t-eadarnaí sin. Ligeadh don dá lorraí tosaigh dul thar bráid agus do hionsaíodh an dá cheann deiridh.

Complacht H. (Baile Uí Néill) : Stad Óglaigh Bhaile Uí Néill traen idir Carraig na Siúire agus Cill Síoláin agus sciob-adar na málaí poist leo, i mí na Samhna, 1920. Chuidíodar leis an gColún fé cheannas Dhonnchadh de Lása chun amas a thabhairt fé bheairic Ghleanna Bhodhair in Eanáir na bliana 1921. Ghaibh cuid acu páirt san ionsaí a rinneadh ar an mbeairic sin i mí na Bealtaine nuair a goineadh duine den R.I.C. Ba é Colún an Lásaigh a rinne an t-amas san freisin. Bhí roinnt Óglach ó Chomplacht H ar na fir a thug ruathar fé stad na traenach i gCarraig na Siúire (Meitheamh, 1921) nuair a rugadh ar na málaí poist agus ar earraí áirithe míleata.

Complacht K. (Coill Ó nDeirigh) : Chuaigh roinnt Óglach den chomplacht so ar fianas le colúin Chill Choinnigh san amas a rinneadh ar na Sasanaigh ag Cill Chuilinn (Teach na Naoi Míle) i Nollaig na bliana 1920. Meastar go raibh idir seasca agus seachtó fear ag troid ar thaobh na nGall sa chomhrac san. Bhí Óglaigh ann ón Ochtú agus ón Seachtú Cathlán maraon le hÓglaigh Chill Choinnigh. In Eanáir na bliana 1921 chuaigh dream d'Óglaigh na complachta so i ngleic le díorma de na Gaill i gCraig. Tuairim is fiche fear a bhí ann de Ghaill an lá san, idir shaighdiúirí agus póilíní. Bhí cúig Óglach déag ann ach bhí a lán acu ar díth arm fónta. B'éigean don namhaid cúlú le crónú na hoíche agus ghaibh na hÓglaigh roinnt trealaimh mhíleata de bharr an chomhraic. Goineadh ceathrar den namhaid agus beirt Óglach. I mí na Féile Bríde thug buíon de na hÓglaigh fé mhórshlua de shaighdiúirí agus de Dhubhchrónaigh gairid don bhóthar iarainn ag Tobar Fhachtna. Gunnaí fiaigh is mó a bhí ag na hÓglaigh, agus tar éis na céadta urchar a scaoileadh fén namhaid chúlaíodar i dtreo na dTrí Droichead. Bhí an dá dhream ag loscadh lena chéile gan stad gan staonadh ar feadh tamaill mhaith, ach níor éirigh le haon dream acu dochar ná díobháil a dhéanamh don dream eile, cé gur mharaigh na Poblachtánaigh asal bocht a tharla idir an dá dhíorma. Tháinig na Sasanaigh timpeall ar na hÓglaigh ag na Trí Droichid, ach chuir na hÓglaigh an ruaig orthu fé dheoidh agus ghabhadar roinnt rothar agus trealamh de chuid na nGall. Lá arna mhárach scaoil na Sasanaigh a sluaite fén dúthaigh sin agus iad ar thóir na nÓglach. Níor éirigh leo mórán a dhéanamh, ámh, toisc na bóithre a bheith curtha ó chion cheana ag na hÓglaigh. Chuaigh carr armúrtha agus dhá thrucail de chuid na Sasanach in achrann i dtrínse agus thug na hÓglaigh fúthu. Maraíodh duine de na Gaill agus goineadh ochtar. I mí an Mhárta tharla díorma de phóilíní agus de shaighdiúirí ag scartáil bloc bóthair a thóg na hÓglaigh roimhe sin le haghaidh luíocháin a bhí beartaithe acu a dhéanamh ar na Gaill, nuair d'ionsaigh dream de na hÓglaigh iad. Gabhadh beirt den namhaid, baineadh a gcuid arm is a dtrealamh cogaidh díobh agus ligeadh chun siúil arís iad ansan.

AGUISÍN V

Rolla na Marbh

d'éag

Ar Son na hÉireann

An Chéad Chath :	Tomás Ó Laidhigh, Diarmaid Ó Laighin, Tomás Ó Lorcáin. 3
An Dara Cath :	Lorcán Ó Lúbaigh, Séamas Ó Lúbaigh, Pádraig Ó hÓgáin, Uinsean Ó Dúshláine, Piaras Mac Canna. 5
An Treas Chath :	Domhnall Carrún, Seán Ó Riain (An Máistir), M. Ó Riain, Séamas Ó Cuirc, Peadar Ó Duibhir, Pádraig Ó Meachair, D. Ó Duibhir, Máirtín Puirséal. 8
An Ceathrú Cath :	Máirtín Ó Braoin, Seán Ó Dubhthaigh, Donnchadh Ó Riain, Pádraig Ó Maoldhomhnaigh, Séamus Ó Meadhra,

Diarmaid Ó Cadhla, Seán Ó Treasaigh, Donnchadh de Lása, Mícheál Mac Gearailt, Seán Ó Ríordáin, Pádraig Mac Donnchadha, Liam Mac Conchradha, Mícheál Ó hAirtnéada, Liam Ó Riain, Liam Ó Briain, Éamon Ó Duibhir, Proinsias Ó Duibhir, T.Ó Lúbaigh, S. Ó hAodha, Seán Ó hAilín, Pádraig Daltún Conn Ó hAinlighe, Mícheál Ó Conchubhair, Séamas Ó hIceadha, Mícheál Mac Éamoin, Diarmaid Riggs. 26

An Cúigiú Cath : Séamas Ó Caoimh, Proinsias Ó Caoimh, Mícheál Mac Craith, Mícheál Condúin, Tiobóid Inglis. 5

An Séú Cath : Pádraig Inglis, Tomás Ó Deaghaidh, S. Ó Mathúna. 3

An Seachtú Cath : Séamas Ó hAodha, Pádraig Haicéad, S. de Brit, M. Ó Riain, S. Ó Cuinn, Risteard Pléimeann, M. Ó Néill, P. Binéad, Séamus Mac Aodhagáin, Tomás Ó Donnabháin, Donnchadh Saidléar, Mícheál Saidléar, Éamon Ó Samhraidh, M. Ó hIfearnáin, Pádraig Mac Fhlannchadha, Máirtín Mac Fhlannchadha. 16

An tOchtú Cath : L. Ó Néill, S. Tóibín, P. Daltún, P. Ó Neachtain, S. de Brún, R. Ó Meachair, Muiris Mac Craith, Mícheál Ó hÓgáin, S. Sinseon, Tomás Ó Cinnéide. S. Ó Tarpaigh, Pádraig de Buitléar, Éamon de Buitléar, P. Ó hAnluain, Pádraig Ó

326

AGUISÍN VI

Amhráin agus Dánta

Fonn :   The Men of the West.

Nollaig, 1949.

SEAN-TIOBRAID ÁRANN ABÚ

Ar mo shlí dhom ó Thiobraid Árann
Go Caiseal caomh álainn na Mumhan
Do chonac an Bhuíon Reatha dhána,
Fé cheannas de Lása teacht chúgham.
Ba thiomanta teann iad na sáirfhir,
Ina rangaibh ag máirseáil go dlúth,
Is ba chuma leo titim sa ngráscar
Ach go mbéarfaidís barr agus buaidh.

Curfá–
Mó ghraidhn iad na buachaillí breátha
Ina dtreasaibh ag máirseáil go dlúth ;
Fir throda na Tríú Briogáide–
    Sean-Tiobraid Árann Abú.

Ba fearamhail, fuinneamhail fórsach,

327

D'fhearaidís comhrac cruaidh,
Ina dtreasaibh i gcoinne na gCrónphoc,
Ag seasamh an fhóid go mbuaidh.
Fé cheannas a gceannaire cróga
Níorbh eagla leo gleo ná guais,
Ach ba chalma cathach na hÓglaigh
Ag cur sluaite na Coróine fé ruaig.

Curfá- Mo ghraidhn iad, etc.
B'iad tréinfhir na Tríú Briogáide
Do chonac an lá úd fadó,
Ag gluaiseacht ar bhóithre bána,
Go dorrdha dána chun gleo :
Togha trodairí Thiobrad Árann
Gurbh fhearr leo a mbás ná a mbeo
Mura mbeadh an tsaoirse i ndán dóibh,
Is díbirt ar Ghallaibh go deo.

COLM Ó DUIBHIR.

Fonn : An Maidrín Rua.

TRODAIRÍ NA TREAS BRIOGÁIDE

Nuair a léimid sa stair ar éachta na bhfear
Do throid anallód go dána,
Ag éileamh a gceart le faobhar is neart
I gcoinne na sló thar sáile—
Ná léigimis ar ceal cuimhne an dream'
Do thit i dTiobraid Árann,

328

Agus Éire go fann fé léirscrios Gall—
Trodairí na Treas Briogáide.

Le hais Sulchóide d'adhnamair an gleo
Nuair a bhaineamar dá dtreoir a ngarda,
'S ag stáisiún Chnoc Loinge rug bua na droinge
Do sheas inár gcoinne gan stánadh.
Bhí sceimhle is sceon ar chladhairí Sheoin
'S iad ag teitheadh lena mbeo thar sáile,
Ach bhí faghairt chun gleo agus meidhir thar meon
Ar throdaírí na Treas Briogáide.

Do sheasadar fód ar an *Ashtown Road*
Aicme d'Óglaigh láidre,
'S do leagadh sa chomhlann chruaidh, mo bhrón,
An Sabhaoiseach cróga cáilmhear ;
I gCathair Bhleá' Cliath bhíodh catha de shíor
Dá bhfearadh go dian ar na sráideann',
'S pé áit ina mbíodh, i lár an ghliadh
Bhíodh trodairí na Treas Briogáide.

Ina ndúthaigh féin cois na Siúire glé
Ón gCarraig go Tiobraid Árann
'S ó Chaiseal na dTréan go fearann an tsléibhe
Ar theorainn thuaidh Phortláirge,
Bhí cumhacht is réim ag arm na nGael
'S na cruanphoic céasta cráite,
'S a dtaoisigh thréana sínte ar an bféar
Ag trodairí na Treas Briogáide.

Tá cuid den tsló a mhaireann beo

Do throid anallód go dána,
'S tá cuid, mo bhrón, ina luí fén bhfód
Do thit sa gcomhlann gáifeach ;
Is é ár nguidhe amach ó chroí
Go bhfeicfear a n-ainm in airde
'S an onóir is cóir 'á tabhairt go fóill
Do throdairí na Treas Briogáide.

Is mó fear tréan díobh do thit go laochda
A bhfuil a ainm anois in airde
Mar Sheán geal Treacy is Dinny Lacey,
Na Sadliers is Paddy Dalton.
Ar son na hÉireann chuaigh gearr ar a saolsan
'S ar shaol a lán dá gcairde ;
Ach le háthas fíor fuair bás dá dtír
Trodaírí na Treas Briogáide.

Ná déanaimis dearúd ar na tréinfhir úd
Thug saor sinn ar uair na práinne ;
Nár thréig an chúis dá mhéid a nguais
Ach d'éag gan gruaim 'na dtáinte.
I gcoinne na nGall do sheasaigh go teann
Ag troid le fonn ar son Ghráinne ;
Is tógfaimíd ar ball a leacht os a gcionn—
Trodairí na Treas Briogáide.

COLM Ó DUIBHIR.

A THREASAIGH CHÁIDH !

A Threasaigh cháidh ! molaimse do lámh.
Cé go bhfuil tú go tláth san uaigh anois.

Ba láidir tú i bpáirt in aghaidh Ropairí Sheáin
Bhí ar buile 's ar fán tríd an ndútaigh.
I dteangain na mBard beidh t'ainm go hard,
Mar gheall ar do ghrá dár staire—
Do throidis gach lá go meanmnach grách
Ag saothrú síochán agus buaidh dhí.

Is trua linn tú ar lár id 'óige 'sid bhláth
Nuair atáimid ag tnúth le saoirse ;
Ach mairfidh do cháil an fhaid a bheidh trácht
Ar fhearaibh gan scáth sa tír seo.
Roimh ghramaisc an áir do seoladh thar sáil'
I leith go hoileán ár sinsear,
Ag dó 's a robáil ar fuaid Inse Fáil
'S ag creachadh gan náir ár ndaoine.

Meireach tusa 's do shórt do bheimis go deo
Mar bhacaigh ag cur stró ag gach éinne.
Mar do sciobadh ár stór 's ár maoin os ár gcomhair
Mar scuabtar an ceo de sna sléibhte.
Ba cheap magaidh is spóirt ár mbuaireamh 'sár mbrón
Ag an Scriosadóir Seon úd an éirligh,
Gur airigh sé an gleo ar gach taobh de go beo,
'S gur mhothaigh sé comhacht bhúr bpiléarna.

Anois codail go sámh, a ógánaigh bhreá,
San roilig sin lámh led ghaoltaibh,
Nó go dtagaidh an lá nuair a glaofar go hard
Ar ar shíolraigh ó Adhamh agus Éabha.
I bhFlathas na ngrást go rabhair go hard
I measc scata breá lách de Ghaelaibh

Is go raibh sé i ndán dom féin tar éis bháis
Bheith id' fhochair i láthair an Aon-Mhic !

(Ní fios cé dhein. Tá sé i gcló ag Deasún Ó Riain ina leabhar
Seán Treacy and the 3rd Tipperary Brigade. Ó Mhícheál
Mac Giolla Phádraig, Tiobraid Árann, a fuair seisean é. cf. an
nóta atá ag Deasún Ó Riain leis an dán so ina leabhar.)

AN GLAODH

(Do Sheán Ó Treasaigh)

Goire cuaiche maidin drúchta i Sulchóid séimh
Nó tradhnach luaimneach mar spiorad ar bhuanturas go
breacadh lae,
Sruth so-ghluaiste go déanamh suantraí do aicme an fhéir,
Eas ag túrnamh nó an mhuir ag brúchtaíl ar thráigh i gcéin.

An damh ag búireadh ar imeall cluaine is an eilit mhaol
Nó andord londubh is magadh smólach go hard ar ghéig,
Guth na gcúileann ag déanamh buaidh liom dá bhinne é,
Na ceolta is iontaí dá fheabhas á suathadh, cár háil liom féin.

Ó dtáinig chughamsa im' leabaidh shuain dom mar ghath
ón ngréin
Trí dhuille úrghlas an ríbhean mhúinte agus thug dom glaodh?
Ba bhíogach luaithmhear d'anál a rún gheal, agus teas do
bhéil
A chorraigh m'fhuarfhuil chun glonn na gcomhlann 'dir
ghunna is faobhar !

Níor cheas dom gluaiseacht id' dháil ar neoin ins an mbearna
    baoil ;
Níor cheas liom mórghoin in ionad comhlann—sin nochtadh
    scéil !
A ghile 'mhuirnín, a ríoghan na rúnshearc, is a chéile chaoimh,
Do thriallfainn ruachnoic is do shnámhfainn cuanta ar phóg
    ód' bhéal.

ÁINE NÍ FHOGHLUDHA do cheap.

ACHAINÍ AN ÓGLAIGH

A Dhia, bí liom ar mhá an áir,
    Do ghrásta im' chroí
Cuir brí is neart is lúth im láimh
    An námhaid a chloí
Go bhfeicfear Éire arís fé cháil,
    Bí liom, a Dhia !

A Dhia, bí liom le linn mo bháis—
    Níor bhinne é
I ndún an rí go socair sámh
    Gan chrá gan chéas,
Ná ar an gcriaidh ar aghaidh an námhad
    Go tuirseach tréith.

An chreill is binn lem chluasa, a Chríost ;
    Go raibh agam !
Sin pléasc is blaodhm na ngunna dtréan
    Ag cosaint cirt
Nó glór na gclaidheamh 'tabhairt béim ar béim
    Ag scriosadh oilc.

Ní binn liom lucht an chaointe chaoin
    Ar uair mo bháis,
Ach gáir na slua—an Sasanach thíos
    'S an Gael go hard,
Sin chuirfeadh suaimhneas ar mo chroí,
    A Dhia na ngrás !
        ÁINE NÍ FHOGHLUDHA do cheap.

AN TEASARGAIN

(Cnoc Loinge)

Do leath an scéal ar fuaid na hÉireann is do líon an tír,
Eachtra éachtach do rinne " méirligh " i gcoinne díorma an
    Rí ;
Treas na dtréan ag stad na traenach agus fíoch 'na gcroí,
Frasa piléar sa chaismirt ghéir ar an iarnód thíos.

An laochra beartach béimeannach do ghríosaigh gleo—
Trí mhéid a ngeana ar " Éirinn oill " ba mhianach leo
Clann na nGael a thabhairt saor ar daoirse is brón,
'S an Ríogan réil do shuí fé shéan arís i gcoróin.

Go cráite i nasca láimhe bhí a gcara dil óg,
Dá ghardadh sa charráiste ag ceatharnaigh Sheoin ;
Is fada bhéarfar tásca ar dhásacht na leon
D'fhág na gardaí go cásmhar 'na gcosrachaibh cró.

An Treasach bhí i gceannas ar an gcómplacht ghlia,
Ina fharra bhí a sheanachara Domhnall Ó Braoin ;

334

Dob fheasach do na Gallaphoic a gcómhacht is a mbrí,
'S dob eagal leo a gcalmacht i ngleo is i mbruíon.

Ling an bhuíon ar bord na traenach agus rún 'na gcroí
Dul sa bhruíon ar son na hÉireann in aghaidh sluaite an Rí—
An bheirt Bhrianach—Seán is Éamon—agus Mac Roibín—
Le hairm faobhair ag tabhairt saor an ruagaire righin.

"Lámha in airde !" ghlaoigh go láidir na gaiscígh ghroí;
Insan ngráscar thit an Sáirsint agus fear dá bhuíon :
An tÓgánach go sábhalta tháinig as gan díth,
'S d'éirigh gártha maíte in airde le neart geana don ghníomh.

A Threasaigh chalma ! is tu ba dhanartha ag seasamh fóid
I gcoinne Gallaphoc, gan scáth gan eagla á mbaint dá dtreoir ;
Gan trua gan taise agat do shluaite Shasana, dá mhéid a
        gcómhacht,
Ba mhór do mheanmna, mo bhrón mar leagadh thú sa chath
        fé dheoidh.
                    Sagart de Dhéisibh do chum.

EACHTRA CHNOIC LOINGE

Lá dár éirigh an Treasach treon
Is tuilleadh de leoin na bhFiann,
Tugadh tuairisc tubaiste dhóibh
Fá Óglach a gabhadh ina ghiall.

Seán Ó hÓgáin a gcara caomh
Do slogadh i gcraos na nGall,

Is dob eol dá chompánaigh go fíor
Go ndíolfadh ina ndearna ar ball.

Do cuireadh tiomsú go beo
Ar chúraí na nÓglach niadhach,
Is do cinneadh leo a sciobadh ón éag
Dá dtitidís féin sa ngliadh.

Ar Cnoc Loinge thugadar aghaidh
Do thaighdeadh a gcaomh-chompáin,
Óir dob fheas dóibh go raibh a thriall
Ar Chorcaigh síos cun a bháis.

Ó Dhurlas Éile fá lán-luas
An traen do ghluais ar a turas siar,
Go ráinig Cnoc Loinge fá dheoidh
Mar a dtarla le sló na bhFiann.

Díorma díocra de laochra Gael
Narbh eagal leo baol ná bás,
Do ghaibh iolfhaobhar is arm
Do chosnamh críocha fearann Fáil.

D'éirigh an Treasach de léim.
D'éirigh dá éis an laochra mear,
Do ling ar an traen go beo
Is do chuaigh go cróga san treas.

Borb an treas, ón, borb an treas
Do fearfadh go calma cruaidh,
Dias póilín do thit sa ngliadh
Is d'imigh an Fhiann go mbuaidh.

336

Dias ar lár i gcróilí bháis
An Sáirsint is fear dá bhuín ;
Do throid an Sáirsint go fuilteach féige
Sul ar thit sé féin sa bhruín.

Dias go goineadh d'fhearaibh Fáil
Sa ghuaisbheart gháifeach chruaidh,
A gcoirp a tolladh go raibh fá chró,
Ach ba leo do rugadh an bhuaidh.

Dia go deo le sló na nGael
Do chuaigh i mbaol a mbáis
Do chuir an cath go calma cóir
Is d'fhóir ar chríochaibh Fáil.

MARBHNA DHONNCHADH DE LÁSA

Uch mo bhrón, ón uch, mo bhrón
Mar do leagadh thú sa ngleo,
A Dhonnchadh na ngrua ngeal
Ba mhearchalma i dtreas na dtreon

A Dhonnchadh an chroí cháidh
A chathmhíle Inse Fáil,
Mairg a d'fhág i linntibh cró
An taoiseach óg dob fhearr cáil.

Ag cosnamh saoirse na gcríoch
Is é ba dhíol duit riamh
Na Gaill a thabhairt fé ruaig
A dúthaigh Éibhir is Ír.

337

22

A Dhonnchadh áin na n-éacht n-áigh,
A thaoisigh thréin d'Fhianna Fáil,
Do ba dhual duit Gaill do chloí,
Níor dhúchas duit stríocadh go brách.

Ionmhain laoch, ón, ionmhain laoch
Nár chúb riamh gé mór an baol,
Duit ba dhleacht tosach an tsló
I dtreasa treoin na nGael.

An tosach ag dul sa treas
'S an deireadh ag teacht thar n-ais—
Fear díbheirge i gcoinne Gall,
Fear nár fheall 's nár chaill a gheas.

Náir ná nuar níor ghabhais riamh
Ó Ghallaibh dá mhéid a líon ;
Do thitim níorbh eagal leat,
A churaidh chalma na bhFiann.

Taoiseach treon, ón, taoiseach treon,
Tuairgneach catha riamh sa ngleo,
Tromghonta le piléar Gael
Is saeth liom mar thit an leon.

Uch a lámh, ón, uch a lámh,
A dhóidchleath dhocht dár ghéill cách
Gé go bhfuil anois go trua
Bhí tusa go lúfar tráth.

Géar an gliadh, ón, géar an gliadh

Inar torchradh an tréin-triath ;
Do thitim le Gaeil níor chóir,
A ridirc mhóir na niadh.

Ní leomhfá dochar ná díth
Do dhéanamh go deo dod thír,
Dá dtagadh de do bhás féin
Dob fhearr leat éag ná bréagshíth.

Donnchadh de Lása

Gé cruaidh calma thú sa chath,
Trom do lámh is dian do smacht,
Níor ligis thart lá ded ré
Gan guidhe Máthair Dé is a Mac.

339

Tháinig dod rochtain an t-éag,
Mo chreach, mar torchradh an tréan ;
An t-aon dob fhearr do chosaint cirt
Ar díth a nirt sa chré.

Cuireadh do cholann sá chré
Chuaigh t'anam i sosadh Dé ;
Gé gabhais bealach an bháis
Mairfidh tráth do cháil id dhéidh.

BÁS AN TREASAIGH
(Fonn : Seán Ó Dighe).

Tráthnóna cois na Siúire ag siúl dom sa ród
Ba thóirseach mé's ba ghruama gan suaimhneas gan só ;
Bhí neollta nimhe ag clúdach na móinéar is na ruaiteach
'S dob eol dom féin an tuairisc d'fhúig sinn fá bhrón.

Ba léanmhar í an tuairisc a fuaireas um neoin,
Bhain deora as mo shúile le rua-bhuinne bróin,
D'fhág treoinfhir fós fá dhuairceas is tóisigh slóigh gan suair-
      ceas,
D'fhag fóirne Fáil gan stiúradh 'na sluaite gan treoir.

An sceol do chuir fá ghruaim mé is do bhrúigh mé go deo—
An tóirse gheal dá múchadh ba lúnrach sa ngleo.
An tÓglach teann dob uaisle, mo bhrón gur thit le cruanphoic,
'S a Sheoin Uí Threasaigh thuairgnigh, tá buaite ort fé dheoidh.

FOINSÍ

LEABHAIR AR AN TREAS BRIOGÁID

Baineadh lán-fheidhm as leabhar so as na leabhair a foilsíodh cheana féin i dtaobh na Treas Briogáide i dTiobraid Árann, mar atá :

My Fight for Irish Freedom le Dan Breen, (Dublin, Talbot Press, 1924).

On Another Man's Wound le hEarnán Ó Máille (London, Rich & Cowan, 1935).

Sean Treacy and the Third Tipperary Brigade le Deasún Ó Riain (Tralee, the Kerryman, Ltd., 1945).

LEABHAIR EILE

Dáil Éireann : *Tuairisc Oifigiúil,* 21ú Eanáir, 1919-8ú Meitheamh, 1922 (Oifig an tSoláthair).

Healy, Liam : *Dinny Lacy* (Waterford, Waterford News, 1924).

Hogan, David : *The Four Glorious Years* (Dublin, The Irish Press, Ltd.).

MacArdle, Dorothy : *The Irish Republic* (4th edition, Dublin, The Irish Press, 1951).

AISTÍ, LITREACHA, AGALLMHA, &c., I dTRÉIMH-SEACHÁIN AGUS I LÁMHLEABHAIR

Mac Craith, Muiris : Litir san *Southern Sentinel,* 5 Márta, 1949.

Mac Róibín, Séamas : Aiste san *Evening Telegraph and Press,* 17 Deireadh Fomhair, 1932.

Ní Dhuibhir, Cáit : Agallamh san *Clonmel Chronicle*, 23 Deireadh Fómhair, 1920.
Ó Druacháin, Proinsias : Agallamh san *Nationalist* (Cluain Meala), 15 Márta, 1919.
Ó Duibhir, Éamon : Aiste i leabhrán darab ainm *Bláith-Fhleasg ó Thiobraid Árann* (Conradh na Gaeilge, 1943).
Ó Mathúna, an tAth. Máirtín, C.S.Sp. : Aiste sa leabhrán céanna.

TRÉIMHSEACHÁIN

An tÓglach, 1918-1921 (Iris Oifigiúil na nÓglach).
The Irish Bulletin, 1919-1921 (Iris Oifigiúil Dáil Éireann).
Éire, 1923-1924.
Sinn Féin, 1924-1925.
Clonmel Chronicle, 1916-1923.
The Nationalist, 1916-1923.

FIANAISE PHEARSANTA

Baineadh feidhm as na scríbhinní údarásacha a cuireadh le chéile sna ceantair éagsúla i dTiobraid Árann Theas i gcóir Coistí na bPinsean. Níor éirigh liom, ámh, aon tuarascáil údarásach den tsórt san d'fháil ón Dara ná ón Séú Cathlán. Is iad na daoine d'ullmhaigh na tuarascála so na hoifigigh seo leanas : Diarmaid Ó Daimhín (Cathlán a hAon), Tadhg Ó Duibhir (Cathlán a Trí), Muiris Mac Conchradha (Cathlán a Ceathair), Seán Ó Cléirigh (Cathlán a Cúig), Nioclás Ó Morruanaigh agus Tomás Ó Cuidithe (Cathlán a Seacht), agus Séamas Babington (Cathlán a hOcht). Bunaíodh na cuntaisí sin ar fhianaise phearsanta na nÓglach a raibh páirt acu sna heachtraí a luaitear iontu, agus ar eolas na n-oifigeach féin.

Táim fé mhórchomaoin ag Mícheál Ó Néill, Cluain Meala, i dtaobh litreacha agus trodáin oifigiúla a bhaineann leis an tréimhse Meitheamh-Lúnasa, 1922, a sholáthar dom. Ar na cáipéisí sin bhí orduithe airm, tuarascála ó na ceannasaithe colún agus tuarascála ó na hoifigigh fhaisnéise. Bhaineas lán-fheidhm as litreacha agus leabhair nótaí mo charad Seán Ó Cuana ó Chluain Meala (suaimhneas síoraí go raibh aige) ach b'éigean dom a lán dá raibh bailithe aige d'fhágaint ar lár d'fhonn teora a chur leis an leabhar so. Táim fé mhórchomaoin freisin ag Sean Mac Giolla Phádraig as ucht an eolais a thug sé dhom ar na Cathláin agus na Complachta; agus is mian liom mo bhuíochas a ghabháil le Tomás de Barra a sholáthraigh dom liosta de na haonaid airm (de chuid na nGall) a bhí lonnaithe i dTiobraid Árann i mBealtaine na bliana 1921.

Tá beirt eile a bhfuil mo bhuíochas ag gabháil leo nach mian leo go n-ainmneofar iad anso. Ar na daoine a chabhraigh liom le tuarascála béil nó pinn bhí :

Babington, Séamas	Ó Cuana, Seán
Barra, Tomás de	Ó Coirc, Liam
Búrca, Mícheál de	Ó Duibhir, Tadhg
Daltún, Risteard	Ó Dubhshláine, Lorcán
Gleandún, Éamon	Ó Fionnghusa, Seán
Mac Conchradha, Éamon	Ó Mathúna, Tomás
Mac Conchradha, Muiris	Ó Néill, Mícheál
Mac Craith, Pádraig	Ó Néill, Séamas
Mac Giolla Phádraig, Pádraig	Ó Riain, Pádraig
Mac Giolla Phádraig, Seán	Ó Ríordáin, Criostóir
Ó Carragáin, Éamon	Ó Searcaigh, Seán
Ó Cléirigh, Seán	Tóibín, Liam

Gabhaim mo bhuíochas leis na daoine seo leanas as ucht pictiúirí a sholáthar dom i gcóir an leabhair seo :

343

Baume, Maurice, Baile Átha Cliath.

Daltún, Risteard, Cluain Meala.

Mac Conchradha, Muiris, Sruth, Tiobraid Árann.

Mac Giolla Phádraig, Mícheál, Tiobraid Árann.

Mac Uí Chiosáin, Grianghrafadóir, Gráig, Chill Coinnigh.

Ó Cuana, Seán, Cluain Meala.

Ó Donnchadha, Seán, Cluain Meala.

Ó Fiachain, Maitiú, Eagarthóir *Scéala an Domhnaigh.*

Ó Ríordáin, Criostóir, Cluain Meala.

Ó Searcaigh, Seán, Cluain Meala.

Cló an Talbóidigh, Baile Átha Cliath.

Gabhaim buíochas leis an gCeannfort Séamas Ó Néill, G.S., as ucht cead a thabhairt dom dhá dhán de chuid Áine Ní Fhoghladha a fhoilsiú anso.

Bheirim mo bhuíochas go mór mór do Thomás Page a léigh agus a cheartaigh na profaí ó tbús go deireadh* ; don bhfoilsitheoir, Pádraig Ó Meára a chabhraigh liom go fial agus a thug a lán comhairle dhom, agus do Mhuintir Uí Ghormáin, Clódóirí, a rinne a gcuid oibre go slachtmhar agus a chuidigh linn chun an leabhar a chur amach gan mhoill.

Thugh Donnchadh Ó Céilleachair cabhair mhór dom leis. Táim an-bhuíoch de.

*Bhí an méid sin scríofa agam nuair a tháinig scéal a bháis chugam. Ar dheis Dé go raibh a anam.

Toghadh Seán Ó Treasaigh mar rúnaí do Choiste Chontae Thiobrad Árann de Chonnradh na Gaedhilge sa bhlian 1918. Tugtar anso cóip de litir a fuair sé ona Shoilse, Seán T. Ó Ceallaigh, a bhí an uair úd ina Árd Rúnaí don Chumann.

ar na chlóbhualadh do

Chló Uí Mheára

ag Ó Gormáin Teoranta

Gaillimh

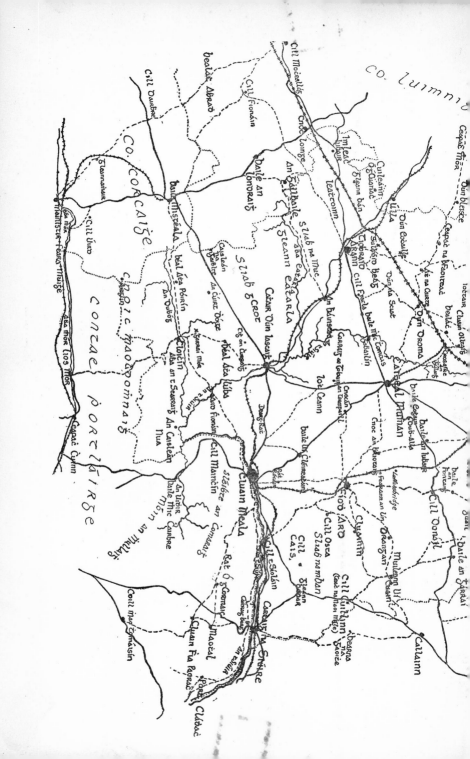